総合判例研究叢書

商　　法 (5)

株主総会……………………大隅健一郎
今井　宏

有斐閣

商法・編集委員

鈴木竹雄
大隅健一郎

序

フランスにおいて、自由法学の名とともに判例の研究が異常な発達を遂げているのは、その民法典が百五十余年の齢を重ねたからだといわれている。それに比較すると、わが国の諸法典は、まだ若い。最も古いものでも、六、七十年の年月を経たに過ぎない。しかし、わが国の諸法典は、いずれも、近代的法制を全く知らなかつたところに輸入されたものである。そのことを思えば、この六十年の間に極めて重要な判例の変遷があつたであろうことは、容易に想像がつく。事実、わが国の諸法典は、それに関連する判例の研究でこれを補充しなければ、その正確な意味を理解し得ないようになつている。

判例が法源であるかどうかの理論については、今日なお議論の余地があろう。しかし、実際問題として、多くの条項が判例によつてその具体的な意義を明かにされているばかりでなく、判例によつて特殊の制度が創造されている例も、決して少くはない。判例研究の重要なことについては、何人も異議のないことであろう。

判例の創造した特殊の制度の内容を明かにするためにはもちろんのこと、判例によつて明かにされた条項の意義を探るためにも、判例の総合的な研究が必要である。同一の事項についてのすべての判決を探り、取り扱われた事実の微妙な差異に注意しながら、総合的・発展的に研究するのでなければ、判例の研究は、決して終局の目的を達することはできない。そしてそれには、時間をかけた克明な努力を必要とする。

幸なことには、わが国でも、十数年来、そうした研究の必要が感じられ、優れた成果も少くないようになつた。いまや、この成果を集め、足らざるを補ない、欠けたるを充たし、全分野にわたる研究を完成すべき時期に際会している。

かようにして、われわれは、全国の学者を動員し、すでに優れた研究のできているものについては、その補訂を乞い、まだ研究の尽されていないものについては、新たに適任者にお願いして、ここに「総合判例研究叢書」を編むことにした。第一回に発表したものは、各法域に亘る重要な問題のうち、研究成果の比較的早くでき上ると予想されるものである。これに洩れた事項でさらに重要なもののあることは、われわれもよく知つている。やがて、第二回、第三回と編集を継続して、完全な総合判例法の完成を期するつもりである。ここに、編集に当つての所信を述べ、協力される諸学者に深甚の謝意を表するとともに、同学の士の援助を願う次第である。

昭和三十一年五月

編集代表

小野清一郎　宮沢俊義

末川　博　我妻　栄

中川善之助

凡　例

一　判例の重要なものについては判旨、事実、上告論旨等を引用し、各件毎に一連番号を附した。

二　判例年月日、巻数、頁数等を示すには、おおむね左の略号を用いた。

大判大五・一一・八民録二二・二〇七七　（大審院判決録）
（大正五年十一月八日、大審院判決、大審院民事判決録二十二輯二〇七七頁）

大判大一四・四・二三刑集四・二六二　（大審院判例集）

最判昭二二・一二・一五刑集一・一・八〇　（最高裁判所判例集）
（昭和二十二年十二月十五日、最高裁判所判決、最高裁判所刑事判例集一巻一号八〇頁）

大判昭二・一二・六新聞二七九一・一五　（法律新聞）

大判昭三・九・二〇評論一八民法五七五　（法律評論）

大判昭四・五・二二裁判例三・刑法五五　（大審院裁判例）

福岡高判昭二六・一二・一四刑集四・一四・二一一四　（高等裁判所判例集）

大阪高判昭二八・七・四下級民集四・七・九七一　（下級裁判所民事裁判例集）

最判昭二八・二・二〇行政例集四・二・二三一　（行政事件裁判例集）

名古屋高判昭二五・五・八特一〇・七〇　（高等裁判所刑事判決特報）

東京高判昭三〇・一〇・二四東京高時報六・二・民二四九　（東京高等裁判所判決時報）

札幌高決昭二九・七・二三高裁特報一・二・七一　（高等裁判所刑事裁判特報）

前橋地決昭三〇・六・三〇労民集六・四・三八九　（労働関係民事裁判例集）

その他に、例えば次のような略語を用いた。

裁判所時報＝裁時　家庭裁判所月報＝家裁月報

判例時報＝判時　判例タイムズ＝判タ

目　次

株主総会

大隅健一郎
今井　宏

株主総会

大隅健一郎
今井宏

はしがき

株主総会に関しては、その招集・議事・議決権・決議などのいずれの点においても、むずかしい問題がすこぶる多い。それも総会が正常に運営されているときはあまり問題は表面化しないが、それが一たび会社における利益の相剋や会社支配権の争奪の場と化したような場合には、理論上も実務上もその処理がきわめて困難な問題を生ずる。そして総会の招集又は決議成立の手続やその内容に法令又は定款違反があるときは、決議の効力は否定されざるをえないから、当事者の間で実際的な解決がなされないかぎり、それらの問題は直ちに決議の効力をめぐる争いとして法廷にもち込まれることになるのであつて、株主総会に関する法律問題は総会の決議の効力に関する訴訟に集中的に現われる。わけてもこれに関する下級審の判決は豊富であり、内容的にも注目すべきものが少なくない。本書では、これらの判例の提起している問題を網羅的にとりあげて整理・検討することを意図し、株主総会に関する判例で重要と思われるものは、大審院及び最高裁判所の判例にとどまらず、下級審の判決をもできるだけ広範囲にとりあげている。しかも、事実関係をも明かにする必要があると思われるものは、煩雑をおそれながらも、能うかぎり本文において指摘するように留意した。ただ紙幅の増大をさけるために、学説上議論のある問題でも判例のない事項には、きわめて簡単に触れるにとどめざるをえなかつた。また判旨の引用も最近のものを主とし、古い判決はそれぞれの事項につき代表的と思われるものに限定せざるをえなかつた。他日の補足を期したいと思う。

本稿は今井が一応執筆したのち、両人の協議によりこれを全体にわたつて補正したものである。

昭和三十四年四月

一　株主総会の意義及び権限

一　株主総会の意義

株式会社企業の実質的所有者は株主であるから、企業の支配権は窮局において株主に属するのが当然である。しかるにその株主は多数人から成り、会社企業の所有は分散するとともに、その所有にともなう支配もまた分散することとなる。この分散せる支配を統合する方式としてみとめられているのが株主総会であつて、株主総会は株主の総意により会社意思を決定する仕組にほかならない。すなわち株主総会とは、株主の総意により、会社の内部においてその意思を決定する株式会社の必要的機関である。その権限は会社の意思を決定することに限られ、その決定の執行は代表取締役その他の機関によつて行われる。「此総会ヲ組成スル株主ノ法定多数ノ意思ハ、会社ノ意思トシテ取締役ヲシテ之レヲ実行セシムルノ効果ヲ生ス」るが(大判明三二・一・三一民録五・一・六七、同明三二・一・一五民録五・一・六六)、株主総会の決議自体は外部に対して直接の効力を有するものではない。学説においては、取締役又は監査役の選任決議については、例外として総会の決議自体が会社の意思表示として直ちに被選任者に対する契約の申込たる効力を有すると解する見解があり(田中(耕)・概論三八三頁、松田・鈴木(忠)・条解一八四頁)、また明治四四年の商法改正前の判例は、取締役の選任決議をもつて単独行為と解する立場から、被選任者はその承諾をまたずして直ちに取締役たる資格を取得するものとしていた(大決明三六・三・一四民録九・三〇九、同明三六・八・二八民録九・九四八、なお、大判大一三・一二・五刑集三・八五七。反対、東京控決明三八・一二・二三新聞三二七・二三、大阪控決明四〇・一一・二〇新聞四六五・二一)。しかし、取締役又は監査役の選任をもつて単独行為と解することをえないのはもとより、取締役又は監査役の選任についてのみかように株主総会の決議が直接対外的な効力を有するものと解すべき理由は存しない（石井・商法Ⅰ二七五頁、西原「株主総会の運営」株式会社法講座（三）八二二頁）。

二　株主総会の権限

（一）株主総会において決議しうべき事項は、商法又は定款に規定のある事項に限り（商二三〇ノ二）、総会がこれ以外の事項について決議しても、その決議は法律上当然に無効である。この点において旧法上の株主総会が、法律又は定款に定められた決議事項以外にてもとくに法により除外されていないかぎり、会社に関する一切の事項を決議しえたのとは著しく異る。

商法において株主総会の決議事項とされているのは、定款の変更（商三四二・三四三）、合併（商四〇八）、営業の全部又は重要な一部の譲渡（商二四五Ⅰ1）等の特別決議事項、取締役の競業の認許・取締役の自己取引に関する責任の免除等の特殊の決議事項（商二六四ⅠⅡ・二六六Ⅴ・二六六Ⅳ・二八〇・一九六・四三〇Ⅱ、有六四Ⅰ・）のほか、取締役・監査役又は清算人の選任・解任及び報酬の決定（商二五四Ⅰ・二五七Ⅰ・二八〇・二六九・四一七Ⅰ・四二六Ⅰ・四三〇Ⅱ）、検査役の選任（商二三七Ⅲ・二三八）、会社と取締役又は清算人との間の訴訟における代表者の選任（商二六一ノ二Ⅱ・四三〇Ⅱ）、計算書類の承認及び利益又は利息の配当（商二八三・四一九・四三〇Ⅱ）、取締役・監査役又は清算人の責任解除の留保（商二八四・四三〇Ⅱ）、清算の承認（商四二七）などであるが、別に有限会社との合併（有六〇）、強制和議の可決があつた場合の会社の継続（破三一一）、保険会社における保険契約の移転（保険一〇九）などのように、商法以外の法令によつて決議事項とされるものもある。さらに右の法定事項以外の事項であつても、会社はその定款をもつて任意に総会の決議を要するものとなすことができる（商二三〇ノ二）。例えば、新株の発行（商二八〇ノ二）のように法に明文の規定のあるものはもとより、社債の発行（商二九六）

や一定額以上の取引などについても、総会の決議を要する旨を定めることを妨げない。

以上の決議事項は株主総会の権限に専属し、取締役がこれを排除又は制限しえないのはもとより【1】【2】、総会自身もこれを他の機関の決定に一任することはできない。例えば、資本減少の方法の決定を取締役に一任し（大判大一五・三・二七民集五・二二七）、支店の廃止等を取締役に一任し（東京地決明四一・四・九新聞四九三・一二）、取締役又は監査役の選任を総会の議長等に一任することなどはいずれも許されない。もつとも取締役の選任決議は、実際には、議長又は総会で別に選任した詮衡委員に選任すべき取締役の員数と同数の候補者の指名を委任し、その指名された候補者につき、総会の決議をもつて、一括して取締役となることを承認する方法をとるのが普通であるが（大隅・園部・取締役・監査役三〇頁）、株主総会がかような方法によつて取締役の選任をなすことはもちろんさしつかえない（大隅・園部・前掲三〇頁、大隅・山口「取締役会および代表取締役」総合判例研究叢書・商法(4)二二頁）。或いは株主総会が取締役の指名を議長等に一任する旨を決議することもあるが、この場合も、その決議が右の場合と同様に、総会の「議長が出席株主から取締役、監査役候補者の指名を依頼せられてこれが指名をなし、右指名に基く候補者につき株主が選任決議を」する趣旨のものであればさしつかえない（東京地判昭三三・一・一三商事法務研究九六・一三判時一四一・一二【4】、同旨、名古屋地判大一四・三・一四新報四九・二三。大隅・園部・前掲三〇頁、大隅・山口・前掲二二頁）。しかしそれが文字通り取締役の指名を議長等に一任するものであり、議長又は詮衡「委員等ニ於テ之ヲ詮衡シタルトキハ、別ニ其選任ヲ同総会ニ附議シテ更メテ之カ決議ヲ要スルコトナク、右詮衡ニ依リテ直チニ形式上株主総会ノ席上ニ於テ選任シタルト同一効果ヲ発生スヘ」く（名古屋地判大一四・四・二八新報四七・二二【3】）、従つて総会もまたこれにつき拒否の権限を有しない趣旨のものであれば、かかる決議は取締役選任の権限を第三者に委譲するものであつて、不適法というほかないであろう（大隅・園部・前掲三〇頁、大隅・山口・前掲二三頁）。最近の東京地方裁判所の判決【4】もこの趣旨を述べている。もっとも本判決が、取締役等の選任を議長に一任する旨の決議は決議の方法が法令に違反するものであつて取消を免れないとしていることは、正当ではない。かかる決議は決議の内容自体が法令に違反するのであつて、単に決議の成立手続に法令違反の瑕疵があるのではないのであるから、その決議は取消の訴をまつまでもなく、はじめから当然に無効と解しなければならない（八木・判例評論一四号一八頁）。

【1】「控訴人は被控訴会社代表取締役加藤俊一が同会社を代表して控訴人との間に、同会社が沖縄における米軍に対する土木建築工事請負事業継続中は同会社の取締役である控訴人を解任しないことの特約があるから控訴人を解任する旨の右株主総会の決議は無効である旨主張するけれども、取締役の選任及び解任は商法の規定によつて株主総会の決議を必要とするいわゆる専属的決議事項であるから、取締役が株主総会における取締役の選任及び解任決議を制限するような行為をなしえないことはいうまでもない。そして商法二百五十七条の規定によれば株主総会は何時でもその決議をもつて取締役を解任しうるのであつて、たとえ会社の代表取締役が会社を代表して他の取締役との間にある一定期間取締役を解任しないことを特約したからといつて株主総会においてその取締役を解任する決議をすることは何ら差し支えないから、右主張もまたこれを採用することが出来ない」（東京高判昭二七・二・一三民集五・九・三六〇）。

【2】「商法第二百五十七条第一項によれば株主総会は何時でも取締役を解任することができるのであるが、右規定の目的は、これによつて株主の会社企業の実質的、経済的所有者たる地位を擁護するところに存するから、この株主総会の権限は執行機関たる取締役が第三者との間において如何なる契約をしてもこれによつて拘束されるものではなく、又株主総会自体がこれを放棄する如きことは、法律上有効なものとして認めえないところである」（東京地判昭二七・三・二八下級民集三・三・四二〇）。

【3】「銓衡委員等カ（中略）被告銀行株主総会ニ於テ如上補欠取締役ノ銓衡ヲ委任セラレ而シテ右委任ハ該委員等ニ於テ之ヲ銓衡シタル時ハ別ニ其選任ヲ同総会ニ附議シテ更メテ之カ決議ヲ要スルコトナク右銓衡ニ依リテ直チニ形式上株主総会ノ席上ニ於テ選任シタルト同一効果ヲ発生スヘキ趣旨ノ下ニ為サレタルコト（中略）推認スルニ難カラサルヲ以テ被告甲ノ取締役選任手続ハ正ニ商法第百六十四条第一項ノ規定ニ遵ヒテ為サレタルモノト謂フヘク其間何等違法不当ノ点アルコトナシ蓋シ本件ノ如ク株主総会ノ決議ヲ経可キ事項ニ付テハ必スヤ其議決ヲ要スルコト固ヨリ論ナシト雖モ右決議ノ方法ニ付テハ常ニ個々ノ具体的事項ヲ総会席上ニ於テ直チニ附議可決スルノ方式ヲ採ルヲ要セス細目ニ亘リ若シクハ更ニ熟議ヲ要スル事項ニ付テハ相当ナル委員会ヲ設ケテ其委員ニ之カ決定ヲ委任シ而シテ該委員ノ決議ニ対シテハ恰モ総会席上ニテ決議シタルト同一効果ヲ伴ハシムルノ決議ヲ為スコトニ依リ法定ノ要件ヲ充タシ得ルモノト解スルヲ相当トシ而シテ本件ニアリテハ前認定ノ如ク如上趣旨ニ於ケル決議ノ方式ヲ採リタルヲ以テナリ」（名古屋地判大一四・四・二八新報四七・二一、名古屋地判大一四・五・二〇新聞二四五三・五）。

【4】「（証拠略）によれば本件株主総会では取締役、監査役の選任を議長に一任し、議長において主文第二項記載の者をそれぞれ取締役、監査役に選任したものであつて、議長が出席株主から取締役、監査役候補者の指名を依頼せられてこれが指名をなし、右指名に基く候補者につき株主が選任決議をしたものではないことが認められる。然らば右決議はその方法が法令に違反するものという外なく、取消を免れない」（東京地判昭三三・一・一三商事法務研究九六・一三、判時一四一・一三）。

株主総会がその法定決議事項を他の機関の決定に一任しえないことは上述のとおりであるが、しかし株主総会は、その決議事項の細目にわたつてまですべてみずから決定する必要はなく、法が株主総会の決議を必要とする趣旨にかんがみて基本的とみとめられる事項につき決定するならば、その範囲内での細目の決定は取締役会に一任してもさしつかえない。例えば、「会社役員全体（取締役監査役）に対する報酬額の決定並にその支払を無条件で役員会に一任する旨の株主総会の決議は前記商法の規定（二六九条）に違反して無効のもの」といわなければならないが（東京地判昭二六・四・二八下級民集二・四・五六九）、株主総会においてその総額を決定し、その範囲内での支給額の決定を取締役会に一任することはもとよりさしつかえない（大判昭五・四・三〇評論一九商法三三五、同昭七・六・一〇民集一一・一三七〇。最近の判例としては、東京地判昭二六・四・二八下級民集二・四・五六九、大阪地判昭二八・六・二九下級民集四・六・九六三。大隅・山口・前掲五二頁）。

（二）　株主総会の法定決議事項については、定款によつてもその決定を他の機関に委ねることはできないが、同様に、会社が定款をもつて、株主総会の決議の効力を会社外の第三者の同意ないし承認にかからせる趣旨の定めを設けることも、許されないものといわなければならない。戦時中の統制会社等には、株主総会の決議の効力が発生するためには主務大臣又は地方長官の承認を要する旨を定めた事例がしばしば見られたが、現在でも、例えば取締役の選任には労働組合の承認を要するというような定款の規定を設けることが考えられる。学説においては、かかる定款の規定は、株主がその自由意思の下に会社の自治に制約を設けたにすぎなく、会社の意思決定の方式としての株主総会の最高機関性を変更するものではないから、原則としては有効と解してさしつかえなく、ただその規定が不合理な場合においてその効力を問題とすれば足るとする見解もあるが（鈴木「株主総会」ジュリスト選書二〇八頁以下、石井・ジュリスト一九号三四頁以下、同・商法I二一九九頁、石井・鴻・判例研究三巻四号二三〇頁、結果同説、田中（誠）会社法（現代法学全書）二一六頁）、正当とはいえないであろう。けだしかかる定款の規定は、資本の多数をもつて会社の意思を決定せしめようとする株式会社の基本的構造に反するものであつて、たとい会社が株主多数の意思の下に自主的にかような規定を設けたとしても、それはもはや法のみとめる会社の自主性の限界を越えたものというほかないからである（前掲ジュリスト選書二〇八頁以下、西原・前掲講座（三）一八六七頁。結果同説、大浜「取締役と取締役会」講座（三）一八〇三五頁、八木・民商二七巻六八頁、西本・株主総会論一二三頁）。昭和二四年の東京高等裁判所の判決【5】も、結論として取締役の選任・解任等について県知事の承認を要する旨の定款の規定を無効としている。この事件における会社は、戦時中に群馬県内の食糧増産を図るために設立されたものであつて、統制会社令の適用を受ける会社であつたかどうかは明らかでないが、少なくとも統制会社的な会社としてかかる規定が設けられていたもののようである。従つて本件においては、終戦後とくに統制会社令が廃止（昭二一年九月三〇日廃止）された今日では、右の定款の規定はその適用の基礎を失い、実質上無意味な規定に化してしまつているとも解しうるわけであつて、この点でも右の規定を無効と解すべき理由が存しうるのではないかと思う（石井・鴻・判例研究三巻四号二二五頁以下参照。なお八木・民商二七巻六八頁）。

【5】「相手方会社の定款上株主総会の取締役選任等の決議については群馬県知事の承認を経ることを要する旨の規定あることは相手方会社の定款によつて認め得るところである。而して相手方会社設立の趣旨に鑑み、群馬県知事が今期大戦の末期に当り、相手方会社設立の上これをその統制下に置く必要上かかる規定を定款に挿入したことに思を致すときは、右定款の趣旨は取締役の選任等の株主総会の決議に対する知事の承認を以て、決議の効力発生の要件としたものと解せられる。然し法令に別段の定あるときは格別然らざる限り、株式会社において、取締役監査役の選任解任、定款の変更、利益金の処分等は株主総会の専属決議事項であり、必ず株主総会の決議を経べきものであるが、更にその決議は株主総会の決議のみによつて決せられるべく、その効力の発生を第三者の意思に繋らしめ得ないものと解すべきである。蓋し、かかる決議の効力を第三者の意思に繋らしめるときは、法が株式会社に対し独立の人格を附与してこれに独自の存在と利益とを認め株主総会を以てその最高の機関としてこれに取締役の選任等を専属決議事項たらしめた精神に背反するに至るからである。而して株主総会の決議を第三者の意思に繋らしめる如き規定は、原始定款を以てすると、又定款変更の方法によるとを問わず定款に定め得ないものと謂うべきである。従つて法令に何等別段の定ある場合に非ざる本

件において、前記の定款の規定は株式会社の本質に反する無効のものと解すべきであるから、この点の抗告理由も亦採用に値しない」（東京高判昭二四・一〇・三一民集二・二・二四五）。

なお、上述のように株主総会の決議の効力を会社外の第三者の同意ないし承認にかからせる場合とは異り、株主総会がその決議の内容について個別的に条件や期限を付することは、その条件や期限の内容が違法ないし不当なものでないかぎり、何らさしつかえないものと解される（前掲ジュリスト選書二一四頁）。大審院の判例もこの見解であつて、取締役に資格株が要求された旧法の下においては（旧商一六四Ⅰ・一六八）、無資格者を取締役に選任するために、取締役の資格株を緩和する定款変更の仮決議と同時に取締役選任の決議をなし、後の総会における右の仮決議の承認により取締役選任の効力を生ぜしめる方法がしばしばとられたが、大審院はその決議は条件付の取締役選任決議として有効なる旨の判決をくりかえしていた【6】（大判昭六・一〇・一法学一・三・一三六、同昭一一・六・一五民集一五・一〇五四、竹田・民商四巻一二四一頁、鈴木・判民昭一一年度七一事件）。

【6】「原審ノ確定シタル事実ニ依レハ上告会社ハ昭和二年六月十日ノ株主総会ニ於テ取締役ノ資格ニ要スル株式ノ数五百株以上タルコトノ定款ノ規定ヲ百株以上ニ改メ定款変更ノ仮決議ヲ為シ同時ニ株式百株ヲ有スル株主二名ヲ取締役ニ選任スル決議ヲ為シ同年六月二十七日ノ第二回株主総会ニ於テ右定款変更ノ仮決議ヲ承認シタルモノトス然ラハ右第一回ノ株主総会ニ於テ為シタル取締役ノ選任ハ第二回ノ株主総会ニ於テ定款変更ノ仮決議ヲ承認シタルトキニ其効力ヲ生スル趣旨ヲ以テ決議シタルモノニ非サルヤヲ疑フノ余地ナキニ非ス蓋株主総会トシテ無効ナル決議ヲ為スコトヲ敢テスルモノナカルヘケレハナリ而シテ斯ル条件付決議ノ有効ナルコト勿論ナルヲ以テ原審ハ宜シク其ノ釈明権ヲ行使シテ取締役選任ハ定款変更ノ仮決議ノ承認ヲ条件トシタルモノナルヤ否ヤヲ明確ナラシムルコトヲ要スルニ原審ハ此ノ挙ニ出テスシテ輙スク右選任決議ヲ無効ナル旨判示

シテ以テ上告人ノ請求ヲ排斥シタルハ審理不尽ノ違法アルモノトス」（大判昭七・五・二七裁判例六民一六四）。

二　株主総会の招集

一　招集権者

株主総会は会議体の機関であつて、会議を開くためには招集の権限を有する者が法定の手続に従つて招集することを要し、招集権者の招集によらない単なる株主の集会は株主総会ではない【7】。ただし招集権者の招集によらない場合でも、株主全部が出席し、総会を開くことに同意して決議をなした場合（全員出席総会）には、例外としてその決議は株主総会の決議たる効力を有するものと解すべきである。大審院は、招集権者によつて招集されないときは、たとい株主の全員が出席していても株主総会ではなく、その決議は当然に無効であるとしており【7】、学説にもこれと同一の見解をとるものがある（田中（耕）・概論三四九頁、片山・株式会社法論六〇二頁、松田・概論一七二頁、松田・鈴木（忠）・条解一八六頁）。しかし、株主総会の招集手続に関する法の規定は、各株主に対して相当の準備の下に総会に出席する機会を保障しようとするにあるのであつて、結局は「株主の利益を保護せんとする趣旨に出たもの」【8】にほかならない。従つてすべての株主が現に出席し（ただし委任状による代理人の出席はここにいう出席とはなりえない。前掲ジュリスト選書五〇頁以下、西原・前掲講座（三）八七三頁参照）、かつ総会を開くことについて何らの異議がなかつた場合において、なおかつその総会を違法とすべき理由はありえない（有三八参照）（竹田「株主総会の招集」民商四巻一四頁、田中（誠）・判民昭七年度二〇事件、大隅「会社の機関としての社員」会社法の諸問題一五七頁、西原・前掲講座（三）八七三頁、鈴木・会社法一一二頁、石井・商法I二七七頁、河村・株主総会の研究五三頁）。最近の東京地方裁判所の判決【8】は、全員出席総会をみとめている。

【7】「上告論旨ハ株主総会ハ招集ノ権限ヲ有スル者ニ於テ之ヲ招集スルコトヲ要ス招集ノ権限ヲ有セサル者ノ招集シタル株主ノ会合ハ株主総会ニ非ス従テ其ノ会合ニ於ケル決議ハ株主総会ノ決議ニ非ス株主総会ノ決議トシテハ不成立ナリ当然無効ナリ従テ株主ノ全員ノ出席シ其ノ一致ヲ以テ決議ヲ為スモ株主総会ノ決議トシテハ成立セス当然無効ナリ（中略）然ルニ原判決ハ之ヲ誤解シ控訴人ノ請求ヲ棄却シタルモノニシテ失当ナリ尚本件ハ株主総会ヲ招集スル権限ヲ有スル者ノ招集ナキ場合ナルヲ以テ招集手続ノ適法ナリヤ違法ナリヤハ論スル要ヲ見サルナリト云フニ在リ

依テ按スルニ原審ノ確定シタル事実ニ依レハ昭和五年四月一二日ノ高徳自動車株式会社ノ株主ノ会合ハ取締役監査役其ノ他ノ招集権限アル者ノ招集ニ因リタル会合ニ非ルコト明ナリ然ラハ該会合ハ縦令株主ノ全部之ニ出席スルモ単純ナル株主ノ会合ニ止マリ株主総会タルコトヲ得サルヲ以テ該会合ニ於テ為シタル決議ハ株式会社ノ機関タル株主総会ノ決議タルコトヲ得サルモノニシテ法律上当然無効ナリト做ササルヘカラス然ルニ原審ハ右会合ニ於テ為シタル決議ヲ以テ招集ノ手続カ法令ニ反シタル株主総会ニ於テ為シタル決議ニシテ商法第百六十三条ノ無効ノ訴ノ事由ト為ルヘキモ当然無効ノモノニ非スト判示シ之ニ基キ上告人ノ請求ヲ排斥シタルハ法律ノ解釈並適用ヲ誤リタル違法アルモノニシテ論旨ハ其ノ理由アリトス」（大判昭七・二・一二民集一一・二〇七）。

【8】「（証拠によれば）被告会社では予てから、その取締役の富田二郎と原告らが反目対立し事業の運営にも支障を生ずるに至つたので、篠原は被告の代表取締役として昭和二十九年二月半頃取締役を招集し、同年二月二十八日臨時株主総会を開き総会の決議によつてその対策を講ずべきことを決定し、その頃口頭で九名の全株主にその旨を告知したこと、篠原は右二十八日（中略）被告の本店に全株主が出頭したので株主総会を開き自ら議長となつてこれを司会したこと、及び原告らの前記解任の決議はこの総会で行われたものであることが認められる。ところで株主総会はその招集権者において、会日の二週間前に会議の目的たる事項を記載した通知書を各株主に発送してこれを招集すべきものであるから、前認定の株主総会には各株主に対する右通知書の発送がなかつたという点でその招集手続上の違法があつたものといわなければならないが、全株主が出席して

開かれた総会に関するこの種の違法は決議の効力には何らの消長も及ぼさないものと解するのが相当である。けだし、商法が株主総会の招集について前記のような通知書を各株主に発送すべきものとしたのは主として株主の利益を保護せんとする趣旨に出たものであって、全株主がこの利益を放棄し総会で異議なく決議を行った場合に、これを無効若しくは取り消し得べきものとする理由はないからである」(東京地判昭三一・一二・二二ジュリスト一二八・七七)。

このようにして全員出席総会がみとめられるとするならば、さらに進んで株主の会議が開かれない場合でも、株主総会の決議事項につき株主全員の同意があるかぎり、会議を開いてなされた決議と同一の効力をみとめることはできないであろうか。大審院判例【9】はもちろんこれを否定するが、全員出席総会をみとめる学説も、もはやこの点に至っては、たとい株主全員の同意があっても総会の決議とはみとめえないものと解している(西原・鈴木・大森・前掲ジュリスト選書三頁、田中(誠)・会社法二四五頁)。株主の会議としての株主総会そのものを会社の機関とする立場からは、前述のような解釈をみとめることは困難であるが、全体としての株主そのものが会社の機関であって、会議としての株主総会は、株主の総意を結集するために法が政策的にみとめた機関の活動の形式にすぎないものと解するならば、理論上は、会議を開かないでなされた株主全員の同意に対して株主総会の決議と同一の効力をみとめる余地がないとはいえないであろう(大隅・前掲会社法の諸問題一五四頁、同・前掲ジュリスト選書三頁以下)。

【9】「株式会社ノ株主ハ個人トシテ株式会社ノ機関タルモノニアラス株主総会ヲ通シテノミ初メテ会社ノ意思ヲ決定シ得ヘキモノナレハ或一事ニ付総株主ノ同意アルモ之ヲ以テ直ニ会社ノ意思ナリト云フヲ得ス」(大判昭三・四・七新聞二八六六・一三)。

(一) 取締役会又は清算人会による招集　株主総会の招集は原則として存立中の会社にあっては

取締役会（商二三一）、清算中の会社にあつては清算人会（商四三〇II・二三一、なお商三九八）が決定する。株式会社の業務執行の権限は取締役の全体をもつて構成する取締役会に属するから（商二六〇）、総会招集の権限も当然に取締役会に属し、その招集は原則として取締役会において決定すべきものである。もつとも本来取締役会の権限に属する事項でも、広い範囲において代表取締役にその決定が委ねられているのであつて（商二六一）、商法二三一条がとくに総会の招集は取締役会がこれを決する旨を定めているのは、総会の招集は必ず取締役会において決することを要し、代表取締役が単独で決定しうべき事項でないことを明らかにする趣旨に出ている（大隅・大森・逐条改正会社法解説一九八頁以下）。従つて旧法が、各取締役に招集権をみとめつつ、一度に数個の総会が招集されるような不都合をさけるために、取締役が総会を招集するにはその過半数の決議あることを要する（旧商二三六）としていたのとは、（註一）その意味を異にする（鈴木・石井・改正株式会社法解説一一六頁、大隅・大森・前掲一九九頁）。取締役会の決議においては、総会を招集すべき旨及びその日時・場所・議題などの大綱を定めることを要する。この取締役会の決定に従う具体的な招集手続は代表取締役が行う。

註（一）　かかる規定のなかつた昭和一三年の改正前の商法の下では、取締役間に勢力争があるような場合には、別々の取締役によつて同時に数個の総会が招集され、しかもそのいずれもが一応有効な総会として成立する案いうことがありえた（竹田・前掲民商四巻六頁）。後出、宮城控決大一〇・一一・二四評論一〇商法二〇一【38】はかかる事案に関するのであつて、判決はいずれの総会も無効ではないとしている。

(1)　上述の規定に違反し、代表取締役が取締役会の決定によらないで総会を招集した場合、その総会の決議は法律上不存在と解すべきか、又は決議取消の原因となるにすぎないと解すべきか。総会の招集は常に取締役会の決定によるべきものとされているのであるから、その決定によらない総会は、たといその招集手続が代表取締役によつてなされたとしても招集権者の招集によらない総会であり、従つて総会としては不成立と解することも理由がないではない。しかし、代表取締役はみずから総会の招集を決定する権限は有しないにしても、取締役会の決定に従つて招集を行う権限は有しており、しかも招集が取締役会の決定によるものであるか否かは外部からは知りえないのが通常であるから、この場合の総会の決議を法律上不存在と解することは適当でない（大隅・大森・前掲一九九頁、西原・前掲講座(三)八四四頁）。それと同時に、これを瑕疵なき完全に有効なものと解することもまた正当とはいえない。学説のうちには、代表取締役は外部に対し総会招集の権限を有し、取締役会の決議は単に内部関係における意思決定の方法にすぎないとして、これを完全に有効と解する見解があり（松田・概論一七三頁一八〇頁、松田・鈴木(忠)・条解九二三頁）、東京地方裁判所の判決【10】もこの見解をとつているが（同旨、東京地判昭三〇・六・一三下級民集六・六・一一〇五）、これは株主総会の招集を会社と第三者との間の取引的行為と同視するものというべきであつて、賛成することを得ない（西原・前掲講座(三)八四四頁、田中(誠)・会社法二一九頁、大隅・山口・前掲一八二頁以下一八四頁）。

【10】「債権者らは本件総会の招集手続にはその招集を取締役会の決議に基かないでした瑕疵があると主張するけれども、株主総会の招集は取締役会が決定するものではあるが、その決定は一般の業務執行の場合と同様会社機関の内部の意思決定であるから、その内部の意思決定が欠け又はこれに瑕疵があつても有効な代表権に基いてなされた会社の行為の法律上の効力に影響を及ぼさしめるべきではないので、前記のとおり代表権限を有する取締役たる債務者村田サタによつてなされた本件総会の招集が、取締役会の決議に基かないからといつて、これをその招集に係る総会決議の取消原因となし得ず、従つて債権者らの右主張も採用の余地がない」

(東京地判昭二九・七・二下級民集五・七・一〇〇九)。

むしろこの場合には、総会招集の手続が法令に違反するものとして、その決議は取消の訴に服するものと解するのが妥当である(田中(耕)・概論三五〇頁、田中(誠)会社法二一九頁二四五頁、大隅・概説一一八頁、大森・講義一五八頁、鈴木・石井・前掲一一七頁 石井・商法I二七七頁、西原・前掲講座(三)八四四頁、西本「株主総会の招集手続」(株式会社の法理論と実際)二一一頁、朝山・株主総会の法律実務二四頁、菱田・商事法判例研究ジュリスト一六三号五九頁)。東京高等裁判所の判決【11】はこの見解をとっている(昭和一三年の改正前の商法の下において、代表取締役が取締役の過半数の決議(旧商二六〇)によらないで総会を招集したときは決議取消の原因となるとしたものに、東京地判大一〇・一一・四新聞一九〇九・一一がある)。

【11】「株主総会の招集は原則として取締役会がこれを決すべきものなることは、商法第二百三十一条の明定するところである。そして本件において石田宗治が臨時株主総会を招集するにつき取締役会の決議を経由した証拠はない。しかしながら、取締役会の招集決議は、いわば取締役会という執行機関の内部における意思決定であつて、その決定に従い個々の取締役が行動することは業務執行の範囲に属するものといわなければならない。そして本件において、本件臨時株主総会の招集通知が昭和二十七年十二月十八日頃になされたものとすれば、当時は、石田宗治は控訴会社の代表取締役であつたのであるから、たといその招集が取締役会の決議によらないものであつたとしても、これを以て善意の第三者(一般株主は善意の第三者に準ぜられる)に対抗することができない関係上、当然無効となることなく、決議取消の訴をまつてはじめてその効力が決せられるものというべきである。そして被控訴人が法定期間内にかかる決議取消の訴を提起したことは被控訴人の毫も主張しないところであるから、この点に関する被控訴人の主張は理由がない」(東京高判昭三〇・七・一九下級民集六・七・一四八八)。

(2) 取締役会の決定によらないで代表取締役以外の取締役が株主総会を招集した場合には、その総会は全く招集権なき者の招集した総会であり、法律上は株主総会としての成立をみとめえないこと明らかであつて、その決議は不存在というほかない(東京地判昭二九・一二・二七判タ四四・五二、東京地判昭三三・五・九経済法律時報一九・四二)。これに反して、代表取締役以外の取締役が取締役会の決議にもとづいて総会を招集したときは問題である。この場合総会招集の手続を実行している者は本来会社代表権を有しない取締役であり、しかも取締役会の決議の有無は外部からは容易に知りえないのであるから、招集権のない者の招集した総会として決議不存在の原因となるとも解しえないではない。しかし、本来株主総会の招集を決定するのは取締役会であり、しかもすでに取締役会が招集を決する以上、その招集手続の実行を代表取締役以外の取締役に委任することはさしつかえないものというべきであるから、その総会の決議を法律上不存在と解することは妥当でない。むしろこの場合は、右の(1)の場合と同様に、招集手続の瑕疵として決議取消の原因となるにすぎないものと解するのが妥当であろう（前掲ジュリスト選書二一頁以下、西原・前掲講座(三)八四五頁。なお田中(誠)・吉永・山村・コンメンタール会社法四一八頁以下は、定款又は取締役会の決議によって代表取締役以外の取締役に招集権限を与えうるものとし、従ってその者の招集した総会は有効であるとされる。同旨、西本・前掲論文二一三頁）。

(3)　会社の定款をもって株主総会は代表取締役たる社長が招集する旨を定めている場合において、社長でない代表取締役が総会を招集したときは、総会招集の手続が定款に違反するものとして決議取消の原因となることは疑をいれない（田中(誠)・会社法二四四頁、前掲ジュリスト選書二五頁。なお、社長に事故があるため他の代表取締役が招集した場合の問題については、前掲ジュリスト選書二五頁以下参照）。定款において、総会の招集を含む会社代表権の行使一般について社長たる代表取締役と他の代表取締役との間に順序が定められている場合も、同様である。先にあげた昭和二九年の東京地方裁判所の判決【10】は、この場合も、社長でない代表取締役のなした招集は単なる会社内部の事務分配上の定めに反してなされたものにすぎないから、総会の決議の効力には影響がないと解している。【12】しかし、総会招集における法律関係を通常の取引関係と同視することの不当なことはすでに【10】の判決について述べたとおりであって、この場合にも総会招集の手続が定款に違反し、その総会の決議は取消の訴に服するものといわなければならない。

【12】「たとえその代表権の行使について定款に社長たる代表取締役との間に順序を定める規定があつて、右総会招集がこれに違反してなされたとしても、その招集は単なる内部の事務分配上の定に反してなされたものに過ぎず、その法律上の効果に影響を及ぼすものとはいえない」（東京地判昭二九・七・二下級民集五・七・一〇〇九【10】）。

昭和二五年の改正前の商法の下では、取締役は各自単独で総会招集の権限を有し、しかもその招集権は定款をもってしても奪いえないものと解されたから（なお、取締役はみずからその業務執行権を行使することを要するとして、第三者が取締役を代理して招集した総会を不成立と判示した旧法上の下級審判例（東京地判昭二六・五・一四判タ一五・六三）がある）、総会は社長これを招集するというような定款の規定がいかなる効力を有しうるかがそもそも疑問とされた（その詳細につき、竹田・前掲民商四巻七頁以下参照）。大審院は、この点にはふれず、ただ結論として、かような定款の定めに反して総会が招集されたときは、無権限者の招集した総会として当然に無効とはならないにしても、招集手続が定款に違反するものとして決議取消の原因となるものと解していた（註一）【13】。

【13】「……取締役ハ株主総会招集ノ重要ナル権限ト義務トヲ有スル本来ノ機関ナルカ故ニ会社ノ定款ニ株主総会ハ取締役社長之ヲ招集スル旨ノ規定アル場合ニ他ノ取締役カ其ノ定款ノ規定ニ反シテ株主総会ヲ招集スルモ夫ノ本来招集機関ナラサル者ノ為シタル場合ト同シク其ノ総会ノ決議ハ当然無効トナルニハ非スシテ唯商法第百六十三条ニ所謂総会招集ノ手続カ定款ニ反スル場合ニ該当シ株主取締役又ハ監査役ハ同条及次条第一項ノ規定ニ依リ訴ヲ以テノミ其ノ決議ノ無効ヲ主張シウルモノト解スルヲ相当トス」（大判昭七・一二・七民集一一・二三五二）。

註（一）　石井・判民昭和七年度一八五事件は、かかる規定は、総会招集行為の事務担当者を定める意義を有するとして判旨に賛成されたが、竹田・前掲民商四巻八頁は、かかる規定によつて他の取締役の招集権が奪われない以上、その範囲ではすでに無効のものであるから、その招集をもつて定款違反とすることは理解できな

いとして判旨に反対していられる。

(4)　法律又は定款に定める取締役の員数を欠くに至つた場合でも、商法二五八条により退任取締役が後任者の就職するまでなお取締役の権利義務を有する場合には問題はないが、取締役が死亡・破産・解任等により退任し、その結果法律又は定款に定める員数の最低限を欠くに至つた場合には、欠員の補充に必要な株主総会の招集に関する取締役会の決議はいかになすべきかの問題を生ずる。これについては、旧法の下において、取締役が死亡して法定数を欠くに至つた場合でも監査役中より取締役の職務を行う者を定める必要はなく（旧商二七六I）、残余の取締役において直ちに株主総会を招集することができるとした下級審判決がある（大阪地判昭一三・一〇・二二新聞四三四四・一八、同昭一四・三・二一新聞四四一六・一五）。また学説には、現行法の下でも常に残存取締役の過半数の出席により取締役会を開催して総会の招集を決議することができるとする見解がある（西本・前掲論文二二一頁）。しかし旧法の下においてはともかく、現行法の取締役会の決議については、この見解は妥当でない。商法二六〇条の二の規定は会議体としての取締役会の決議に関する規定であるから、取締役の員数が上述の理由により法律又は定款に定める員数の最低限を下るときは、同条の定める定足数はその法律又は定款に定める最低限を基準として計算すべきである。従つて、欠員の結果定足数を みたしえない場合には、 その欠員の補充に必要な株主総会の招集に関する 取締役会の決議は、現存取締役のみの出席をもつてしてはなしえないわけであつて、そのためには裁判所に仮取締役（商二五八II）の選任を請求するほかないものと解すべきである（大隅・園部・前掲七五頁七六頁、大浜「取締役と取締役会」講座（三）一〇〇〇頁、大隅・山口・前掲九六頁）。

（二）　少数株主による総会の招集

(1)　少数株主の総会招集の請求

(イ)　六月前から引続き発行済株式総数の百分の三以上に当る株式を有する株主は、会議の目的たる事項及び招集の理由を記載した書面を取締役に提出して、総会の招集を請求することができる(商二三七Ⅰ)。この請求は代表取締役に対してなすべきであるが、数人の代表取締役があるときは、その一人に対してなせば足る(鈴木・石井・前掲一一九頁、松田・鈴木(忠)・条解一九四頁、大隅・大森・前掲二〇四頁、西原・前掲講座(三)八四六頁)。少数株主の請求に相当の理由があれば、取締役会は招集の決定をなすのが至当であるが、いずれにしても請求に応じて総会を招集するか否かはこの場合にも取締役会が決するのであつて(商二三一)、少数株主の請求により代表取締役が直ちに総会を招集しうるものではない(大隅・大森・前掲二〇四頁、田中(誠)・会社法二二一頁、西原・前掲講座(三)八四六頁。反対、松田・鈴木(忠)・条解一九四頁は、取締役会の決議はこの場合効力要件ではないとされる)。東京高等裁判所の決定【14】も、このように解している。事案は、少数株主甲が代表取締役職務代行者乙に総会の招集を請求したが、乙は、取締役会を招集しようにも取締役につきいまだ選任登記がないのでその招集ができないし、臨時総会の招集が常務に属するかどうかも疑問であるという理由で、商法二七一条一項により、裁判所に対して臨時総会招集許可の申請をなしたのである。

【14】「おもうに、株主から取締役にたいして商法第二三七条第一項によつて、株主総会招集を請求する旨の書面が提出された場合は、取締役会は会社の業務執行として右の請求を審査し、適法な請求であるときは、総会の招集を決議して総会招集の通知をすべきものであることは商法第二六〇条、第二三一条の規定からみて明らかである。」

「もつとも(中略)、右総会の役員改選による登記事項の変更はいまだその登記がなく、また右総会の決議については、株主総会決議取消の訴(東京地方裁判所昭和二八年(ワ)第三八六八号)が起されていることが認められるけれども、株主は株主総会の決議による取締役の解任選任について商法第一二条にいう第三者にあたらないと解するのが相当であり、またその選任決議無効の訴がなされても商法第二七〇条によりその職務の執行停止の処分を受ける等、特段の事情がない本件においては、同人らが取締役の職務を行うになんのさしさわりのあるべきはずはないのである。したがつて、右会社は、前記総会で選任された中原茂敏外七名の取締役による取締役会によつて会社の業務執行を決することができる状況にあるといわなければならない。

そうすると、右会社はまず前記の甲ほか二名の株主総会招集請求について、取締役会を開いて総会招集をするかどうかを決すべきものであつて、この取締役会において招集することに決せられたときはじめて会社の代表取締役職務代行者たる乙は、その通知を発しなければならないものである。しかるに乙は、この決議をうることなくして原裁判所にたいし「取締役を招集しようとしても、取締役に関する事項につき登記と実際とが符合しないので、取締役会を招集することができず、臨時株主総会招集が常務に属するかどうかについても疑問の余地あり」との旨を理由として商法第二七一条第一項により、臨時株主総会招集許可の本件申請をしたことは(右招集手続が常務であるかどうかはしばらく措くとしても)不当である。もし、これにたいして原審のように許可を与え、これにもとづいて株主総会が招集されるならば、前記認定のように現存する取締役を無視し、その取締役会の業務執行の権限をうばう結果となる」(東京高決昭二八・六・二九判時一一・二六)。

なお右の決定【14】は、臨時総会の招集手続が商法二七〇条による代表取締役職務代行者のなしうべき常務(商二七一)に属するかどうかはしばらく措くとしても、少数株主が代表取締役職務代行者に総会の招集を請求し、取締役会が招集を決定したときは、その代表取締役職務代行者において招集通知を発しうるものと解している。しかし、定時総会の招集は別として、臨時総会の招集は右にいわゆる常務に属しないものと解すべく、従つて代表取締役の職務代行者は、仮処分命令に別段の定めがある場合のほかは、総会招集の決定に関する取締役会の決議に加わることをえないのはもとより、その決議の執行として総会招集の手続をなす権限も当然には有しないものと解すべきではないかとおもう（大隅・園部・取締役監査役五五頁参照）。ただしこの場合でも、少数株主が代表取締役職務代行者に対して商法二三七条一項による総会招集の請求をなすことはさしつかえないものと解しうる（商法二七〇条・二七一条の規定が設けられた昭和一三年の商法改正前のもとにおいてであるが、仮処分により取締役の職務執行が停止され、その代行者職務執行中においては、少数株主権の発動はこれを禁止すべしとする法律上当然の理論はないから、その者が株主の請求を容れて総会を招集しても、その総会は法律上当然に無効ではないとした判決（東京地判昭七・四・一八評論二一商法三一七）がある）。

（ロ）　少数株主の請求によつて総会が招集される場合にも、その招集は一般の場合と同様に取締役会が決定し、代表取締役がその決定にもとづいてこれを行うのであつて、少数株主の請求はこの関係では取締役会の決定を促す意味をもつにすぎない。従つて取締役会がその株主の請求をみとめて招集を決定し、代表取締役がその決定にもとづいて招集手続を実行するかぎり、請求をなした少数株主の持株数が法定数に達しないなど、その請求の不適法なことが後になつて判明したとしても、それはいわば取締役会の決定の動機についての欠陥にすぎないものというべく、その総会の決議が無権限者の招集によるものとして当然に不存在となるものでないことはもとより、決議取消の原因となることもないと解すべきである。もつとも下級審の判決には、総会の招集を請求した株主の持株数が資本の一〇分の一（旧商二三七、現行法では百分の三）に達しなかつたときは、代表取締役職務代行者がその招集請求を正当と信じて招集した総会の決議は無効とはならないが、取消の原因となると解したものがある（東京地判昭一五・五・二〇新聞四五六八・五、東京控判昭一一・一二・七新聞四一〇六・一九）。

(2)　少数株主による総会の招集

（イ）　少数株主は、総会の招集を請求した後遅滞なく総会招集の手続がなされないか、又は請求をなした日から六週間内の日を会日とする総会の招集通知が発せられず又は公告がなされないときは、裁判所の許可を得てみずからその招集をなすことができる（商二三七Ⅱ）。遅滞なく総会招集の手続がなされないときというのは、単に総会招集の通知の発送についてだけでなく、総会招集の決定のための取締役会の開催・株主名簿の閉鎖の公告その他招集手続のいずれの段階においても遅滞を許さない趣旨であつて、そのいずれかの段階において手続の遅滞があるときは、株主は裁判所に対して総会招集の許可を求めることができる（西原・大隅・鈴木・石井・大森・改正株式会社法の問題点一二八頁参照）。この点、昭和三〇年の改正前において、株主が裁判所に対して招集の許可を求めうるのは「二週間内に総会招集の通知が発せられないとき」（同二三七Ⅱ）とされ、或いは昭和二五年の改正前において、「二週間内に総会招集の手続がなされないとき」（同二三七Ⅱ、昭和一三年の改正前商法一六〇Ⅱ）とされ、従つて請求の時から少くとも二週間の経過後でなければ、たとい株主の請求に対して取締役が拒絶の意思を表示しても、招集の許可を裁判所に請求することができなかつたのとは著しく異る（これらの旧法わけても昭和二五年の改正前の商法においては、右の「二週間ノ期間ハ取締役ヲシテ其請求ノ採否ヲ決セシムルニ付キ十分熟考スルノ余地ヲ与ヘ」るものとしての意味があつた。大阪地決明四二・一二・三新聞六一七・九）。

（ロ）　少数株主が裁判所に招集許可を申請するためには、その前提として取締役に対し総会招集の請求をなしたことを必要とする。「清算人ノ全部解任セラレテ清算人ナキトキ」でも、「直チニ株主ハ裁判所ノ許可ヲ得テ総会ノ招集ヲ為スコトヲ得サル」もの（東京控決明三八・一二・一八新聞三二八・一〇）。といわなければならない。

（ハ）　少数株主は裁判所に対する申請の時においてのみならず、総会の終結に至るまで、発行済株式の総数の百分の三以上に当る株式を継続して保持しなければならない（竹田・論叢一〇巻四号四九五頁、松田・鈴木(忠)・条解一九四頁）。大正一〇年の大審院決定【15】も、会社の業務及び財産の状況を調査するための検査役選任の請求について（商二九四・旧商一九八）、類似のことを述べている。ただし右の発行済株式総数の百分の三以上に当る株式数は、必ずしも同一の株式によつて維持される必要はなく、少数株主がその請求後一たん株式を譲渡した場合でも、それと同時に他方で株式を取得することによつて法定率の株式数を保持するかぎり、当初の請求はそのまま有効なものとして存続する（竹田・論叢一〇巻四号四九五頁。同旨、朝山・株主総会の法律実務二七頁）。

【15】「商法第百九十八条ニ依リ検査役ノ選任ヲ請求スル株主ノ持分カ資本ノ十分ノ一以上ニ当ルコトハ株主カ此請求権ヲ有スル要件ナレハ此要件ハ選任ニ付確定裁判ノアル迄存続スルコトヲ要ス是故ニ検査役選任ノ請求ヲ受ケタル裁判所カ選任ノ決定ヲ為シタルマテハ右ノ要件存シタルモ其決定ニ対シテ抗告カ提起セラレタル場合ニ於テハ抗告裁判所カ裁判ヲ為スマテニ選任ヲ請求シタル株主中ニ其株式ノ全部又ハ一部ヲ譲渡シタルモノアリテ株主ノ総持株資本ノ十分ノ一ニ達セサルニ至リタルトキハ株主ハ選任ノ請求権ヲ失フヘキヲ以テ抗告裁判所ハ此理由ニ基キテ其請求ヲ却下スヘキナリ」（大決大一〇・五・二〇民録二七・九五二）。

（二）　株主の申請に対しては、裁判所は理由を附した決定をもつて裁判をなす（非訟一三二I）。申請を認許する裁判に対しては、不服を申立てえない（非訟一三二II）。また裁判所もこの裁判に羈束され、新事実にもとづくのでないかぎり、その取消・変更をなすことはできない（朝鮮高決昭一四・五・九評論二八商法五〇一）。なお最近において、この非訟事件手続法一三二条二項の規定は憲法三二条に違反すると主張された事件があるが、最高裁判所は、「憲法は、審級制度を如何になすべきかについては、八一条の規定以外何等規定するところがないから、同条規定の点以外の審級制度は立法をもつて適宜定むべき」ものとするのが判例であるとして、その合憲性をみとめている（最判昭三一・七・二六民集一〇・八・一一一六。判旨に賛成、斎藤・民商三五巻二号二九九頁）。

（ホ）　少数株主が総会招集の許可を得たときは、少なくともその許可にかかる特定の議題に関する総会については、当該少数株主が総会招集の権限をえたものというべきであるから、取締役会は、当該少数株主の委任があつた場合のほかは、もはや同一議案について別の総会を招集することはできない。従つて、取締役が少数株主の招集した総会と競合して別個に総会を招集したときは、その総会の決議は招集権なき者の招集した総会の決議として法律上不存在と解すべきである（前掲改正株式会社法の問題点一三五頁以下。同旨、松田・鈴木（忠）条解一九五頁、西本・前掲論文二二五頁）。もつとも、会社が遅滞なく招集手続をなさなかつた結果、少数株主が一たん裁判所に右の事実を疎明して（非訟一三一）招集許可を申請した場合でも、いまだ裁判所の招集許可の決定がなされない間は、会社がその請求にもとづいて総会招集の手続をすすめることはさしつかえないものというべく、従つてもし招集許可の決定前において総会の招集通知が発せられたときは、少数株主の申請は結局不必要になつたものとして却下さるべきであると考える。その総会が少数株主の請求があつた日から六週間内の日を会日とするものである場合はもとより（商二三七Ⅱ後段参照）、その後の相当な日を会日とする場合でも同様である。けだしかように会社が総会を招集した以上、それとは別に少数株主をして総会を招集せしめる必要はみとめられないからである。この点につき、旧法の下において、一方で取締役が裁判所の決定前に総会を招集することはさしつかえないとするとともに、他方では少数株主が裁判所の許可を得てみずから総会を招集する権利はこれがために失われるものでないとし、かつこの両者の間においては、一方が先に決議した後において他方の総会招集が不必要となるにすぎず、当然に少数株主の請求が却下さるべきものではないと述べた下級審の判決【16】があるが、裁判所の決定前において会社が相当な日を会日とする総会招集の通知をなしたにもかかわらず、なおかつ裁判所が少数株主の招集請求を認容しなければならないとする理由はない。ことにこの判決が、少数株主の総会招集をみとめながら、取締役の招集権をもみとめ、かつその結果として生ずる同一議案についての二重の総会の成立を両者の決議の先後によつて事実的に解決せしめるような見解をとつていることは、不当というほかない。

【16】「本件清算人カ申請人ヨリ株主総会招集ノ請求ヲ受ケナカラ二週間内ニ其招集手続ヲ為ササリシコトハ清算人ノ認ムル処ナルヲ以テ申請人ハ裁判所ノ許可ヲ得テ自ラ株主総会ノ招集ヲ為ス権利アルモノトス、而シテ本件清算人ハ法定ノ期間ヲ経過セルモ申請人ノ請求ニ基キ既ニ株主総会招集ノ通知ヲ発シタルヲ以テ本件申請ハ不必要ニシテ却下セラルヘキモノナリト主張スレトモ一旦申請人カ取得シタル裁判所ノ許可ヲ得テ自ラ株主総会ヲ招集シ得ル権利ハ之カ為メ喪失スヘキ理由ナク何レカ先ニ招集シテ決議ヲ為シタル後ニ於テ他ノ一方ノ招集カ不必要ニ了ルモノト為スヲ相当トスルヲ以テ本件清算人ノ主張ハ採用セス」(長野地上田支決大七・九・一三新聞一四六六・二二)。

つぎの決定【17】は、昭和三〇年の改正後の商法二三七条二項の規定にもとづいてなされた少数株主の総会招集許可の申請が認許された事例である。裁判所が申請をみとめた理由は、総会招集の請求を受けた会社がその請求のあつた日から六週間内の日を会日とする総会の招集通知を発しなかつたという点にある。しかし判旨によると、この事件においても、会社は総会招集許可の決定前にすでに総会招集の通知を発しているのであり、しかもその通知は、総会招集の請求のあつた日から六週間を経過してはいるが、その四日後の九月二八日を会日とするもの（招集通知は同月二一日に発送）であつて、さきの【16】の事件における と同様、裁判所は少数株主の総会招集の請求を却下すべきであつたといわざるをえない。判旨は、すでに招集通知が発せられているから本件申請は却下さるべきであるという会社の主張に対して、たとい会社がすでに招集通知を発しているとしても「被申請会社の手続懈怠によつて申請人らの既に取得している裁判所の許可を得て自ら株主総会を招集する権利を喪失せしめるものとはいい難」く、従つて裁判所としては、その申請を許可せざるをえないかのように述べているが、正当とはいえない（かような主張は、さきの【16】の決定においてもみられるところである）。会社に総会招集手続の遅滞があり、かつ少数株主の申請が理由のあるものであれば、裁判所はもとより総会招集の許可をなすべきではあるが、しかしその申請が権利の濫用とみとめられる場合又は本件のように少数株主による総会の招集が結局不必要になつたとみとめられる場合には、裁判所はその申請を却下しうるものと解しなければならない。その限りにおいて、総会招集の許可をなすか否かは裁判所の判断に委ねられているのであつて、ここではむしろ会社の総会招集手続の遅滞とともにすでに少数株主が総会招集の当然の権限を取得し、従つて「裁判所の許可を得て自ら株主総会を招集する権利」なるものが存在するか否かが問題なのである。

なお本件においては、会社の総会招集手続が遅延した理由として、少数株主が総会招集の請求をなした直後に会社に対し和解を申入れたため招集手続を控えていたこと、並びに会社の定款で臨時総会招集のための名義書換停止には三〇日前に公告することが要求されているため、六週間以内に総会を招集することが実務上不可能であることが主張されている。判旨はそのいずれの主張も総会招集日が六週間を経過していることの正当な事由とはなしがたいとしているが、この結論はそれ自体としては必ずしも不当とはいえないであろう。けだし、商法二三七条二項により少数株主が総会招集の許可を申請するについては、会社の総会招集手続の遅滞がいかなる理由によるかを問わないものと考えられるからである。しかし判旨は、後段の主張を排斥する理由として、昭和三〇年の改正後の商法二二四条の二第四項では株主名簿の閉鎖は「二週間前」の公告で足りるものとされていることをあげている。その趣旨は必ずしも明確ではないが、おそらく従来の会社の定款が株主名簿の閉鎖のために三〇日の期間を定めているとしても、それは単に旧二二四条の二第四項の規定を反復したものにすぎないから、昭和三〇年の改正法(法二八号)によって同条の三〇日の期間が二週間に短縮された以上、会社はもはや従来の定款の規定に従って三〇日前に公告する必要はなく、改正法の規定に従って二週間前に公告すれば足るものと解すべきであり、従って会社が定款の規定に従い三〇日前に公告して株主名簿の閉鎖をなした結果招集通知の遅滞を生じたとしても、そのことは商法二三七条二項による少数株主の総会招集許可の申請を阻止する理由とはなりえないとするのではないかと思われる。しかしこの見解には疑いがある。たとい本件において会社が二週間前に公告することを許されず、定款の規定に従い三〇日前に公告しなければならないものであるとしても、その結果会社の招集手続に遅滞を生じたときは、少数株主はやはり裁判所に対し総会招集の許可を申請しうるものと解すべきだからである。また判旨が、株主名簿の閉鎖の公告につき三〇日の期間を定めている従来の定款の規定は、昭和三〇年の改正法により当然に失効ないし変更されているかのように述べていることも、正当とはいえないであろう。けだし商法二二四条の二第四項の規定は、昭和三〇年の改正後においても、会社が定款をもつて株主名簿の閉鎖の公告につき二週間より長い期間を定めることを禁ずるものではないから、会社の定款が改正前の規定に従つて三〇日の期間を定めている場合には、これを変更して新法の二週間にするためには、定款変更のための株主総会の決議を要するのであつて、この定款変更の手続がとられていないにもかかわらず、従来の規定が昭和三〇年の商法改正とともに当然に失効ないし改正されたものと解することはできないからである。もつともかように解すると、会社が少数株主の総会招集の請求後六週間内の日を会日と定めて総会を招集することは実際上困難となるわけであり、その限りにおいて商法二三七条二項の規定は、かような定款の規定を置く会社にとつてはほとんど不可能を強うる規定とならざるをえないが、しかしそれだからといつて、少数株主の請求にもとづく総会招集の場合だけは商法の規定に従い二週間前に公告して株主名簿の閉鎖をなしうるものと解することも困難というほかないであろう。

【17】「申請人らが提出した株式所有証明書及び臨時株主総会開催請求書によれば、申請人らが六カ月以前より被申請会社の発行済株式総数の百分の三以上の株式を有する株主であること並びに昭和三三年八月一三日に申請人ら主張のような総会招集の請求がなされたことを認めることができる。してみると、被申請会社は遅くとも同年九月二四日を会日とする株主総会の招集通知をその二週間前にあたる同月九日以前に発送しなければならなかつたものというべきである。しかるに被申請人は同月一〇日までに右招集通知を発していない事実が認められるから、申請人らの本件株主総会招集許可の申請はその理由があるものというべきである。

被申請会社は上申書を以て「被申請会社は昭和三三年九月二八日を会日とする招集通知を同月一一日に発送

したものである。また被申請会社の招集手続が遅延したのは、被申請会社の定款に臨時総会招集のための株主名義書換停止は三〇日以前に公告することを要求されているから、六週間以内に総会の招集をすることは実務上不可能である上、申請人らは株主総会招集請求直後、被申請会社に対し和解を申入れて来て和解成立の上は右請求を取り下げるということであつたので総会の招集の手続を控えていたところ、同年八月二七日になつて始めて右和解の見込がなくなり、総会の招集をしなければならないことが確定的になつたためである。以上のとおり、期間遵守できなかつたことには相当の理由があり且つ既に招集の通知が発せられているのであるから、本申請は却下されるべきである」と主張している。

よつて右被申請会社の主張について考えて見るのに和解を申し入れられた為期間を遵守できなかつたとの主張は、本件のような少数株主から総会招集の請求のあつた場合に招集の手続を遅延させる正当な事由とはいい難く、また被申請会社の定款の規定が名義書換停止のための公告を三〇日前になすことを要求しているから六週間内に招集することが不可能であるとの主張も昭和三〇年の改正後の商法第二二四条の二第四項が株主名簿の閉鎖は「二週間前」の公告を以て足りるとしている以上招集日が六週間を徒過する事の正当の事由とはなし難い。さらに、被申請会社が既に総会招集の通知を発しているという点も、被申請会社の手続懈怠によつて申請人らの既に取得している裁判所の許可を得て自ら株主総会を招集する権利を喪失せしめるものとはいい難い」（水戸地下妻支決昭三三・九・一二商事法務研究一二三・一三）。

（へ）　少数株主が裁判所の許可を得て招集した総会においては、その招集許可の決定において示された事項（裁判所は、招集許可の決定においては、その総会で決議しうべき会議の目的たる事項を明示すべきである。商二三七I、非訟一三二I参照）のみを会議の目的たる事項とすることができる。ただし、この総会において裁判所の許可した事項以外の事項を決議したときも、その決議は当然に無効ないし不存在なものとなるのではなく、ただ決議の成立手続が違法な場合として取消の訴に服するにとどまると解すべきである。大審院判決【18】はこれに反して、総会が許可事項以外の事項を決議したときはその決議は「招集権限ナキ者ノ招集シタル株主ノ集会ニ於テ為シタルモノニ外ナラサルカ故ニ」当然に無効であると解しているが（同説、西本・前掲論文二二五頁）、少数株主が全く裁判所の許可を得ないで招集した場合（この場合においてその総会の決議を不存在と解すべきことはいうまでもない）と異なり、この場合はともかく裁判所の招集許可によつて総会自体は一応有効に成立しており、ただそこでの決議の範囲が裁判所の許可した事項を越えているにすぎないのであるから、これを招集権なき者の招集した総会の決議として当然に不存在と解することは正当ではない（大隅・山口・前掲七八頁）。

【18】　「原審ノ確定シタル事実ニ依レハ本件株主総会ハ定款変更ノ為株主カ裁判所ノ許可ヲ受ケテ招集シタルモノニ係リ取締役監査役ノ解任並其ノ後任者ノ選任ニ付テハ裁判所ノ許可ナカリシモノナレハ此等事項ノ決議ハ招集権限ナキ者ノ招集シタル株主ノ集会ニ於テ為シタルモノニ外ナラサルカ故ニ該決議ヲ無効ト為シタル原判決ハ正当ニシテ論旨（註――招集許可決定において許された事項以外についてなした決議も、全然決議なきものと同視すべきではなく、通常の総会において通知事項以外の事項を決議した場合と同様、決議取消の原因となるにすぎないと解すべきであるという主張）ハ理由ナキモノトス」（大判昭四・四・八民集八・二六九）。

二　招集の時期

株主総会には、主として計算書類を承認し、利益又は利息の配当に関する決議をなすために、毎決算期に招集される定時総会（商二三四・二八三）と、随時必要ある場合に招集される臨時総会（商二三五）とがある。定時総会は毎年一回一定の時期に（商二三四Ｉ）、年二回以上利益の配当を為す会社にあつては毎決算期に招集することを要する（商二三四II）。「此等ノ条項ハ株式会社ノ計算ヲ厳重ニ行ヒテ其資産状態ヲ明確ナラシムルノ法意ナルカ故ニ、其性質強行規定ニシテ、会社カ其定款ニ之ト異ナリタル定ヲ為スモ当該会社設立当初ノ第一回事業年度ニ関スルト否トニ拘ラス其定ハ無効」である（行政判大一五・一一・二五新聞二六七一・一三）。

定時総会と臨時総会との区別は、招集の時期によるのであつて、決議事項によるのではないから、定時総会において取締役又は監査役の選任・解任・定款変更などの決議をなすこともとより妨げない（名古屋控決明四〇・四・一六新聞四二六・一七）。

三　招　集　地

総会の招集地は、定款に別段の定めがないかぎり、会社の本店の所在地又はその隣接地（地とは独立の最小行政区劃、すなわち市町村又は東京都の区）である（註一）（商二三三）。招集地内のいかなる場所に総会を招集すべきかについては商法に規定はないが、招集権者が善良な管理者の注意をもつてこれを定めなければならない。ことさら交通困難な場所や出席株主を収容しえない狭隘な建物に招集した場合には、招集手続が著しく不公正なものとして決議取消の訴の原因となりうる（田中（耕）・概論三五一頁、松田・鈴木（忠）条解一九一頁）。

次の大審院判決【19】は、総会の議長が、開会当時の状況により、その会場たる一四畳の間の縁外である庭先に議長席を設けて会場に向い開会を宣言した事件において、この場合には議長席のあるところまで会場が拡張されたものとみるべきであるとして、その総会の開会を適法なものとみとめているが、もとより正当である。

【19】「原判示ニ依レハ昭和二年八月二十一日ノ可部銀行株主総会ハ其場所ヲ入江善平別宅トシテ招集セラレ同別宅十四畳ノ間ヲ其ノ会場ニ充テラレタルトコロ同銀行取締役タル議長戸田宗三郎ハ開会当時ノ状況ニ依リ右十四畳ノ間ノ縁外ナル庭先ニ議長席ヲ設クルヲ便トシ其処ニ卓子ヲ据エ該席ヨリ株主ノ集レル十四畳ノ間ニ向ヒ開会ヲ宣シタルモノナレハ其ノ開会ヲ以テ違法ナリト云フヲ得ス蓋右十四畳ノ間ニ接続スル縁外庭先ハ

尚入江善平ノ別宅ノ一部ナリト解スルニ難カラサルノミナラス元来株主総会ノ議長ハ敢テ出席株主ト其室ヲ同フセサルヘカラサルノ理ナキヲ以テ其ノ時ノ情勢ニ鑑ミ議長ノ職責タル議場並ニ議案ノ整理及ヒ議事進行ニ付株主ノ集レル室外ニ議長席ヲ設クルヲ便宜ナリト思惟スルトキハ出席株主ニ諮ラストモ其ノ発言並ニ表決権ノ行使及ヒ自己ノ職務執行ニ支障ヲ来ササル限リ室外相当ノ個所ニ議長席ヲ設ケ此ノ席ヨリシテ其ノ職務ヲ執行スルコトヲ得ヘク此ノ場合ニハ総会ノ会場ハ該席ノ設ケラレタル処迄拡張セラレシモノト観スヘキモノニシテ叙上判示ニ係ル議長席ノ設置並ニ該席ヨリノ開会ノ宣言孰レモ右説明ノ趣旨ニ合シ適当ノ措置タルヲ失ハサルト同時ニ判示株主総会ハ招集ノ場所ニ於テ適法ニ開会セラレタルモノト云ヒ得ヘキヲ以テナリ然ラハ同総会ニ於ケル取締役タル議長戸田宗三郎ノ処置ハ正当ニ為シタル業務ノ執行ニ属シ記録ヲ調査スルモ何等其ノ事実誤認ヲ窺フニ足ラサルヲ以テ其ノ執行行為ヲ妨害シタル被告等ノ所為ハ業務妨害罪ヲ構成スヘシ」（大判昭五・一二・一六刑集九・九七〇）。

註（一）　昭和一三年の改正前においては総会の招集地に関する規定がなかつたので、取締役がことさら僻遠の地を選んで総会を開くような例が稀ではなかつた（田中（耕）・改正商法及有限会社法解説一七四頁、伊沢・註解三八五頁）。しかしその当時においても、判例は一般に違法ないし不当な地に総会を招集したときは総会招集手続の瑕疵として決議取消の原因となるものと解していた。ただ、具体的にいかなる地域内における招集が適法な招集とみとめられるかの点については、判例の見解は必ずしも一致せず、或いは（イ）定款に別段の定めがないかぎり法の解釈上当然に会社の本店所在地たるべきであるとし（宮城控決大一〇・一・二四評論一〇商法二〇二）、或いは（ロ）必ずしも本店所在地たることを要せず、一般の株主の議決権行使に最も便宜な地を選定しうるものとし（東京地判大一一・三・六新聞一九九一・二一、もつとも本判決は、これに違反して株主の出席の困難な地を招集地に選んだ場合でも、取締役の任務懈怠の責任が問題となるにとどまり、その総会の決議は無効とならぬとしている）、或いは（ハ）原則としては会社の本店所在地に招集すべきであるが、それ以外の地に招集したときでも、株主権の行使を妨げ又はとくにかかる意図に出たものとみとむべき事情がないかぎり、直ちに招集手続が違法となるものではない（大阪控判昭一二・二・二六新聞四一二五・七、神戸地判昭一〇・一二・一七新聞三九五〇・二〇。同旨、広島地判大一一・六・二新聞一九九一・一〇）などとしていた。この点については学説上も若干の議論があつたが、多数説は大体において、右の

（ロ）ないし（ハ）の判例と同様な見解をとっていたものといえる（松本・日本会社法論二五五頁、石井・株主総会の研究一九二頁一九四頁参照）。なお現行法の下においても、定款をもって招集地につき別段の定めをなすことが許されるが、しかしその規定が不当なものであってはならないことはもちろんであって、会社の大多数の株主が容易に出席できないような地を総会の招集地と定めたときは、その規定は無効と解しなければならない（松田・鈴木(忠)・条解一九一頁）。

四　招集の手続

株主総会を招集するには、会日より二週間前に、各株主に対してその通知を発しなければならない（商二三二Ⅰ）。

（一）通知を発すべき株主　通知を発すべき「各株主」とは、「記名式ノ株券ヲ有スル株主ヲ指称スルモノトス。而シテ記名式ノ株券ヲ有スル株主トハ、同第百七十一条及ヒ第百七十二条（現行商法二〇六Ⅰ）ノ規定ニ従ヒ株主名簿ニ其氏名住所ヲ記載シ」た者をいう（大判明四〇・五・二〇民録一三・五七一）。株主名簿上の株主が破産した場合においても、「破産者ハ株主タル資格ヲ失フモノニ非ス」、「招集ノ通知ノ如キハ破産財団ニ直接影響ヲ及ホササルモノ」であるから、招集通知は破産株主に対してなすべきであって、破産管財人に対してなすべきではない（大阪控判明三七・五・四新聞二一四・二二。同旨、大阪地判昭三二・一二・六商事法務研究一二四・一一）。なお議決権なき株主（商二四一Ⅱ・二四二）に対しては、通知を要しないこともちろんであるが（商二三二Ⅳ）、総会の決議につき特別の利害関係を有する結果議決権の行使を停止せられる株主（商二三九Ⅴ）に対しては、招集の通知をしなければならない（なお、記名株主に対する招集通知と名義書換との関係に関する判例・学説の詳細は、本叢書「名義書換」の項にゆずる）。

（二）株主に対する通知の宛所　株主に対する通知は、株主名簿に記載された株主の住所又はその者が会社に通知した住所に宛てて発すれば足る(商二二四I)。株主の住所に変更があつても、会社にその通知がないかぎり、招集の通知は株主名簿に記載された住所に宛てて発すれば足るとともに(大判明四二・三・二五民録一五・二五〇、同大三・四・二九民録二〇・三五二)、会社が右の住所に宛てて通知を発した以上、その通知は通常到達すべかりし時に到達したものとみなされる(商二二四II)。従つて通知の延着の場合のみならず、書面の返戻によりその不着が会社に明らかな場合においても、会社は有効に通知をなしたものとして免責される(大判大八・一一・一八民録二五・二一六五、竹田・論叢五巻四号五二一頁、大隅・全訂会社法論(上)二八〇頁)。もつとも、会社の過失により株主の住所を誤記したような場合には、右の効力を生じないことはいうまでもなく、誤記された住所に宛てて招集通知を発した結果株主に通知が到達しないときは、決議取消の原因となる(大判昭一二・三・一二法学六・九一八、東京控判昭一一・八・三一新聞四〇五八・一五。伊沢・註解三七〇頁、大隅・前掲二三〇頁、松田・鈴木(忠)・条解一六四頁。反対、於保・商事法判例研究(二)一九五頁)。

(三)　通知発送の時期及び方法

(1)　招集の通知は会日より二週間前に発しなければならない(商二三二I)。通知は二週間前に発すれば足り、二週間前に到達することを要しない(大判大一〇・一一・四民録二七・一九〇二)。ここに二週間前に発すべしとするのは、「株主ニ対シ会議ニ出席スルニ付準備ノ機会ヲ与フル為、通知ノ日ヨリ二週間ヲ経過シタル後ニ会日ノ到来スル様、余裕ヲ置キテ通知ヲ発スヘキコトヲ命シタル趣旨ニ出タルモノ」であつて、「通知書ヲ発シタル日ノ翌日ヨリ起算シテ会日迄ノ間ニ少クトモ二週間ノ日数」が存すること、いいかえれば、発信の日と会日との中間に少なくとも二週間の期間が存することを必要とする【20】。このことは学説・判例(【20】、大判昭一四・五・一六評論二八商法三七九、浦和地判明三七・一二・三新聞二五五・三、東京地判大六・四・一四新聞一二五七・二五、東京控判大六・八・一新聞一二九八・二九、東京地判大一〇・九・一三新聞一九〇八・二一、東京地判大一〇・一一・四新聞一九〇九・二一)

上異論のないところである。

【20】「商法第百五十六条〈現商二三二〉第一項ニ於テ総会ヲ招集スルニハ会日ヨリ二週間前ニ各株主ニ対シテ其ノ通知ヲ発スルコトヲ要スト規定シアルハ株主ニ対シ会議ニ出席スルニ付準備ノ機会ヲ与フル為通知ノ日ヨリ二週間ヲ経過シタル後ニ会日ノ到来スル様余裕ヲ置キテ通知ヲ発スヘキコトヲ命シタル趣旨ニ出テタルモノト解スルヲ相当トス故ニ通知書ヲ発シタル日ノ翌日ヨリ起算シテ会日迄ノ間ニ少クトモ二週間ノ日数存シタル場合ニ非サレハ其通知ハ違法ナリト謂フヘク従テ斯ル通知ニ基キ開キタル会日ニ於テ為シタル総会ノ決議ハ違法タルヲ免レサルモノトス（中略）原院ノ確定シタル事実ニ依レハ本件株主総会招集ノ通知ハ昭和八年五月十五日ヲ総会ノ期日ト定メテ同年五月一日午後十時過郵便受入函ニ投函スルニ依リテ各株主ニ対シ発セラレタルモノナレハ五月一日ノ翌日ヨリ五月十五日ノ前日迄ノ間ニハ十四日ノ期間存セサルコト明ナリ故ニ其通知ハ違法ニシテ同年五月十五日為シタル総会ノ決議モ亦違法ナリト謂ハサルヲ得ス」（大判昭一〇・七・一五民集一四・一四〇四）。

(2)　招集の通知は書面をもつてなすことを要し、口頭・電話・公告などの方法によることをえない。このことは招集通知に「会議の目的たる事項の記載」が要求されていることからして明らかであるが（商二三二Ⅱ）、実際には小規模の会社では口頭その他書面によらないで総会を招集する例が少なくない。総会の招集は常に書面による通知の方式をもつてなさなければならないと解するならば、口頭による通知は法律上招集通知としての効力を有しえないこととなり、従つてかかる通知によつて開かれた総会は、招集手続が事実上全く行われなかつた場合と同様に、法律上は株主総会として成立しえないものというほかないこととなる。学説においてはこの見解をとるものがあり（竹田・民商四巻一〇頁、河村・株主総会の研究八四頁）、つぎの判決【21】【22】（同旨、山形地判昭五・一一・一七新聞三二八八・一三。なお、後掲【98】参照）もこの見解をとつている。

【21】「被告ハ口頭ニ依ル招集ハ商法第百六十三条ニ所謂招集ノ方法カ法令ニ反スル場合ニ該当スルヲ以テ同法第百六十三条ノ二ノ所定期間経過ニ依リ其瑕疵カ癒セラルヘキモノナリトノ見解ヲ持スルモノノ如シト雖モ右法条ニ所謂招集方法カ法令ニ反スルトキトハ商法所定ノ法定期間ヲ遵守セス又ハ其ノ通知ニ会議ノ目的事項ヲ記載セス若クハ其ノ記載ノ不適法ナルカ如キ場合ヲ謂フモノニシテ前示ノ如ク法律上全然招集ト目スヘキモノナキ場合ヲ指称スルモノニ非サルヲ以テ被告ノ右見解ハ之ヲ採用セス」(東京地判大一五・一二・二〇評論一六商法五七八)。

【22】「元来総会の招集通知は書面を以てするを要すること商法第二三二条の文言に照して明らかであり、右は招集手続の明確を期するための要請であつて、これに反した口頭通知は、全然通知なきに等しいものというべきである」(大阪高判昭三一・二・二一下級民集七・二・四〇〇)。

しかし、招集の通知が書面によることを要するのは、株主が会議の目的たる事項・総会開催の日時・場所等を明確に知り、相当の準備をもつて間違いなく出席しうるようにするための考慮に出ているのであつて、書面自体に特別の意味があるわけではない。会議の目的たる事項・総会開催の日時・場所等を知らせることは、口頭の通知によつても可能なのであるから、その通知のもとに開かれた総会を常に不成立と解することはゆきすぎである。総会招集の通知状の記載が不適法又は不十分な場合にもその総会の決議は当然に不存在と解するならばともかく、これを否定する以上は、書面によらない通知の場合にも一般には招集手続の瑕疵として決議取消の原因たるにすぎないものと解するのが妥当である(松田・鈴木(忠)・条解一八九頁、岡村・一橋論叢三六巻三号二七九頁)。最近の福岡高等裁判所の判決【23】は、株主九名から成る同族会社が口頭・電話・使者等によつて総会を招集し、株主の大部分が出席して異議なく決議した事件において、その決議が総会の決議としては一応成立したものであることをみとめている。

【23】「右の様に本件増資に関する株主総会は、議案を示しての書面による召集状が法定期間を存して各株主に送達せられた事実こそないものの、前記の様な実体を有する小会社（むしろ有限会社とする方が適当である様な会社）において、召集権を有する代表取締役古賀満次の召集によつて兎も角も会議が開催せられ、株主中の大部分たる七名乃至六名が出席して、それぞれの議決が為されたものであり、しかも不出席の株主においてもこれにつき何等異議不服もなかつたものである以上、本件で「株主総会は開催されなかつた」とすることは適当でなく、召集手続等において違法なカシはあつたものの、兎も角も法律上株主総会と目し得べきものが開催され、その総会に於て決議が為されたもの、と認めるのが相当である」（福岡高判昭三〇・一〇・一二民集八・七・五三五）。

書面によつて通知する以上、その通知は郵便によると、会社の使用人をして配付せしめるとを問わない（西原・前掲講座（三）八五四頁、松田・鈴木（忠）・条解一八九頁、西本・前掲論文二三二頁、法曹会決議大一四・四・二二評論一四商法六一四頁）。郵便による場合には、郵便函に投函するか又は郵便官署に差出した事実があれば、通知の発送があつたものといいうる【24】。従つて郵便日付印は、この場合必ずしも通知の発送をなした日の証拠とはならないが（東京地判昭四・一〇・四新報一九八・二八。西原・前掲講座（三）八五四頁、西本・前掲論文二三二頁）、いずれにせよ、単に会社の使用人に通知状を手渡して投函を命じただけでは、未だ通知の発送があつたものといえないことはいうまでもない【25】。

【24】「商法第百五十六条第一項ニ所謂株主総会ノ招集ノ通知ヲ発ストハ之ヲ郵便ニ付シテ為ス場合ニ於テハ会社ノ機関又ハ其使用人ニ於テ其通知状ヲ郵便函ニ投函スルカ或ハ之ヲ郵便官署ニ差出シタル事実アルヲ以テ足ルモノト解スルヲ相当トス蓋シ郵便差出人ノ行為ハ投函又ハ差出行為ヲ以テ完了スルモノニシテ該郵便物ノ差出カ郵便官署ノ集配時間外ニ属シ又ハ其翌日カ日曜日等ノ休日ノ為メ其日附印カ翌日又ハ翌々日ト為リタルトスルモ該事実ハ単ニ郵便官署ノ内部手続ニ属スルヲ以テ該遅延ニ因ル効果ヲ郵便差出人ニ帰スヘキ筋合ニ非サルヲ以テナリ従ツテ本件招集通知状ノ差出カ昭和三年六月九日ナル以上同日招集ヲ発シタルモノト謂フ

ヘク通知状ノ日附印カ同月十一日ナリトスルモ之ヲ以テ該通知ヲ発シタル日カ十一日ナリト解スルヲ得サルモノト為サヽルヲ得ス」（東京控判昭五・八・三新聞三一四九・一二）。

【25】「控訴人ノ援用ニ係ル原審証人……等ノ供述ヲ綜合スレハ控訴会社取締役タル前記中島茂光ハ大正二年七月一日午後十時頃郵便ニ付スヘク総会招集通知ノ端書ヲ同会社小使竹森仲吉ニ交付シタルコトヲ認メ得ヘキモ之レヲ以テ通知ヲ発シタルモノト云フヲ得サルハ勿論ナリ」（東京控判大三・六・三新聞九六六・二六）。

（四）通知の内容

(1) 会議の目的たる事項　総会招集の通知には、会議の目的たる事項を記載することを要する（商二三二II）。「会議の目的たる事項」とはいわゆる議事日程であつて、この記載が要求されるのは、「株主ヲシテ総会ノ目的及ヒ其総会ニ於テ票決セラルヘキ事項如何ヲ予知スルコトヲ得セシメ、其決議権ヲ行フニ付キ十分ノ準備ヲ為サシムル」ためであるから、その記載は「其議事日程タルヘキ事項如何ヲ了解セシムルニ足ル記載」でなければならない（大決明三五・七・八民録八・七・五一、大判明三七・五・二民録一〇・五九一）。従つて、例えば会社の解散を会議の目的とする場合において「会社の運営について」という記載をなすことは不適法であり（民事局長・昭二六年一〇月三日回答・商法判例総覧3三二頁）、「将来ニ関スル善後策」という記載も、「其将来ノ善後策ヲ議スル目的ノ総会ナルコトノミハ推知シ得ルモ、総会ニ於テ如何ナル事項ヲ決議セントスルカハ之レヲ知ルニ由ナク、従テ会議ノ目的ヲ予知セシメントスル立法趣旨ニ反スルコト瞭然タルヲ以テ」不適法としなければならない（東京地判大六・五・三一判例二民六一二。反対、西本・株主総会論三六頁）。

ただし、株主がその議案につき賛否を決するに必要な一切の材料を記載する必要はなく、何が決議されるかを知りうる程度の記載であれば、例えば「第七期計算書並ニ利益配当ニ関スル件」というような標題的な記載でもさしつかえない【26】(通説)。明治四四年の改正前の商法は、「総会の目的及び総会に於て決議すべき事項」を記載すべきものとしていたから、判例は、通知には議事日程の内容を了解しうるに足るだけの記載があることを要するものとし、従つて例えば「計算書類の承認及び利益配当に関する件」という記載では、その内容たる計算が不明だから違法であるとしていた(大決明三五・七・八民録八・七・五一、大判明三七・五・二民録一〇・五九一。もっともその後の判例には、大判明四二・一〇・一九民録一五・七八六のように、金員借入の件における利率・償還期限のような附従事項は通知を要しないとするものもあつた)。つぎの判決【26】は、この従来の判例の見解を、明治四四年の改正法(旧商一五六II、現行商法二三二II)にもとづいて修正したものである。

【26】　「商法第百五十六条第二項の規定は其の旧規定に「総会の目的及総会に於て決議すべき事項」とありたるを「会議の目的たる事項」と改正したるものなる沿革に照し又同法第二百八条に於て定款の変更を会議の目的とする場合に於ては特に定款の変更に関する議案の要領を通知すべき規定を設けたるの趣旨に徴するときは其の「会議の目的たる事項」と云ふは詳細なる決議内容の記載を指したるものにあらずして単に総会の目的たる議事項目を称するに過ぎざるものと解し得べきを以て論旨は理由なし」(大判昭二・一二・三新聞二七七七・七)。

また、会議の目的たる事項の記載は、「其記載として表現せられ居る文字のみに依りて当該事項を明知し得べきものなることを要せず」【27】(取締役の競業を認許する決議につき、商法二六四条による認許の件とのみ記載して通知することは失当ではない、東京地判昭三・九・二八新報一六八・二六)、その記載の全体から決議事項の何たるかを知りうれば足る。つぎの判決【28】は、招集通知に営業報告書・貸借対照表等の報告の件、借入金及び財産処分承認の件、会社現況及び諸般の報告の件なる議案とともに、「右報告に伴う事業存廃の件に関し重要事項決議の件」という記載をなして通知した総会で、出席株主の動議により会社の解散を決議した事案に関するが、大審院は、右の記載文言中には会社解散に関する事項が含まれているものと解している。しかし、上述の記載をもつて会社の解散が会議の目的たる事項となつていることを知るに足り、総会招集の通知として適法であるとすることには相当疑問の余地があるものとおもう。このことは、解散の決議が出席株主の動議によつてなされた事実に徴してもうかがうにかたくないであろう。

【27】「株主総会通知書に於ける総会目的事項の記載と雖も必ずしも其記載として表現せられ居る文字のみに依りて当該事項を明知し得べきものなることを要せず故らに当該事項を不明ならしむる為め欠字を設くる等表示を不十分ならしむることの認められざる限り現に表現せられ居る文字を他の事項若は同一書面中の記載例へば他の目的事項の記載と照合して其如何なる事項を意味せるやを一般株主に於て推知し得可き場合の如きも亦右事実の記載ありと為すを妨げず如上通知書に数個の目的事項の記載ある場合其の一つの表示する所を知らむが為め他を之に照合すと云ふことは所論の如く総会は数個の議案の中一を承認可決し他を否決することを得と云ふことと相抵触するものに非ず」（大判昭七・二・二七法學一・七・一一七）。

【28】「決議事項が予告せられたる重要事項と異なる新なる事項の決議なるや否は具体的問題にして一に社会通念に依り決すべく議案の番号等により単なる形式により決すべきものに非ず」「所論通知に於ける事業存廃に関する重要事項決議の件なる文言中には右会社解散に関する事項をも包含する趣旨なりと解するを相当とすべく従て原審が本件決議は予め通知したる決議事項に基き為されたるものなりと為したるは違法に非ず」（大判昭一七・三・一三商事判例集追録(一)補遺二五頁、商法判例総覧3五五）。

取締役の選任の場合には、それが同時に二名以上の取締役を選任するものであるかぎり、総会招集の通知には、取締役何名の選任を行うかを示すことを要し、単に「取締役選任の件」と記載するだけでは足りない。かかる通知によつては一名の取締役しか選任することは許されない。もし右のような記載の下に招集の通知がなされた総会で、取締役二名以上の選任をなしたときは、その決議は取消の訴に服するものといわなければならない。けだし、同一の総会で二名以上の取締役を選任する場合には、会社が定款をもつて累積投票によらない旨を定めているときでも、発行済株式総数の四分の一以上の株式を有する株主は会社に対し累積投票によることを請求することをうるのであつて（商二五六ノ三・二五六ノ四）、株主としては、その取締役の選任が累積投票の請求をなしうべき場合であるか否かを知り、かつこれに対する準備をなすことにつき重要な利益を有するからである（前掲ジュリスト選書二九頁以下、大浜・前掲講座(三)一〇三四頁以下、西原・前掲講座(三)八五一頁、境「累積投票」講座(三)一〇一一頁、西本・前掲論文二三四頁、朝山・株主総会の法律実務三三頁）。つぎの判決【29】は、「取締役及び監査役選任の件」と記載して通知された総会で、取締役五名を選任した事件に関するが、招集通知に選任すべき取締役の員数を記載しなかつたことは招集手続の瑕疵とならないものとしている。その判旨が正当となしえないことは、上述のところから明らかであろう（八木・判例評論一四号一六頁）。

【29】「本件株主総会招集通知には会議の目的事項として「取締役及び監査役選任の件」と記載されていることは当事者間に争がない。

商法第二三二条第二項が招集通知に会議の目的たる事項を記載することを命じているのは、株主をして会議の目的たる事項の何であるかを知らしめ表決に備えしめようとするにあるけれども営業譲渡、定款変更、資本減少及び合併のように商法が特に議案の要領を通知及び公告に記載することを命じた場合（中略）の外は単なる議案の輪郭を明かにする議事項目の記載を以て足ると解するので、本件において招集通知に選任すべき取締役及び監査役の員数を記載しなかつたのは招集手続の瑕疵となるものではない」（東京地判昭三三・一・一三判時一四一・二二）。

もつともその記載としては、必ずしも「取締役何名選任の件」として直接員数を明示しなくとも、

「取締役全員改選の件」というように、その員数を推認しうるものであれば足る（前掲ジュリスト選書三〇頁、西原・前掲講座(三)・八五四頁）。また招集の通知に員数の記載がない場合でも、その総会において結局一人の取締役を選任するにすぎないときは、株主の累積投票請求権の侵害の問題は生じないのであるから、決議の取消をみとめる必要はない（大隅・園部・前掲二一頁、石井・ジュリスト一九号三六頁）。　つぎの判決【30】は、これに反して、取締役の定員が一二名以内と定められ、当時の取締役は三名でいずれも任期中である会社が、役員の選任につき「取締役（監査役）選任の件」として通知し、その総会で取締役一名を選任した事案において、右のような記載では株主において議題を知るに由なく、有効な議事日程の記載があつたとはいえないと述べているが（大浜・前掲講座(三)一〇三四頁、境・前掲講座(三)一〇一一頁も、員数の記載を欠くときは常に不適法とされるようである。西原・前掲講座(三)八五一頁もこの見解であろうか）、このような場合にまでもなお招集通知の記載を不適法・不十分なものと解する必要は存しないと思う。

【30】　「被告の右総会の招集通知の議事日程中役員の選任については、「取締役（監査役）選任の件」とあつたことは当事者に争のないところであるが、成立に争のない甲第一、二号証の記載によれば、被告の取締役の定員は一二名以内と定められており、当時の取締役は三名でいずれも任期中である。そうすると、右のような記載だけでは、株主において議題の内容を知るに由なく、有効な議事日程の記載とはいえない。右総会において、辞任の申出のあつた峰尾を改めて取締役に選任したのは、結局議事日程にないことを決議したこととなるから、その決議は取消を免れない」（東京地判昭三〇・六・一三下級民集六・六・一一〇五）。

なお、取締役又は監査役の解任の場合には、その取締役又は監査役を示して、その者につき解任すべき理由があるか否かを判断せしめる必要があるから、通知には解任の対象たる取締役又は監査役の氏名を記載すべきであつて、単に「取締役（又は監査役）解任の件」と記載するだけでは不十分である

【31】（大隅・山口・前掲七三頁以下、大浜・前掲講座（三）一〇四八頁。反対、【32】）。　もつともこの場合においても、取締役又は監査役の全員の解任が会議の目的となつている場合には、単に「取締役（又は監査役）全員解任の件」と記載して通知すれば足ることはいうまでもない。なお、「解任された取締役並に監査役の中取締役又は監査役でなかつたものがあつたとすればその解任は意味のないものとなるが」、取締役・監査役の資格をめぐつて株主間に争いがある場合に、「取締役並に監査役と主張するもの（登記簿に記載ある者とそうでない者とを問わず）を全部解任して白紙に還り、新に取締役並に監査役選任の決議」をなすことはさしつかえないものと解される（東京地判昭一五・五・二〇新聞四五六八・五、大隅・山口・前掲七四頁）。

【31】　「按スルニ商法第百五十六条第二項ニ於テ株主総会招集ノ通知ニハ会議ノ目的タル事項ヲ記載スルヲ要スル旨規定シ又同法第二百八条第二項ニ於テ定款変更ニ関スル議案ノ要領ハ株主総会招集通知ニ記載スルヲ要スル旨規定シタルハ通知ヲ受ケタル株主ヲシテ総会ニ臨ムニ先チ会議ノ目的タル事項ニ付研究ヲ為サシメンカ為ニ外ナラサルカ故ニ其ノ通知ニ記載スヘキ会議ノ目的タル事項ハ之ヲ具体的ニ知リ得ヘキ程度ニ表示セサルヘカラス、サレハ取締役監査役解任ノ場合ニ於テハ単ニ取締役監査役改任トノミ表示スルヲ以テハ足ラス必スヤ取締役何某ノ解任ナル旨具体的ニ表示シ右役員ニ解任事由存スルヤ否ヤニ付株主ヲシテ考慮セシムルコトヲ要スヘク又定款変更ノ場合ニ於テハ単ニ定款第何条ノ変更ト表示スルノミヲ以テハ足ラス之亦定款何条ヲ如何ニ変更スヘキカヲ具体的ニ表示シ以テ株主ヲシテ新旧規定ヲ比較研究スルノ余地ヲ与フヘキモノトス、果シテ然ラハ被告会社ノ為シタル定款変更並ニ取締役監査役解任ノ為ノ株主総会ノ決議ハ其ノ招集手続ニ違法アリ無効ト為ササルヲ得サルモノトス」（大阪地判昭一三・一一・一六新聞四三四八・一七）。

【32】　「本件株主総会招集ノ通知ニ右ノ如ク解任スヘキ者ノ氏名及ソノ事由ノ通知ヲ欠クモ単ニ取締役監査役ノ解任及選任ノ件トシテ通知スルヲ以テ足リ又右ノ如キ通知ニ基キ取締役社長宮崎寛愛ヲ解任シタルハ目的

事項以外ノ決議ナリト謂フヘカラサルヲ以テコノ点ニ関スル原告ノ主張モ亦失当ナリ」（東京地判昭一五・一一・二四評論三〇商法一四三）。

(2) 議案の要領・その他　特定の重要な事項、すなわち定款変更（商三四二Ⅱ）・資本減少（商三七五Ⅱ）・合併（商四〇八Ⅱ）・営業全部の譲渡その他商法二四五条一項各号の行為（商二四五Ⅱ）が会議の目的である場合には、総会招集の通知に議案の要領をも記載しなければならない。議案の要領とは、議案の内容における要点をいう。従つて、定款変更の場合においては、単に「定款第何条変更の件」という通知のみでは足りないのであつて、その定款の規定をいかに変更するかの要点をも示さなければならない【31】。かような定款変更のための総会招集の通知に「商法改正に伴う定款変更の件」と記載しただけで、議案の要領を記載しなかつた事例において、被告たる会社側が、右定款変更は、商法改正に伴い当然変更となるか又はこれに準ずるものとして許容される範囲内の変更にすぎず、その内容は全部すでに社会常識となつていたものであるから、右の記載は会議の目的たる事項を示すとともにその議案の要領を含むと主張した事件がある。この事件において東京地方裁判所の判決（東京地判昭二七・三・二八下級民集三・三・四二八）は、たとい「当時商法改正に伴つてなされた定款の変更において一般に被告会社の本件定款の変更における程度の変更を行つていたとしても、被告会社がこれにならわなければならないわけのものでもなければ、被告会社の株主が被告会社もまたこれにならうことを当然に予知していたものともいえないのみならず」、本件定款変更によつて会社の発行する株式総数を定め、取締役会に従来の発行済株式総数の数倍の株式発行の権限を与えていることだけからいつても、「前記定款変更は単に商法改正に伴い当然生ずべき変更であるとはいえないから、被告の右にいうところはこれを取消阻却の事由とするわけにはいかない」と述べている。判旨はもとより正当である。

総会招集の通知には、右の議事日程又は議案の要領の記載のほかに、総会開催の日時・招集地・招集場所を記載しなければならないことはもちろんである。また総会の招集者の記載を要することも当然であつて、取締役会の決定によつて招集する場合には代表取締役、少数株主の招集による場合にはその株主、裁判所の命令による場合(商二九四)には代表取締役を記載すべきである。ただしその署名は必要でなく(竹田・前掲民商四巻一二頁)、また招集権限のない者が招集権者とともに連署しても、招集状の効力には影響はない(東京控判明四一・一一・二七最近判例集二・五八)。

五　招集通知の撤回・変更

(一)　招集の撤回又は延期

(1)　会社が一たん総会招集の通知を発した後、その会日前にあらためて各株主に通知して総会の開催を無期延期し、或いはさらに後日の会日を定めて開催を延期する場合がある。前の場合は正確にいえば招集の撤回であり、後の場合は会日の延期である(前掲ジュリスト選書八頁、西原・前掲講座(三)八五二頁)。実際には決算が手間どつて通知した時期に定時総会を開きえない場合、やむをえない支障のために予定期日における開会の見込がたたなくなつた場合などに生じうることであるが、かかる招集の撤回及び会日の延期も、招集権者が総会招集の手続と同様の手続をとつて行うかぎり、すなわち一般の場合には、取締役会の決議にもとづき代表取締役が各株主に対し撤回又は延期の通知をなし、その通知が会日前に株主に到達すれば、その撤回や延期は有効と解せられる(詳細については、前掲ジュリスト選書八頁以下参照。一般的に招集通知の撤回をみとめるものとして、松田・鈴木(忠)・条解一八七頁)。従つて、これを無視して当日株主が参集して決議しても、その決議は法律上株主総会の決議としてはみとめえないこととなる。この場合、撤回や延期がやむをえない理由ないし正当な理由の下に行われたか否かはその効力を左右するものではないが、しかし一たん取締役が総会を招集した以上は、可能なかぎり当初の期日に総会を開き、延期の必要があればその総会の決議のもとに延期の処置をとるべきが本則であつて、取締役が常に一方的な判断で撤回や延期の處置をとりうるものではない。従つて、正当な理由なしに招集の撤回・延期をなすときは、取締役の責任の問題を生ずる(前掲ジュリスト選書九頁一〇頁、西原・前掲講座(三)八五二頁)。

つぎの判決【33】は、これに反して、「都合ニ依リ其ノ株主総会ノ招集ヲ中止シ又ハ延期スルカ如キハ会社取締役ノ権限トシテ法律上許容セラルルモノト認ムヘキ」であるとして、その招集の撤回の処置を適法とみとめ、当初の予定期日においてなされた決議を不存在と判示しているが、招集の撤回や延期が常に取締役の当然の権限と解することは正当とはいえないであろう(本件において招集の中止がいかなる「都合ニヨリ」なされたのか、中止の通知はいかなる方法でなされたかは、明らかでない)。

【33】　「右臨時株主総会ハ原告会社ノ当時ノ取締役タリシ田中章千代ノ招集シタルモノナルトコロ同人ハ其ノ開催ニ先立チ同月十二日前示招集ヲ中止スル旨ノ通知ヲ為シタルニ拘ラス同月十五日一部株主会合シテ臨時株主総会ナリトシ前示ノ如キ取締役選任ノ決議ヲ為シタルモノナルコトハ当事者間ニ争ナキトコロナリ而シテ株式会社ニ於テ其ノ取締役カ一旦株主総会ノ招集通知ヲ発シタル場合ト雖都合ニ依リ其ノ株主総会ノ招集ヲ中止シ又ハ延期スルカ如キハ会社取締役ノ権限トシテ法律上許容セラルルモノト認ムヘキヲ以テ前示臨時株主総会ノ招集ハ適法ニ中止セラレタルモノト謂フヘク従テ昭和十年八月十五日ノ臨時株主総会ナルモノハ招集ナキニ拘ラス株主ノ一部カ会合シタルモノニシテ固ヨリ適法ナル株主総会ト謂フヘカラス即チ右臨時株主総会ナル

モノハ全然存在セサルモノニシテ従テ前示山本太郎外一名ハ適法ニ取締役ニ選任セラレタルモノニ非ス換言セハ全然取締役ニ就任シタル事実ナキモノナルコト言ヲ俟タス」（東京地判昭一一・一二・一八新聞四一〇二・一七）。

(2)　会日の延期は、総会招集の通知が会日より二週間前に発せられなかった場合に、その瑕疵を補完して二週間の法定期間をみたす目的のもとに行われることも考えられる。この場合あらためてその時（延期の通知を発する時）から二週間を経過した日を会日として延期の通知をなすならば問題はないが（後出【40】参照）、単に前の通知に不足した日数だけ会日を延期しても、前の招集通知についての法定期間の不足の瑕疵が補完され、招集手続が当然に適法となるものではない【34】。ただ、招集通知に二週間の期間が要求されるのも「畢竟議決スヘキ事項ニ付各株主ヲシテ十分ニ其利害ヲ調査セシムルノ趣旨ニ出」たものにほかならないのであるから、会日の延期によって事実上各株主に対し相当な準備の下に総会に出席する機会が確保されたとみとめうる場合においては、後述のように裁判所は決議取消の請求を棄却しうるものと解すべきであろう。つぎの事件【34】では会社があらためて一二日の期間を設けて会日の延期をなしているが、判旨がこの場合についてもなお違法な招集通知の繰り返しにすぎないものとして決議取消の請求を認容したことは、多少形式的にすぎる感がなくはない。

【34】　「法律ニ於テ右等不適法ノ通知モ後日之ヲ追完シ有効ト為シ得ヘキ趣旨ノ視ルヘキ規定ナキノミナラス招集ノ通知ヲ二週間前ニ為スヘシトノ規定ハ畢竟議決スヘキ事項ニ付各株主ヲシテ十分ニ其利害ヲ調査セシムルノ趣旨ニ出テタルヤ明カナリ然ルニ違法ノ通知ヲ発シタル場合ニ在リテ株主ハ其通知ノ違法ナルノ故ヲ以テ議決スヘキ事項ニ付深ク考慮ヲ費ササルコトアルヘキニ拘ラス更ニ僅少ノ時日ヲ期シタル違法ノ通知ヲ再三違発シ之ヲ通算シ以テ法定ノ期間ヲ充タサシメントスルカ如キコトアラハ各株主ハ遂ニ議案ニ付適当ノ議決ヲ

為スヲ得スシテ立法ノ趣旨貫徹セサルニ至ル可シ故ニ本件ノ如キ先ニ為シタル通知ニシテ違法ナル以上ハ更ニ後日延期ノ通知ヲ為スモ之ヲ以テ先ノ違法ヲ除去シ適法ノ通知ト為スヲ得スト論定スルヲ相当ナリトス」（長崎控判明四二(ネ)一六一号新聞六一六・九）。

（二）　開会時刻又は会場の変更

総会の会日の変更と同様の問題は開会時刻や会場の変更についても生ずる。この場合も、総会招集の通知における開会時刻や会場の記載が重要な意義を有するのは、株主の総会出席を確保する必要に出ているのであつて、その特定の日時又は場所そのものに特別の意義があるのではない。従つて、会社が事前に株主に対する十分な周知方法を講ずるならば、その変更も可能であると解せられる（前掲ジュリスト選書一四一頁以下、西原・前掲講座(三)八五三頁）。

最も問題となるのは、総会の直前になつての開会時刻や会場の変更である。開会時刻や会場を直前になつて変更する場合には、もはや株主に対し十分な周知をはかることは困難であるから、原則として総会に出席した株主に諮つた上でその変更をなすべきであつて、招集者が任意に変更することはできないものというほかない。しかしやむをえない事由を生じて、当初予定していた時刻や会場に株主の参集を求め、その総会の決議によつて変更することができないような場合には、会社が相当な周知方法を講じてこれを変更することも可能と解せられる（前掲ジュリスト選書一四一頁以下）。このような会場又は開会時刻の変更が問題となつた事例として、つぎの判決【35】がある。これはいわゆる白木屋事件における判決の一つである。株式会社白木屋は昭和二九年三月三一日定時総会を開いたが、当日は結局議事日程に入らず、あらためて右総会を四月二日に延期することとし、同日午前一〇時東京会館で開く旨決議して散会した。そこで白木屋は東京会館に総会会場を借受ける契約をしたが、会日の前日になつて東京会館から解約の申入があつたので、あらたに会場を中央クラブに変更し、開会時刻も三〇分繰下げることとして、その変更の旨を会日当日の朝刊紙数紙に公告するとともに、同日早朝から東京会館玄関にもその変更の旨を掲示し、かつ玄関前にバス数台を配置し、係員を派して東京会館に参集した株主約七、八〇名を中央クラブに運んだ。かくて中央クラブに集つた株主により午前一〇時半から定時総会が開かれ、取締役・監査役の選任等の決議がなされたが、他方東京会館でも十数名の株主が参集して取締役・監査役の選任等の決議をなした。そこでこの両派の総会決議の効力が訴訟によつて争われることとなつたのであるが、判決は、一方東京会館における決議を不存在とするとともに(後出【99】)、他方中央クラブにおける決議についても、つぎの理由をもつてその取消をみとめている。

【35】　「総会を招集する場合、招集権者が総会開催の日時、場所を定めて各株主に招集通知を発した後においても、招集権者は、その期日到来前には、総会招集の場合におけると同じ手続をとることにより、右総会招集期日または招集場所を変更し、あるいは招集の撤回をすることができるが、一旦総会が開催された場合においては、もはや招集権者は総会の延期または続行等を決し得る権限はなく、これをなし得るものは総会そのものであることまたいうまでもないところである(商法第二百四十三条参照)。そして総会決議によつて総会の延期または続行が決せられた場合においては招集権者といえども、右総会決議で定められた延会または継続会の開催せらるべき日時および場所を変更することはできないものといわねばならない。蓋し、この場合においては、総会は既に開催されて総会の意思が表明されたのであり、而して総会の意思は総会招集権者の意思に従属

するものではないからである。
本件においては、前記のとおり、三月三十一日の総会決議により四月二日の延会を開催すべき場所は東京会館と決せられたのであるから、右延会はかならず東京会館において開催されるべきで、右場所で延会を開き、改めて延期または続行の決議をする場合以外は、招集権者といえどもこれを変更することを得ず、その変更は違法である。（中略）東京会館で右延会を開催することが、参加人等の主張するように、不可抗力によつて不能となつた場合には、右延会は開催不能として流会とせざるを得ず、改めて総会招集の手続を経たうえで、これを招集せざるを得ないことまさに原告の主張するとおりである。参加人等はこのような場合には議長は株主を他の適当な場所に誘導して総会を開くことができ、むしろ、誘導すべき職責があり株主もその権利の行使に特別の支障のないかぎり、右議長の誘導にしたがうべき義務を負うと主張する。しかしながら、議長たると他の何人たるとを問わずそのような権限も持たず、また職責もなく、また株主にはそのような誘導に従うべき義務もない。

参加人等はさらに株主等が中央クラブにおける株主総会に参加するについて、その議決権の行使を害することとのないよう、その主張のような万全の措置を講じたうえで株主等を中央クラブに誘導し、且つ、右会場変更について全出席株主の承認を得たのであるから、その会場変更は適法であると主張する。しかしながら前説明のとおり、株主総会の決議によるほかは、右会場を変更することはできないのであるから、たとえ参加人等主張のような措置を講じたとしても、右会場変更が適法となることはなく、また全出席株主の事後承認を得ても、右会場変更の違法性が治癒されることもない」（東京地判昭三〇・七・八下級民集六・七・一三六一）。

しかしこの判決の見解には到底賛成できない（判決と同旨のものとして、田中(誠)・吉永・山村・前掲四四六頁、ただし田中(誠)編著・株式会社法律実務ハンドブック三〇六頁）。株主総会の意思が招集権者の意思に従属するものでないことはもちろんであるが、その故に延会又は継続会の日時又は場所についても、それが総会の決定によるものである以上、招集権者はいかなる場合でもこれを変更しえないとすることは、全く実益のない形式論である。先に述べたように、招集通知に定められた日時・場所における株主の参集ができえなくなつた場合に、取締役が相当な周知方法を講じてこれを変更することがみとめられる以上（判決も一般論としてはこれをみとめている）、総会の決定した延会又は継続会の日時・場所についても同様にその変更をなしうるものとすべきが当然であつて、この場合に総会の日時又は場所が総会の決定したものであることを理由に、取締役が拱手傍観何等の措置をも講ぜずしてその総会を流会に終らしめることは、会社の業務執行機関たる取締役の職責をつくすゆえんではない。本件において取締役が会場を中央クラブに変更し、その周知方法を講ずるとともに、東京会館に来た株主を同所に誘導して延会の開催をはかつたことは、取締役の職務権限に基く適法な措置というべきである（大隅・判例評論三号三頁、西原・前掲講座(三)八五六頁、鈴本・商事判例研究ジュリスト一六四号六八頁）。

六　招集手続の瑕疵と総会開催禁止の仮処分

総会招集の手続が法令又は定款の規定に違反するときは、その総会の決議は取消の訴（商二四七）に服する。招集手続が違法であるか否かは、一般にはこの訴において決議取消の原因の有無の問題として争われるものであり、しかも裁判の結果によつては決議は有効とされる場合もありうるのであるから、総会招集の手続に法令又は定款違反の瑕疵があることを主張して、その総会の開催そのものを禁止する仮処分命令を求めることはできないものと解すべきであろう【36】（結果同説、松田・鈴木(忠)・条解一八七頁）。

【36】「債権者主張ノ昭和四年六月二十五日付同年七月十日午前九時臨時株主総会ヲ開催スヘキ旨ノ招集状ニ基ク株主総会ハ右指定期日ニ限リ之ヲ開会シ得ヘキモノナルヲ以テ仮処分ヲ以テ該期日ニ於ケル株主総会ノ

開会ヲ禁止スルニ於テハ其前提タル招集手続ノ有効無効ノ問題ハ存在ノ余地ナキニ至ルヘク而モ債権者ハ該招集手続ノ無効ナルコトヲ本案訴訟ノ理由ト為スモノナルヲ以テ斯ル開会ノ禁止ヲ命スルトキハ本案訴訟ニ於テ審判セラルヘキ係争法律関係ハ事実上仮処分ニ因リ消滅スルノ結果ヲ生スヘキモノナレハ斯ノ如キ結果ヲ招致スヘキ仮処分ハ仮ノ地位ヲ定ムル必要ニ出テタルモノナリトスルモ仮処分ノ目的ヲ超越スルコト明ナルヲ以テ之ヲ許容セサルヲ相当トス」（東京地決昭四・七・九評論一九民訴八四）。

もつとも、総会の招集自体が本来許しえないものである場合、例えば少数株主が裁判所の許可をえてみずから総会を招集する場合には、既述のように、取締役はもはや同一の事項を会議の目的として別に総会を招集することはできないが、それにもかかわらず取締役が少数株主の招集する総会と競合して別に総会を招集しようとする場合には、少数株主は、取締役に当該総会招集の権限がないことを理由として、その総会の開催禁止の仮処分を求めうるものと解することができる（同旨、松田・鈴木（忠）・条解一八七頁）。この点につき、旧法の下で、監査役が検査役の選任のための臨時総会を招集したところ（旧商二三五Ⅱ、昭和一三年改正前商法一八二）、取締役がその監査役を解任するために二週間の法定期間を欠く総会招集の通知をなした事件がある。この事件において東京地方裁判所の判決【37】は、取締役が二週間の期間を設けずして招集した総会の決議も取消されるまでは有効な決議であるから、その決議によつて監査役のなした総会の招集は結局その目的を達しえなくなるとして、取締役の招集した総会に対する開会禁止の仮処分命令をみとめているが、この結論は現行法の下における取締役と少数株主との間の総会招集の関係についても妥当するものといわなければならない。もつとも、右の判決は取締役の招集した総会についてたまたま総会招集手続の瑕疵が存していた事案に関するのであつて、判決が取締役の招集した総会に対する開会禁止の仮処分命令をみとめた主な理由も、その総会招集の手続が違法であつたという点にあるようである。従つて右の判決が、たといその総会招集の手続が適法であつたとしても、やはり監査役は、自己の招集した総会の目的を達しえなくなるとして、取締役の招集した総会に対する開会禁止の仮処分命令を求めることができるとする趣旨であるかどうかは必ずしも明らかでない。しかし判決がかりにこれを否定するものであるとしても、少数株主の招集した総会と競合して取締役が別に総会を招集した場合においては、上述のように少数株主は、取締役に総会招集の権限がないことを理由にその招集する総会に対する開会禁止の仮処分命令を求めることができるものと解すべきである。なお右の判決【37】が、取締役が二週間の期間を設けて適法に総会招集の通知を発した場合には、監査役はその総会の開会禁止の仮処分命令を求めることをえないとする趣旨のものであるとしても、取締役及び監査役による総会招集に関する旧法上の判例としては、その見解は必ずしも不当といえないことは一応注意を要する。なぜなら、昭和二五年の改正前の商法は取締役のほか監査役に対しても臨時総会の招集権をみとめており（旧商二三五Ⅱ、昭和一三年改正前の商法一八二）、しかもこの両者の権限は、それぞれが会社の機関としての地位にもとづいて有する独立の権限と解せられたから、たとい取締役と監査役とにより同時に数個の総会が招集されることがあつても、その総会は招集権者の招集による適法な総会であつて、その決議は一応有効な決議として成立するものと解さるべき余地があつたからである（竹田「株主総会の招集」民商四巻六頁七頁参照。既述のように、昭和一三年の改正前の商法は、取締役又は監査役が総会を招集するについてその過半数の決議を経ることをも要求していなかつたから、取締役又は監査役の各自の間でも同時に数個の総会が招集され、しかもそのすべてが一応有効な総会として成立しうるというような事態を生ずることがありえた）。つぎの大正一〇年の宮城控訴院の決定【38】は、上述の東京地方裁判所の判決【37】と同様に、監査役が取締役の解任を会議の目的として臨時総会を招集したところ、取締役が逆襲の意味をもつて別の臨時総会を同日同刻に招集した事案に関するものであるが、同決定は、たとい取締役の招集した総会が監査役の招集した総会の開会を妨害するものであるとしても、そのことは「単ニ其招集ノ縁由カ公正ヲ欠クモノト云ヒ得ヘキニ止マリ、其会議ノ目的タル事項カ会社機関ノ解任並ニ選任ニシテ合法ノモノナルニ依リ、後ノ招集ハ公序良俗ニ反スル無効ノモノト為スヲ得サルモノ」であり（同旨、東京地判昭七・四・一八評論二一商法三一六）、しかも株主は議決権行使の権利はあるがその義務はないのであるから、かようにして「両個ノ株主総会カ同日同時刻ニ異ナリタル場所ニ於テ招集セラルル旨ノ通知アリタルトキハ」、その判断において招集の適否を審査し、そのいずれも適法とみとめないときは、そのいずれの総会にも出席せずして後に決議取消の訴権を行使すれば足るのであつて、総会の決議に先だつて総会を開会せしめないような実体上の権利を有するものではない、としていた（前述の【37】の判決のほか東京控判大一二・七・三新聞二一九三・一二、東京地判大一五・七・一五評論一七商法一七九も総会開催禁止の仮処分をみとめ、かつその仮処分命令に違反して開かれた総会の決議を法律上その存在を許さざるものにして当然無効のものと判示しているが、その仮処分の申請がいかなる理由によるものであるかは明らかでない）。

【37】　「二週間ノ法定期間ヲ存セサルカ如キ違法ノ手続ニ依リテ招集セラレタル株主総会ニ於テ為シタル決議モ一旦決議トシテ成立シタル以上ハ其無効ヲ宣言シタル裁判アル迄ハ尚有効ナルヘキヲ以テ取締役ノ招集シタル株主総会ニ於テ其決議ヲ為スニ於テハ之ニ先チテ債権者監査役カ其必要アリト認メテ為シタル臨時株主総会ノ招集ハ結局其目的ヲ達スルコト能ハサルニ至ルヘク之カ為メ債権者等ニ著シキ損害ヲ生スルノ虞アルモノト謂ハサルヘカラス果シテ然ラハ債権者ニ於テ保証金ヲ供託シ取締役ノ招集シタル株主総会ニ対シテ仮処分命令ノ申請ヲ為シタルハ其理由アルモノトス」（東京地判大一〇・九・一三評論一〇商法四二三）。

【38】　「株式会社ノ監査役カ大正十年一月八日附ヲ以テ同会社取締役五名監査役一名ニ対シ不信任ノ理由ヲ

モツテ解任スルコトヲ決議ノ目的ト為シ同会社ノ臨時株主総会ヲ同年一月二十三日午前十時ヲ会日トナシ本店所在地外ニ招集スル旨ノ招集状ヲ発シタル所同会社取締役カ逆襲ノ意味ヲ以テ同月九日附ヲ以テ取締役一名並ニ監査役一名ノ解任並ニ補欠選任ヲ目的トスル臨時株主総会招集ノ通知ヲ発シ会場ハ右会社楼上トシ会日ハ右ト同日同刻ナル一月二十三日午前十時ト指定シタルトキハ縦令後ノ招集ハ前ノ招集ニ依ル総会ノ開会ヲ妨害スル目的ニ出テタリトスルモ単ニ其招集ノ縁由カ公正ヲ欠クモノト云ヒ得ヘキニ止マリ其会議ノ目的タル事項カ会社機関ノ解任並ニ選任ニシテ合法ノモノナルニ依リ後ノ招集ハ公序良俗ニ反スル無効ノモノト為スヲ得サルモノトス」「株主ハ株主総会ニ出席シテ議決権ヲ行使スル権利アルハ勿論ナレトモ其義務アルニ非サルヲ以テ両個ノ株主総会カ同日同時刻ニ異ナリタル場所ニ於テ招集セラルル旨ノ通知アリタルトキハ株主ハ自己ノ判断ニヨリ其適否ヲ審査シ其ノ何レノ招集ヲモ適法ト認メサルトキハ其何レノ総会ニモ出席スルコトナク徐ニ其総会ニ於テ議決ヲ為スヲ俟チ之ニ対シ商法第百六十三条ノ訴権ヲ行使スルコトヲ得ヘク其訴権ノミヲ有スルニ過キス従テ会社ノ株主又ハ監査役トシテ総会ノ決議ニ先チ総会ヲ開会セシメサルヘキ実体上ノ権利ヲ有セサルモノトス」（宮城控決大一〇・一・二四評論一〇商法二〇一）。

七　総会の延期又は続行

総会においては延期又は続行を決議することができる（商二四三前段）。延期とは総会の成立後議事に入らないで会議を後日に持ち越すことをいい、続行とは議事に入つた後時間の不足その他の事由により会議を一時中止して後日引続き再開することをいう。これらの場合には前の会議と後の会議とはいずれも同一総会の一部をなすのであつて、後の会議のために招集手続を繰り返えすことは必要でない（商二四三後段）。この後の会議を継続会という。ただし右の規定は、総会が同一議案につき後日あらためて総会招集の手続をとつて総会を開く旨を決議することを禁ずるものではなく、この場合を延会という。もつとも、近時は右にいわゆる継続会のうち、続行の場合に開かれる後の会議を継続会又は続会とよび、これに対して延期の場合に後に開かれる会議を延会とよぶことが少なくない。なお総会において延期又は続行を決議した場合においても、後の会議につき招集手続の更新を要しないためには、後の会議が相当の期間内に開かれることを要し、そうでないかぎり、あらためて招集の手続をくりかえすことを要するものといわなければならない(通説)。いわゆる相当の期間は、延期又は続行を必要とした事情を考慮しかつ総会招集の通知を発するに必要な二週間の期間を標準として決すべきであろう(大隅・会社法論二五七頁、田中(誠)・会社法二二三頁、西原・前掲講座(三)八七〇頁、高田「株主総会の継続会と延会」民商三巻四〇五頁)。

総会の延期又は続行に関する規定が設けられた昭和一三年の改正前の商法の下でも、学説(学説の詳細については、大森・商事法判例研究(1)二一四頁以下、高田・前掲民商四巻四〇五頁以下参照)及び判例(東京地判昭三・五・三一新報一五四・二二、東京地判昭九・一一・二六評論二三商法六六四、東京控判昭一一・一〇・一九新聞四〇九二・一二、朝鮮高判昭一三・一一・二五評論二八商法一〇三)は、総会において継続会の開催を決議することができ、その継続会については招集手続の更新を要しないことをみとめていた。しかしこれらの下級審判決の多数は、一般に審議未了の議案につき後日同一総会の延長として会議を続行する場合が継続会であり、従つてこの場合には招集手続をくりかえすことを要しないが、これに対して、総会の成立後議事に入らないで会議を後日に延期する場合には、後の会議は前の総会とは別個のものであるから、常に総会招集の手続を更新しなければならないとするかのような見解をとつていた。そのうちでも、東京地方裁判所の判決(東京地判昭九・一一・二六評論二三商法六六四)は、審議未了の議案を継続審議するために会議を後日に持ち越す場合が継続会であるとする立場から、前の総会において議案の附議禁止の仮処分命令があつた以上、その議案を附議すべき継続会なるものはありえず、継続会たることを前提として開かれた後の総会は招集手続に瑕疵があるものとすべき旨を述べている。またこれらの下級審判決のほとんどは前の会議と後の会議との間の期間の長短を問題としていないが、ただ東京控訴院の判決（東京控判昭一一・一〇・一九新聞四〇九二・一三）だけは、審議未了の議案につき会議を中止して「極めて近接した後日に」続行する場合が継続会であるとしていた（なお学説においても、継続会と延会との区別の基準をどこにおくかについては、必ずしも一致していなかつた。これら判例・学説の見解を批判したものとして、大森・商事法判例研究(1)二一四頁以下参照）。しかし現行法の下では、一方総会の延期の場合も広い意味における継続会に含まれるとともに、他方継続会として招集手続の更新をなさないためには、いずれの場合も後の会議は相当の期間内に開かるべきものであることを注意しなければならない。

総会の延期又は続行は総会の決議によつてのみなすことができ、議長が独断で延期又は続行を宣言して総会を終結せしめうるものではない（総会の延会・閉会等は議長の専権に属するとする見解につき、後掲【74】参照）。また招集手続の更新を要しないものである以上、延期又は続行の決議において後の会議の開催の日時及び場所を定むべきことはいうまでもなく（東京地判昭三〇・七・八下級民集六・七・一三六一）、これを定めないで延期・続行を決議したときは、あらためて総会招集の手続をとらなければならない（鈴木等・ジュリスト一八号二四頁。反対、朝鮮高判昭一三・一一・二五評論二八商法一〇三は、総会が日時の決定及び通知を議長に一任することをみとめる）。

延期又は続行によつて開かれる後の会議は最初の会議と合して一個の総会を構成するのである。それゆえ、

（イ）　後の会議に出席しうる株主は最初の会議に出席しうべき株主名簿上の株主であつて、前の会議の終了後のちの会議の開催までの間に株主名簿が再開されて名義の書換がなされた場合においても、その名義書換により新たに株主名簿上の株主となつた者ではなくして、その名義書換により株主

名簿上の株主たる地位を失つた従前の株主が、依然として後の会議に出席して議決権を行使することをうるのである（大隅・会社法の諸問題二一六頁、前掲ジュリスト選書一八一頁、西原・前掲講座（三）八七〇頁）。

（ロ）　議決権の代理行使に関する委任状には通常その代理権は延期又は続行される後の総会に及ぶ旨が記載されているが、たとい委任状にかかる記載がない場合でも、前の「総会ニ於テ代理人トシテ出席シ本人ノ議決権ヲ代理行使セルモノハ、反証ナキ限リ、一応継続会ニ出席シテ議決権ヲ行使シ得ヘキ権限アルモノト推認シ得」る（朝鮮高判昭一三・一一・二五評論二八商法一〇三。大隅・大森・前掲二〇九頁、前掲ジュリスト選書一八二頁、西原・前掲講座（三）八七一頁）。

（ハ）　延期又は続行によつて開かれる後の会議においては、最初の総会の招集状において通知された事項についてのみ決議をなしうるにとどまる（大隅・会社法論二五八頁）。後の会議においてそれ以外の事項を決議しても、その決議は取消の訴に服することを免れえない【39】。

【39】　「仮ニ昭和二年二月十四日並同月二十七日ノ各株主総会ハ昭和元年十二月三十日ノ株主総会継続会ナリトスルモ成立ニ争ナキ甲第二号証ニ依レハ昭和元年十二月三十日ノ第十五回定時臨時株主総会ノ招集通知書ニハ其会議ノ目的タル事項トシテ本件前示各決議事項ノ記載アラサリシモノナルコトヲ認定シ得ヘク右認定ヲ覆スニ足ル証拠ナキヲ以テ結局昭和二年二月十四日並同月二十七日ノ各株主総会ハ此点ヨリスルモ其決議方法違法ナリト謂ハサルヘカラス」（東京地判昭三・五・三一新報一五四・二四）。

（ニ）　また、前の総会の招集手続に関する瑕疵は、当然に後の会議についての瑕疵となり、その決議取消の原因となる（高田・民商三巻四〇五頁）。東京地方裁判所の判決【40】もこのことをみとめている（判旨に賛成、矢沢・商事判例研究⑴一〇三頁）。もつともこの事件は、五月一六日に総会を開いたところ、その招集の通知が二週間の期間を欠いていたので、同総会で六月八日に総会を延期する旨を決議し、五月一七日に全株主に対し延期の通知をなした上で、六月八日に再び総会を開いたものである。判旨はこの後の総会を前の総会の継続会（判旨はこの意味で延会という語を使つている）とし、前の総会と同一総会をなすものとみているが、むしろこの事件では、総会が二〇日以上も延期されている点から見て、後の会議は前の会議の継続会ではなくして、これとは別個独立の総会をなすものと解すべきである。従つて、この後の総会における決議の効力が前の総会の招集通知の瑕疵によつて影響されるか否かを問題とすることは、はじめからその余地がなかつたものと考える。ただ後の総会が独立の総会である以上、その決議が瑕疵のないものであるためには、その総会につき適法な招集手続がとられていなければならないわけである。従つて、前の総会と後の総会との中途で株主名簿上の株主に変動があつたにかかわらず、もし後の総会についての招集通知が、前の総会の単なる会日の延期の通知として前の総会当時の株主に対してのみ発せられたにすぎなく、またその総会においても前の総会当時の株主のみの出席が許されたにすぎないとするならば、後の決議はこの点においてなお取消の原因を有するものとしなければならないのである。しかし、訴訟の当事者も裁判所側も後の総会を前の総会の継続会と解している本件では、この点は問題となつていない。

【40】「原告等は右五月十六日の総会招集通知は、同月三日に発せられたもので、右会日との間に法定の期間を欠く違法の通知であると主張し、被告は右通知は同月二日に発せられたものであるとして争うけれども、かりに右通知が被告主張の日に発せられたとしても、同月二日は同月十六日の会日より十三日前であつて右両日の間隔は、なお法定の二週間に満たないから、右招集手続は法令に違反するものといわねばならない。しかして、右六月八日の総会は、右五月十六日の総会の決議に基いて開かれた、いわゆる延会であり、右五月十六日の総会と同一の総会と認むべきものであるから、右招集手続の瑕疵は当然右六月八日の総会における前記決

議の取消原因となりうべきものというべきである。しかしながら、被告会社が同年五月十七日、全株主に対し右五月十六日の総会の決議により、同総会の会日が同年六月八日午後一時に延期せられた旨の通知を発したことは、当事者間に争いのないところであつて、この通知はさきに全株主に対し通知した右五月十六日の会日を変更し、六月八日午後一時とする旨の通知と認められないことはなく、しかも後の通知の発せられた右五月十七日と右六月八日の総会の会日との間には、法定の二週間の期間があるのであるから、後の通知は前の通知と相俟って、右六月八日の総会についての適法な招集通知となるものというべきである。してみると、右六月八日の総会は何等その招集手続に瑕疵のないものであるから、その手続が違法であることを原因として右総会の決議の取消を求める原告の本訴請求は理由がなく、失当として棄却すべきである」(東京地判昭二五・七・七下級民集一・七・一〇六一)。

三　議決権

一　緒　説

一般に株主は、株主総会に出席し、動議を提出し、意見を述べ、質問をなし、また決議に加わることができる。かかる株主の権利を総称して総会参与権というが、そのうちでももつとも重要なものは決議に加わる権利すなわち議決権である。株式会社における重要事項の決定、わけても取締役の選任解任は株主総会の決議をもつてなされるから、株式会社における支配は結局議決権の帰趨によつて定まるのである。ここに議決権の格別の重要性が存する。

二　一株一議決権の原則

各株主は議決権を有し、かつ一株につき一個の議決権を有するのが原則である。「株主ノ議決権ハ株主カ会社事業ニ参与スルニ付キ有スル固有権」（東京地判昭一一・五・二九新聞四〇一五・九【41】）であつて、議決権なき株式（商二四二、ただし商三四五・三四六・）の株主は原則として議決権を有せず、また会社の有する自己株式（商二四一II）の議決権は休止するが（旧商二四一I但書参照）、それ以外には定款又は株主総会の決議をもつてするも、議決権を剝奪・制限しもしくは一株一議決権の原則の例外を設けることは許されない（名古屋控判大一一・五・三〇新聞二〇〇六・一〇）。例えば、定款をもつて、株主が払込義務を履行するまでは議決権を行使しえないものとし（浦和地判昭二・八・六新聞二八二五・一六。ただし本判決は、株主としての当然の義務の履行をもつて議決権行使の条件とするものだから適法であるとしている。田中（誠）「株主の議決権に就て」法協四三巻一三五五頁もこれと同旨。これに反し無効とするものとしては、片山・株式会社法論三八二頁、河村・前掲一九二頁、間・株主総会論一〇一頁）、総会の議長たる株主につき議決権の行使をなしえないものとし（宮城控判昭六・八・一三新聞三三二二・一〇【71】）、或いは「優先株主ニモ非サル甲種株主ニ対シ定款ノ変更ニ付特別ノ表決権ヲ附与シ其ノ全員ノ同意ヲ要スル旨ヲ定メ」ること（鹿児島地判昭三・六・一新聞二八六五・一六）などは、いずれも許されない。従つて、かかる定款の規定はその効力を有しない。

【41】　「同会社定款第三十九条ニ「本会社ノ定款並ニ約款及ヒ諸決議事項ニ違反シ若クハ他ノ株主ニ対シ迷惑ヲ与フル行為アリタル者ハ株主タル権利ヲ行フコトヲ得ス」トノ規定存スルコトハ当事者間ニ争ナキトコロナレトモ定款ヲ以テ株主ノ有スル株主総会ニ於ケル議決権及ヒ該総会ニ於ケル決議ノ無効ヲ訴求シ得ル権利ヲ剝奪スル事項ヲ定ムルハ法律ノ許ササルモノナルコトハ商法第百六十二条第百五十一条第二項第百五十三条第二百二十条ノ三ノ各規定ニ徴シ疑ヲ容レサルトコロナレハ本件定款第三十九条ノ規定ニ関スル債務者等ノ主張ハ到底理由ナシ」（東京地判昭一一・五・二九新聞四〇一五・九）。

三　議決権の行使

（一）　議決権行使の資格

(1)　記名株主がその議決権を行使するためには、株主名簿の記載によつて株主たる資格がみとめられなければならない（商二〇六Ⅰ）。その株主の持株数従つて議決権の数についても、株主名簿の記載が基準となる（非株主が決議に加わり、議決権の算定が誤っているとの旨を主張してなされた決議無効確認請求事件につき、東京地判昭二八・二・二〇経済法律時報・創刊号三七頁。本判決はさらに、株主名簿に記載のないことが会社の責に帰すべき事由にもとづくときは、株主名簿の記載に反して非株主が決議に加わつたのと同様、決議取消の原因となると述べているが、正当である。詳細については、大隅「株式の譲渡」講座（二）六七三頁参照）。会社が営業報告書中に株主名簿の記載と異なる株式数を記載しているような場合でも、同様である【42】。

【42】「株主名簿ノ記載ト株式会社ノ営業報告書中ノ記載トカ一致セサル場合ニ於テ該営業報告書カ株主名簿ノ記載後ニ作成セラレタルモノナリトスルモ必スシモ営業報告書ノ記載ニ従ハサルヘカラサルモノニ非サルノミナラス本件株主名簿ノ有効ナルコトハ上告論旨第一点ニ付説明シタル所ノ如クナルカ故ニ原審カ株主名簿ノ記載ヲ以テ議決権計算ノ標準ト為スヘキモノト認メ仍テ昼間鉎次郎ノ持株ハ三百株ナリトノ上告人ノ主張ヲ排斥シタルコトヲ以テ違法ナリト謂フヘカラサルハ言ヲ俟タサル所ナリ」（大判昭二・四・一五新聞二七〇二・一五）。

(2)　総会の招集にあたり株主名簿の閉鎖又は基準日の定めがなされた場合には、名簿閉鎖の前日又は基準日における株主名簿上の株主が、その記載された数の議決権を行使することをうるのであつて、それ以後総会当日までに株式を譲受けて株主となつた者は議決権を行使することはできない（総会当日までに新株が発行された場合については、ジュリスト三一号四八頁、前掲ジュリスト選書五七頁以下参照）。株主名簿の閉鎖期間中は、株主から会社に対し名義書換を求めえないのはもとより、会社もまた任意に名義の書換をなすことはできないものと解すべきであつて（大隅・全訂二八三頁、西原・講座（三）八五九頁、同旨、名古屋地判大一四・三・一四新聞二四三一・五。反対、松田・鈴木（忠）・条解一六六頁、服部・訂正会社法提要一八一頁、高鳥「株主名簿の閉鎖と基準日」講座（二）七四六頁、大判大五・三・九民録二二・二四七）、これに違反して名義書換がなされても、当該株主は総会に出席して議決権を行使する資格はみとめられず、もしその者が総会の決議に加わつたならば決議取消の訴の原因となる。既述の白木屋事件【35】では、中央クラブにおける総会の決議取消の訴の理由の一つとして、株主名簿の閉鎖期間中たる総会直前に、白木屋の計算において社長鏡山名義で取得した株式を社長派の新名義人に書換えて、その新名義人を右の総会の決議に参加させたことがあげられている。判決はこの点を判断の対象としなかつたが、原告の主張は是認さるべきである（大隅・判例評論三号三頁、なお鈴木・商事判例研究ジュリスト一六四号六八頁参照）。

(3)　総会の招集にあたり株主名簿の閉鎖又は基準日の定めがなされたときは、招集通知を受ける株主とその総会で議決権を行使しうる株主とは一致するが、名簿の閉鎖や基準日を定めないで総会を招集した場合において、招集通知の発送後に名義書換が行われたとき、又は総会招集の通知は株主名簿閉鎖期間中に発せられたが総会の会日前に名義書換が再開されたときなどには、招集通知の発送後名義の書換を受けた総会当日の株主名簿上の株主が議決権を行使しうることとなる。この場合会社としては、少なくとも名義書換をなす際にその株主に対して総会招集の通知をなすべきであるが（前掲ジュリスト選書一八頁）、いずれにしても、総会招集の通知を受けた株主とその総会に出席して議決権を行使しうべき株主とは必ずしも同一人でなければならないものではない（大森・前掲講座(三)八九二頁）。つぎの東京地方裁判所の判決【43】も、招集通知の発せられた日以後に名義書換を受けた者が議決に加わつているから決議は取消さるべきであるという主張を排斥して、この旨を述べている。

【43】「総会の招集を受ける株主と総会の決議に加わる株主とは必ずしも一致しなければならない訳のものではないから、総会の決議に加わる株主の株主名簿上の名義の取得は、その総会の招集通知の発せられた後であつても少しも差支えない」（東京地判昭二八・三・九下級民集四・三・三六八）。

ことができる（商二三九III）。

（二）議決権行使の方法

議決権は必ずしも株主みずから総会に出席して行使することを要せず、代理人によつても行使することができる（商二三九III）。

(1) 代理人の資格

議決権の代理行使をみとめる右の規定は、株主の利益のために設けられた強行規定であつて、定款をもつてしても株主本人の行使を要求し、又は代理人の資格を不当に制限することはできない（通説）。代理人一人に対する委任者の数を制限することも、議決権の代理行使を不必要に制限するものであつて、許されないものと考えられる（法曹会決議・議案一八五号昭一六・九・一五商法判例総覧3・一〇三頁）。ただ多くの会社では、定款をもつて、代理人の資格を当該会社の株主に限る旨の規定を設けているが、これは株主総会が株主以外の第三者により撹乱されるのを防止し、会社の利益を保護しようとする趣旨に出ているのであつて、この程度の制限はさしつかえないものと解すべきであろう（松本・日本会社法論二五八頁、大隅・概説一二一頁、石井・商法I二八一頁、松田・概論一二五頁、鈴木・会社法一一四頁、大森「議決権」講座（三）九二〇頁、西原・会社法二三六頁、間・前掲一二五頁、河村・前掲一五九頁。反対、竹田「株主の議決権」京法七巻九号三三頁、田中（耕）・概論三五七頁、田中（誠）・会社法二三〇頁、西島「株主の議決権について」竹田先生古稀記念論文集一九一頁、山村・企業会計八巻四号六六七頁、菱田・商事法判例研究ジュリスト一六五号六六頁）。最近の名古屋高等裁判所の決定（後掲【120】）もこの見解をとつている。

(2) 代理人の数

一人の代理人が数人の株主を代理してその議決権を行使しうることはいうまでもないが、逆に一人の株主がその持株につき数人の代理人を用いることが許されるか否かは問題である。まず一人の株主が、同一の株式について、それぞれ単独の数人の代理人を選びえないことはいうまでもない。もしかように同一の株式につき重複して数人の代理人が選任されたときは、そのいずれの議決権の行使を正当とすることもできないから、結局そのすべてを無効とするほかない。ただ委任に前後の関係があるときは（委任状の日附はこの場合一応の推定力を有するにすぎない）、後の委任によつて前の委任は撤回されたものとみるべきであり、従つて後の委任による代理人の議決権の行使が有効とみとめられる。しかしこの場合にも委任の前後の立証が不能なときは、すべての代理人につき委任を無効とするほかない（前掲ジュリスト選書一二七頁以下、大隅・園部・前掲二六頁、大森・前掲講座（三）九二九頁以下参照）。そしてこのように「特定株主ノ代理人トシテ株主総会ニ出席シタル者カ其ノ株主ヲ代理スル正当ノ権限無カリシ場合ニハ」、定足数の計算においては「当該株主ハ株主総会ニ出席セサリシコトト為ル」（大判昭四・四・八民集八・二六九、大森・講座（三）九三〇頁）。昭和一五年の東京地方裁判所の判決（東京地判昭一五・一一・二四新報六二二・一六）は、一人の株主の持株につき数通の委任状が各別に提出され、しかもその各代理人がいずれも自己が正当な代理人であることを主張して譲らず、その真偽が判明しなかつたため、議長がその全体につき議決権の行使を排除して議決する旨を総会に諮り、その賛成を得た上で決議をなした事案において、「株主ノ議決権ノ行使ハ単一ナルコトヲ要シ、一株主ニ於テ数人ノ代理人ヲ用フコト能ハサルモノナレハ、右除外ハコノ場合相当ノ措置ト認ムヘ」きであると述べているが、結論としては正当といえる。

しかしながら、株主が同一の株式につき重複して数人の代理人を用いるのではなくして、その持株の一部につきそれぞれ別個の代理人を選ぶのであるかぎり、一人の株主が数人の代理人をして議決権を行使させることはさしつかえないものというべきである（竹田「株主の議決権の不統一行使」論叢二二巻五号六五頁、大森・前掲講座（三）九二二頁、河村・前掲一六三頁）。学説の多くは、議決権の統一行使を要求する立場から、一般的に代理人は一人たることを要し、一株主が数人の代理人を用いることはできないと解しており（松本・前掲二五八頁、田中（耕）・三五七頁、松田・鈴木（忠）・条解二〇三頁、間・前掲一二六頁、伊沢・註解三九四頁、西本・前掲五二頁）、右の東京地方裁判所の判決も、「株主ノ議決権ノ行使ハ単一ナルコトヲ要」するという主張のもとに、株主が数人の代理人を用いることを一般的に禁ずるかのような見解を述べているが、しかし株主の議決権は各株主につき一個であり、ただその量が持株数に応じて定まると解する立場（田中(耕)・概論三五六頁、松田・概論一二四頁）に立つならばともかく、そうでないかぎり、株式が株主たる人とはなれて極度に物化し、各株式はそれぞれ独立性を保持し、従つて議決権も株主の持株数に応じて数個集積的に存在することがみとめられるのであるから、議決権の行使は株主単位でなく株式単位に考えることをうるのであつて、議決権の不統一行使を否定すべき理由はないものといえる（竹田・前掲論叢二二巻五号四八頁以下、大隅・会社法論二六〇頁、大森・前掲講座（三）九一五頁、服部・前掲一九一頁、野津・概論二〇九頁、西原・前掲二三六頁、河村・前掲一五四頁）。それゆえ、一人の株主が上述のような方法において数人の代理人を用いることを禁ずべき理由も存しないものというべきである（竹田・前掲論叢二二巻五号六五頁、大森・前掲講座（三）九二二頁、河村・前掲一六三頁）。

(3)　**委任状**　株主が代理人によつて議決権を行使する場合には、代理人は代理権を証する書面を会社に差出さなければならない（商二三九Ⅲ但書）。

（イ）「株主総会に株主自ら出席せず、其委任に基き株主権を行使するに当り其権限を証する書面の方式に付きては、法律上特に定められたる規定なきを以て、株主総会に於て株主権行使の権限の委任ありたることを知るに足る記載あれば足る」ことはいうまでもないが（東京地判昭五・七・二五新聞三一五三・六）、商法が代理権を証する書面の提出を要求する趣旨は、少なくとも委任による代理人に関するかぎり、代理関係の有無を明確にするために代理権授与行為を書面行為としたものと解するのが妥当であるから、代理権を授与するためには、その旨を記載した書面すなわちいわゆる委任状を作成して、これに株主が署名又は記名捺印することを要するものというべきであろう（大森・前掲講座(三)九二四頁、松田・鈴木(忠)・条解二〇三頁以下。これに反し必ずしも授権者の作成した書面すなわち委任状たることを要しないとするものとして、竹田・前掲京法七巻九号四二頁、田中(誠)・前掲法協四三巻八号三三頁、間・前掲一二一頁。右の東京地判昭五・七・二五新聞三一五三・六も、結論において委任状たることを要しないとする見解のようである）。

（ロ） 委任状の眞否につき争いがあるときは、委任者又は代理人たる者においてその真正なことを立証しなければならない。委任状の捺印と株主が会社に届出た印鑑とを照合して両者が合致するかぎり、その委任状は一応真正なものと推定され、会社はこれを真正の委任状として取扱うことによつて免責される。しかし、委任状の印鑑が届出印鑑と異る場合でも、「これがため株主又は代理人が他の方法で委任状の真正ないし委任の事実を立証することが禁止されているわけでなく、また委任状の印鑑が届出印鑑と異るからといつて、当然その委任状ないし委任を無効とし又は委任がないとすること」ができないことは、いうまでもない【44】（田中(誠)・久保・企業会計八巻一〇号一七一五頁）。

【44】 「右選任決議の際出席した株主の持株数は、一応前示認定のように合計三千百九十株（途中退場した脇本等三名の持株数三十株を除く）となるべきところ、債権者は委任状提出者四名中株主沼田忠安に議決権行使を委任した株主小畑忠男の委任状は、その印影が会社届出の印鑑と相違するから無効であり、その持株数三百二十株は、右三千百九十株より控除さるべきであると主張する。しかしながら定款で会社が株主に印鑑の届出を要求するのは、会社としては届出印鑑によつて株主関係を処理すれば免責せられ、株主としては自己の同一性を推定されるためのものであるから、これがため株主又は代理人が他の方法で委任状の真正ないし委任の事実を立証することが禁止されているわけでなく、また委任状の印鑑が届出印鑑と異るからといつて、当然その委任状ないし委任を無効とし又は委任がない、とすることはできない」（神戸地判昭三一・二・一下級民集七・二・一八五）。

ただし、会社が定款をもつて印鑑の届出を要求している場合には、会社と株主との間の法律関係は届出印鑑をもつて処理する趣旨と解されるから、会社は印鑑照合によつて免責されるという利益を受ける反面において、委任状等の真否は常にこの印鑑照合によつて調査すべき拘束を受けるものと解すべく、これに反して会社が印鑑照合をなさず又は印鑑の相違する委任状を正当な委任状として取扱うならば、それはあくまで自己の危険においてなすものというほかないであろう（大隅・園部・前掲二六頁、大森・前掲講座(三)九三六頁、石井編・商法上(法律学演習講座)三五三頁）。もつともこれに対しては、株主から送付した委任状用紙を使用した場合には、会社が善意であるかぎり、印鑑照合をしないでも免責されるとする見解もある（前掲ジュリスト選書一二一頁以下参照、田中(誠)・吉永・山村・前掲四三五頁）。

（八）　委任状を作成しうる者は、会社に対し株主たる資格を有し、その総会において議決権を行使しうる者でなければならないことはもちろんである。従つていまだ名義書換を受けていない株式取得者は、当然には自己の名義をもつて議決権行使の代理権を授与することはできない。ただ、商法二〇六条一項がひろく「移転」云々と規定している点で疑問がないではないが、株主名簿上の株主の相続人は、戸籍謄本その他によつて相続の事実を証明するならば、名義書換を経ることなくして直ちにその株主権を行使することができ、会社もこれを拒否することはできないものと解すべきでないかとおもう。

しかし大審院の判例は古くからこれに反対であつて、株主名簿上の株主の相続人でも名義の書換を受けていないかぎり、株主の権利を行使することはできないとする見解をとつている（大判明四〇・五・二〇民録一三・五七一、同明四五・四・二四民録一八・四二三、同大七・四・八民録二四・六三〇、同昭六・五・一六新聞三二八一・七等）。そのうち昭和六年の判決【45】は、株主名簿上の株主の相続人がいまだ名義書換を受けていない場合でも、被相続人の名義をもつて委任状を作成したときは、「新株主ノ代理人トシテ毫モ間然スル所無ク」、定足数の算定については株主の有効な出席があつたものといえると述べている。これは、死亡株主名義の委任状による代理人の出席は無効であり、これを除けば定足数を欠くという理由で決議の無効(現行法による決議の取消)が主張された事件に関する。第一審第二審ともかかる委任状の持参人は正当な代理とはいえないとして原告の主張をみとめたので、会社側が、株主の死亡の事実の登録がない以上会社において死亡の事実を知ることはできないし、しかも死亡株主の相続人が前に会社に届出てある印影と同一の印影を押捺した委任状を持参提出する以上、これをもつて株主とみとめ決議に参加せしめるのは、少なくとも死亡の事実を知らない会社の処置としては正当というべきである、と主張して上告したのである。判旨はこの主張にこたえたものであつて、結論として会社の免責をみとめ、決議無効の主張を排斥している点は正当といえよう。しかし、もしこれが単なる会社の免責の問題にとどまらずして、会社が株主の死亡の事実を知り、相続人が被相続人名義の委任状をもつて議決権を代理行使していることを知つている場合でも、会社としては「新株主ノ代理人トシテ毫モ問然スル所無」きものとしてその議決権行使をみとめることを要し、相続人たる株主もかかる方法によつて議決権の行使をなしうるとする趣旨であれば、従来の判例の立場とも一致しないわけであつて、判旨は疑問というほかないであろう。右の判決が果してこの趣旨をも述べたものであるかどうか明らかでないが、学説においては、株主名簿上の株主が死亡した場合にその相続人が旧株主名義を用いて委任状を作成することは適法であるという趣旨の下に、この判決に賛成する見解がある(伊沢・註解三九五頁、田中(誠)編著・判例体系会社法二一一頁、西本・前掲五五頁、朝山・株主総会の法律実務五五頁。ただし田中(誠)・会社法二三一頁は便宜の解釈であるとされる)。しかし、株主名簿上の株主の相続人は名義書換を経ないでもその株主権を行使しうるとするのであればともかく、名義書換なくしては相続人も株主権を行使しえないとする立場に立つかぎり、相続人が株主名義人たる被相続人の名義をもつて作成した委任状を完全に適法なものと解することはできない。けだしこの場合においても、相続人が行使する議決権は死亡した被相続人の議決権ではなくして、あくまでも自己の有する株式についての議決権でなければならないが、その相続人について株主たる資格がみとめられない以上、その者は、相続人たる自己の名義をもつてすると被相続人の名義をもつてすると、また代理人によつて行使すると自身で行使するとを問わず、その議決権を行使しうべきはずはないからである。

【45】「株主死亡シ之ヲ相続シテ当該株式ヲ取得シタル者アル場合ニ於テモ未タ其名義書換ノ手続ヲ履践シ居ラサル為新株主カ自己ニ代リ株主総会ニ出席スヘキコトヲ他人ニ委任スルニ当リ旧株主名義ヲ用ヒテ其委任状ヲ作成スルカ如キコトモ有リ得ヘキ所ニ属シ斯カル受任者カ斯カル委任状ヲ以テ当該株主総会ニ出席シタリトセハ新株主ノ代理人トシテ毫モ間然スル所無ク従テ之ヲ出席人員中ニ加フルハ固ヨリ至当ナリト謂ハサルヲ得ス」（大判昭六・七・四裁判例五民事一五四）。

（二）　委任状の作成・提出を要するのは、株主がとくに議決権の行使を他人に委任する場合であつて、無能力者たる株主の法定代理人・株主たる法人の機関など、法律上株主に代つてその株主権を一般的に行使しうべき地位にある者が、その権限にもとづいて議決権の行使を代理する場合には、とくに委任状を提出する必要はない。ただその権限について争いがあるときは、戸籍謄本や商業登記簿の謄本などによつてこれを証明すれば足る（通説）。判例【46】も、官吏が公法上の職務を行うに当つてはその権限を証する書面の提出を要しないのが原則であるとして、この結論をみとめている。

【46】「公法上別段ノ規定アラサル限リハ公法上ノ規定ニ依リ職務ヲ行フニ当リ其権限ヲ証スル書面ノ提出

ヲ要セサルヲ原則トスルヲ以テ代理権ヲ証スル書面ノ提出ノ義務ニ関スル私法上ノ規定ヲ之ニ適用スルコトヲ得ヌ故ニ前示公法上ノ規定ニ依リ府県代表ノ職務ヲ行フ事務官ハ商法第百六十一条〈現商二三九条〉第三項ニ規定スル代理権証明書ノ提出ヲ要スルモノニ非ス」（大判明四〇・一一・六新聞四六四・七）。

なお、実際においては、会社が総会招集の通知とともに議決権の行使についての委任状用紙を各株主に送付し、みずから出席しない株主に対し、委任状用紙に記名捺印の上会社に提出することを求めるのが通常である。この委任状用紙は受任者の氏名及び年月日を白地としたいわゆる白紙委任状であつて、株主もその白地を補充しないままで会社に返送するのが常である。そして会社ないし役員は会社の使用人（部長・課長など）その他自己にとつて都合のよい者を代理人に指名し、その者をして議決権を代理行使せしめるのが実情である（大隅・園部・前掲二五頁）。この方法は主として決議の成立に必要な定足数を確保するために行われるものであつて、現在ではむしろ一般の慣行であるといつてよい。しかし他面これが会社理事者の会社支配の具に供せられる危険も少なくないため、証券取引法は、証券取引所に上場されている株式について議決権の代理行使の勧誘をなすには、勧誘者は被勧誘者たる株主に対し、勧誘と同時に又はこれに先立つて法定の参考書類を提供することを要し、かつ被勧誘者に対して提供する委任状用紙には、総会の目的たる事項の各項目につき被勧誘者が賛否を明記できるようにしておくことを要するものとしている（証券取引法一九四、昭和二三年証取委規一三号「上場株式の議決権の代理行使の勧誘に関する規則」）。以上の白紙委任状による議決権の代理行使の勧誘については、勧誘の法的性質や勧誘者たる会社又は役員と被勧誘者たる株主との間の法律関係などに関して問題が多いが（その詳細については、大森・前掲講座(三)九三一頁、前掲ジュリスト選書一〇一頁以下参照）、とくにこれらの問題を取り扱つた判例はみあたらない。

(三) 議決権行使の制限

(1) 特別利害関係人の議決権の停止

(イ) 総会の決議につき特別の利害関係を有する者は議決権を行使することをえない(商二三九V)。株主は、その株主たる資格と関係のない純個人的利益のために議決権を行使して会社の利益を侵害することは許されないが、しかし株主が決議につき個人的利害関係を有する場合には、これを度外視してもつぱら社員的利益の見地において議決権の行使をなすことを期待することは困難である。そこでこのような場合において当該株主を決議から一般的に除斥しようとするのが、右の規定の趣旨と考えられる(大隅・概説一二一頁、同「いわゆる株主の共益権について」会社法の諸問題一〇〇頁、大森・前掲講座(三)九〇七頁。同旨、鈴木・会社法二一四頁―二一五頁、西原・会社法二三七頁、石井・商法I二八三頁)。

かような趣旨から推して、いわゆる特別の利害関係を有する者とは、決議事項につき株主たる地位と関係のない純個人的利害関係を有する者という意味に解しなければならない(大森・前掲講座(三)九〇八頁、西原・会社法二三七頁)。もつとも、具体的にいかなる場合が株主の純個人的利害関係であり、いかなる場合が社員的地位にもとづく利害関係であるかの区別は明確には定め難いことが少なくないのであつて、学説上もきわめて議論の多いところである。例えば、取締役・監査役に対して訴提起の決議をなす場合における当該取締役・監査役たる株主(長崎控判昭一五・七・一三民集二〇・四二一)、「取締役及監査役タリシ者ニ対シ所謂功労金ヲ贈与スヘキコトカ会議ノ目的タリシ株主総会ニ於テハ其ノ取締役及監査役」たりし株主(東京地判大一五・五・二一評論一六商法三七〇)、特定の株主に対する寄附を会議の目的とする場合における当該株主(後出大判明四四・一二・九民録一七・四四(七四頁)参照)等は、いずれも特別の利害関係人に該当するものとしなければならないが、その他の場合において果して特定の株主が決議につき特別の利害関係を有するものといいうるかどうか、疑問とされる事例が少なくない。

(a) 会社が数種の株式を発行した場合において、そのある種類の株主の利害に関する決議をなすときも、その種類の株主は当然に議決権を行使することができるとするのが通説であるが、学説のうちには、この場合にもその種類の株主は特別の利害関係人に該当するとする説があり(松田・鈴木(忠)・条解五五一頁、間・前掲一三六頁)、古い下級審判例のうちにも、優先株主に六分八厘、普通株主に一分五厘なる残余財産分配率を定める決議は、「法律上及ヒ事実上優先株主ニ対スル無原因ノ恩恵的給付ニ属スルヲ以テ、之ヲ受クヘキ優先株主ハ其決議事項ニ関シテハ特別ノ利害関係ヲ有スル者」であるとしたものがある(和歌山地判明三七・判決月日不詳新聞二四三・二〇)。しかし、このような場合には、その利害関係はもっぱら特定種類の株主一般の社員的地位に関するものであって、その種類の株主を特別の利害関係人として決議から除斥することは正当とはいえない(大森・前掲講座(三)九一一頁、片山・前掲三九六頁以下参照)。

(b) また株主が決議につき純個人的利害関係を有する場合でも、客観的にみてそれが議決権の公正な行使を妨げる程度に重大なものでないかぎり、議決権の行使をみとめてさしつかえない(大隅・前掲ジュリスト選書七四頁以下参照)。しかしその利害関係が重大なものであるかぎり、単に決議によってとくに権利を得もしくは義務を免れ又は権利を失いもしくは義務を負うべき場合(後掲【48】参照)のような直接的又は法律的な利害関係に限らず、間接的又は経済的な利害関係であっても、その株主は特別の利害関係を有する者としなければならない(大隅・企業合同法の研究二六〇頁以下、大森前掲講座(三)九〇九頁、松田・概論一二八頁参照。反対、間・前掲一三七頁)。古い大審院判決(大判明四四・二・九民録一七・四四)に、真宗本願寺に対する寄附に関する決議につき、その会社の株主たる大谷尊由が議決権を行使した事件において、会社は株主名簿に記載された者をもつて株主としなければならないが、本願寺は右会社の株主ではなく、たとい「内実ノ関係ニ於テ株主タルヘキ事情アル者ト雖モ、自己ノ名義ヲ以テ株式ノ引受若クハ譲受ヲ為サス、随テ株主名簿及株券ニ其氏名ヲ記載セラレサルニ於テハ、之ヲ株主ト認ムヘキニ非サルコト更ニ多言ヲ俟タス」として、その議決権の行使をみとめたものがある。当該事案に対する具体的な判断の当否は別として、右の判決の立論そのものは正当とはいえないであろう。けだしこの場合において、真宗本願寺が「内実の関係において株主たるべき事情ある者」であつて、大谷尊由は単に本願寺に代つて名義上の株主たるに止まるものとするならば、一方において本願寺が法律上株主とみとめられえないことは本判決のいうとおりであるにしても、他方において大谷尊由は株主として決議につき特別の利害関係を有する者と解せざるをえないからである。

（c）　取締役又は監査役の選任決議の場合における候補者たる株主は、特別の利害関係人となるか。従来の通説は、単に事実上の候補者となつているにすぎない場合にはその株主は議決権を行使しうるが、とくに議案で特定人が候補者として指定され、その者の選任が決議事項とされている場合には、その者は特別の利害関係人となるものと解している（松本・前掲二六〇頁以下、竹田・前掲京法七巻九号三九頁、田中（誠）・会社法二三三頁、松田・概論一二八頁、間・前掲一三四頁、高田・企業会計九巻五号八五〇頁）。しかし同じ株主につき、候補者としての形式の如何によつて特別利害関係の有無が異なるとすることは不合理である。のみならず、この見解はその根底において、株主がみずから取締役又は監査役となることについて有する利益は株主の個人的利益であるとする見地に立つものと思われるが、資本団体としての株式会社においては、資本の醵出者はその資格において会社の経営につきそれ相当の発言権を有しうべきが当然であつて、その意味で、この場合における株主の利益は株主たる資格を離れた個人的利益ではなくして、むしろ社員たる地位にもとづく利益と解するのが至当である。それゆえ、取締役又は監査役の選任決議においては、株主は候補者としての形式の如何にかかわらず、常に特別利害関係人とはならないものと解すべきである（田中(耕)・概論三六〇頁、大隅・前掲会社法の諸問題一〇一頁、大森・前掲講座(三)九〇九頁、前掲ジュリスト選書七八頁以下、河村・前掲一八六頁。結果同説、石井・商法I二八三頁、大浜・前掲講座(三)一〇三五頁）。最近の名古屋高等裁判所の判決【47】も、有限会社の社員総会の決議についてこの見解をとつている。なお、取締役選任決議について候補者たる株主が特別利害関係人となるか否かの問題を扱つた判例としては、これが最初のものではないかとおもう（ただし後掲【61】【62】参照）。

【47】「有限会社法第四十一条商法第二百三十九条第五項により、社員総会の決議につき特別の利害関係を有する者は議決権を行使することができない。そして取締役選任の決議をするにあたつて、一定の候補者を指定せず一般的に「取締役選任の件」という議案が上程された場合には、自薦他薦の事実上の候補者が存在しても、その候補者たる社員は右の特別利害関係者とならないけれども、一定の候補者を指定して具体的に「何某を取締役に選任する件」という議案が上程された場合には、その候補者たる社員は特別利害関係者にあたる、と主張する学説があるけれども、にわかに首肯し難く、社員に原則として出資一口につき一個の議決権を与え、大口出資社員の会社支配を許容している法律の趣旨等から考えれば、右のいずれの場合であるかを問わず、取締役候補者たる社員は右の特別利害関係者にあたらないものと解するのが相当である。しかのみならず、右の特別利害関係者たる社員が参加し前記条項に違反して議決権を行使した総会決議といえども、前同様商法第二百四十七条第一項所定の場合にあたるにとどまり、当然無効ではないと解すべきである」（名古屋高判昭三二・六・一七下級民集八・六・一一二〇）。

取締役又は監査役解任の決議の場合も、判例（東京地判昭八・七・一七新聞三五八七・一三、神戸地判昭一〇・一二・一七新聞三九五〇・二〇、東京控判昭一五・四・三〇新聞四五九六・八）及び

多数説は当該取締役たる株主を特別の利害関係人と解しているが、選任決議について述べたのと同様の理由により、これを否定するのが妥当であろう（田中(耕)・概論三六〇頁、大森前掲講座(三)九〇九頁、前掲ジュリスト選書八〇頁以下）。もっとも、取締役又は監査役の選任決議については一般的に特別利害関係の存在を否定する学者の中にも、その解任決議については反対の見解をとる者があることは注意しなければならない（例えば、石井商法I二八三頁）。

(d)　計算書類の承認決議（商二八三）において、取締役又は監査役たる株主は特別の利害関係人となるか。学説においては、計算書類の承認後二年を経過すれば取締役等の責任が解除されるのであるから（商二八四）、計算書類の承認決議はその附随的効果として取締役又は監査役の責任解除を生ずるものと解して、これを肯定するものが少なくない（田中(耕)・概論三六〇頁、田中(誠)・会社法二三二頁、松田・概論一二八頁、高田・企業会計九巻五号八五三頁、吉永「計算書類」講座(四)一五〇九頁）。次の判決【48】もこの見解である（東京地判昭二八・三・九下級民集四・三・三六八も、理由は明らかでないが、この見解をとっている）。

【48】「株式会社ノ取締役カ前示ノ各書類ヲ定時総会ヘ提出シ其承認ヲ経タル後ニ在リテハ取締役及監査役ニ不正行為アリタル場合ヲ除クノ外会社ハ之等ノ者ニ対シテ其責任ヲ解除シタル者ト看做サル可キコトハ同法第百九十三条ノ明定スル処ナルヲ以テ其承認後ニ於テハ取締役及監査役ハ不正行為ニ基因シテ生シタル義務ヲ除ク外会社ニ対シテ一切ノ義務ヲ免除セラルルモノト謂ハサルヘカラス而シテ一面同法第百六十一条第四項ノ規定ニヨレハ総会ノ決議ニ付特別ノ利害関係ヲ有スルモノハ其決議権ヲ行使スルコトヲ得ストアリ爰ニ所謂特別ノ利害関係トハ或ル株主カ会社ニ対シ権利ヲ取得シ義務ヲ負ヒ若クハ之ヲ免ルルカ如キ場合ヲ指シタルモノト解スルヲ妥当トス

果シテ然ラハ……被告会社ノ定時総会ニ於テ同会社ノ取締役カ前掲ノ書類ニ付キ株主ノ承認ヲ求ムルニ際シ取締役及ヒ監査役カ其他ノ株主ト共ニ之ニ参加シ其議決権ヲ行使スルコト能ハサルヤ明ナリ」（松山地判明四五・判決月日不詳新聞

七九八・二四）。

昭和一三年の改正前の商法一九三条は、計算書類が承認されたときは会社は取締役及び監査役に対してその責任を解除したものとみなすこととしていたから、右の判決が取締役たる株主をもつて計算書類承認決議につき特別の利害関係を有するものと解したことも、理由がないではない（これに対し、旧法の下でも、松本・前掲二六一頁は、責任解除は計算書類承認決議の目的ではないとして特別利害関係の存在を否定されていた）。しかし現在の商法二八四条は、定時総会において計算書類の承認をなした後二年内に特別の決議がなされない場合において、取締役等の責任が解除されたものとみなしているのであるから、責任解除はもはや計算書類の承認決議の附随的効果ではなくして、二年の除斥期間の効果であり、決議はその除斥期間の起算点とされるにすぎないものと解するのが理論的であるとおもう。計算書類の承認決議と責任解除との関係がかようなものにすぎない以上、取締役・監査役がその決議につき株主として議決権を行使しうべきことは当然のことといわなければならない（大隅「株式会社における計算書類の承認」会社法の諸問題二一七頁以下、大森・前掲講座(三)九〇九頁以下、大住・株式会社会計の法的考察二四〇頁。結果同説、西原・会社法二三八頁、鈴木「利益配当の諸問題」ジュリスト三一号五一頁、石井・商法I二八三頁、前掲ジュリスト選書八二頁、上田・法学一九巻二号二四二頁、竜田「取締役の責任解除について」商事法務研究一一六号三〇頁）。ただし、右の決議に際してとくに責任解除を留保する決議をなす場合や、承認決議後二年内に責任追及の決議をなす場合には、その決議（これらは計算書類の承認とは別個の決議である）については、取締役・監査役は特別利害関係を有する者として議決権を行使することはできない（なお、わが国では計算書類の確定と利益処分とが一括決議されるのが普通であり、しかもその利益金処分案には役員賞与金が含まれていることが多いが、この場合の問題につき、前掲ジュリスト選書八四頁以下、大隅・前掲会社法の諸問題二二〇頁、大森・前掲講座（三）九一〇頁参照）。

（ロ）特別の利害関係人としてみずから議決権を行使しえない者は、代理人によつてこれを行使しえないのはもとより、他人の代理人として議決権を行使することもできない（通説。もつとも昭和一三年の改正前の商法一六一条四項は、株主は「其議決権ヲ行フコトヲ得ス」としていたから、東京地判大一三・九・一五評論一三商法五四八、松本・前掲二六〇頁、間・前掲一三九頁等は、他人の代理人として議決権を行使することは妨げないと解していた）。ただし、決議につき特別の利害関係を有する者も、総会に出席して意見を述べ説明を求めるなどの権利は失わない【49】（通説）。従って、決議につき特別の利害関係を有する株主に対しても総会招集の通知をなさなければならないことはいうまでもない（商二三二Ⅳ参照）。

【49】「株主総会ノ決議ニ付特別ノ利害関係ヲ有スル株主ハ議決権ヲ行フコトヲ得サルニ止マリ斯ル株主ト雖総会ニ出席シテ意見ヲ開陳スルコトハ固ヨリ其ノ当然ノ権利ニ属シ毫モ妨ケラレサルトコロトス蓋シ株式会社ノ株主ハ法律又ハ定款ニ依リ議決権ナキモノトセラレタル者（改正商法第二百四十一条、第二百四十二条参照）ヲ除ク外一般ニ会社ノ経営ニ参与スル奪フヘカラサル権利ヲ有スルモノニシテ唯決議ニ付特別ノ利害関係ヲ有スル株主ハ当該決議事項ニ対スル特殊ノ関係ニ鑑ミ決議ノ数ニ加ハラシムルコトヲ不当トスルカ故ニ法律ハ斯ル株主ニ対シ議決権ノ行使ヲ禁止シタルモノト解スヘキヲ以テナリ之レ全然議決権ナキ株主ト異リ如上利害関係ヲ有スル株主ニ対シテモ会社ハ総会招集ノ手続ヲ為ササルヘカラサル所以ニシテ右両種ノ株主ヲ同一視スルカ如キ所論ニハ賛同シ難シ」（朝鮮高判昭一五・二・二〇評論二九商法二〇四）。

なお、特別利害関係人の議決権行使の停止を定める商法二三九条五項の規定は、「株主総会ノ決議ノ公正ヲ期スル為設ケラレタル公益的性質ヲ帯有スル規定ナレハ、強行規定ナリト解スヘキコト疑ナク、従テ仮令定款又ハ株主総会ノ決議ヲ以テスルモ之ニ反スル定メヲ為スコトヲ得サルモノ」である（東京地判昭八・七・一七新聞三五八七・一三）。

(2) 議決権拘束契約

以上述べたのは法律により株主の議決権の行使が制限される場合であるが、契約による議決権行使の制限として、株主が、他の株主又は第三者に対し、一般的に又は特定の場合において、一定の方向に（例えば、特定の者の指示に従つて）その議決権を行使すべきことを約するいわゆる議決権拘束契約の効力が問題となる。かかる契約の効力については、学説上つぎの二つの見解が対立している。一つは、本来決議なるものは各株主の各場合における自由な判断にもとづいてなさるべきことを前提とするものであつて、この判断の自由を制限する契約は決議そのものの性質と決議をみとめる法の精神に反するものというべく、従つて一般にこれを無効とするのが妥当であるとする見解であり（大隅・株式会社法変遷論一二九頁、同・企業合同法の研究一七四頁。結果同説、松田・概論一二六頁以下、同・株式会社の基礎理論六六五頁）、他は、かかる契約があつても会社法上は株主は議決権行使の自由を有し、この契約に違反してなされた議決権の行使も会社に対する関係では完全に有効であつて、決議の瑕疵をもたらすものではなく、単に当該株主が債権法上の義務違反の責任を負うにすぎないのであるから、これを当然に無効と解する必要はなく、ただ契約の目的や拘束の態様により弊害を生ずる場合においてこれを無効と解すれば足るとする見解である（大森・前掲講座（三）九〇三頁以下、西原・会社法二三七頁。同旨、鈴木「共益権の本質」法協六三巻三号三一一頁、河村・前掲二〇五頁）。

このような議決権拘束契約ないし株式処分の制限契約の効力が、従業員持株について問題となつた事例として、東京地方裁判所の判決【50】がある。これはつぎのような内容の事件に関する。株式会社大倉製作所の大株主である大倉一家が、終戦後財産税納付のためその持株を同会社の従業員に譲渡することとし、従業員は、同会社代表取締役甲が後に買受代金を補償する約束の下に各自封鎖預金を提出し、封鎖預金も現金もない者は甲からその代金の調達を受けてこれを譲受けた。そして譲渡人たる大倉一家と譲受人たる各従業員との間に株式名義書換の手続がなされ、かつその後において、甲は約束に従い封鎖預金を出した者に対して現金を補償したが、その際甲は、右株式及び今後甲が従業員のため大倉一家から取得して与える株式の措置について、これを当時の同会社役員及び従業員の共有とすることにし、かつその共同管理に関する規定（大倉憲章）を作成して、役員及び従業員に対し、この規定通りその持株を処分することの同意を求めた。この規定は、(1)従業員の持株は各個人の名義であるが、所有権は全従業員のものであつて、個人の自由処分は許さないこと、(2)従業員退社の際は持株全部を組合（憲章に調印した従業員よりなる団体）に無償返還し、無条件で名義書換を行うこと、(3)持株の保管・各個人に対する名義株の割当等は従業員中より選任した委員が決すること、(4)総会その他により会社の運営上決議権を必要とするときは全従業員の三分の二以上の賛成を要するものとし、この賛成あるときは議決事項は従業員すべてこれに服すること、等を内容とするものであるが、従業員はもともと自己の出捐によつて株主となつたものではなく、このような規定に従うとしても別に不利益を負担するわけでもないので、全部の従業員が異議なく右憲章に調印し又はこれに同意した。ところが、甲等の役員選任決議につき従業員中の乙等に対して招集通知が発せられなかつたので、右決議の取消の訴及び甲等の職務執行停止等の仮処分の申請がなされ、これに対して甲が、乙等はすでに退社し株主でなくなつていること、及び右憲章にもとづいてその名義書換を了していることなどを主張するに及んで、にわかに右憲章の効力が問題となるに至つたのである。乙等は、右憲章は明らかに甲が大倉一家に対抗して従業員持株を自己の独裁支配下に一括し、従業員をして株主固有の権利を行使せしめず、自己の意思に反する者は退社せしめて株主資格を奪わんとする意図を含んだものであり、株主権の行使を制限し又は株主の意に反して株主権を剝奪しようとするものであるから無効であるなどと主張して争つた。しかし、東京地方裁判所の判決はこの主張をしりぞけ、右のような株式取得の経緯に鑑みるときは右憲章は必ずしも不合理とはいい難く、株主相互間の契約としては有効とみるべきであると判示した。

【50】「なるほど大倉憲章の規定を些細に分析すれば、従業員は自己名義の株式についてもその議決権は多数決の下に制約せられ、またその株主権の自由処分も禁止せられ、一旦解止せられるときはその意に反しても株主権はもとより残余財産分配請求権をも失うことになるのであつて、かようなことを定めている大倉憲章は株主権の行使を著しく制限する不合理な規約ではないかという疑問が生じる。しかしながら右憲章の対象であるいわゆる従業員持株は、前記認定の通り、もともと最初から何ら経済的な対価を払うことなく、いわば恩恵的に割り当てられたものであり、当時従業員等としては、とにかくその従業員である期間は、ある種の利益の均てんに浴し、他に何ら不利益な義務を負担するものでないから、たとい右のように権利行使の制限された株式となつても異議ない趣旨で憲章に署名捺印したものと一応認められる。このような株式取得の経緯に鑑みるときは右憲章に定める規約は必ずしも不合理といい難く、従つてこのような規約は、株主相互間の契約として有効なものとみるべきであつて、会社と株主間を規律する会社自身の作成した内規でもないから、債権者主張のように同会社定款第十二条に違反するものともいうことはできない」（東京地判昭二五・一〇・二五 下級民集一・一〇・一六九七）。

この事件において問題となるのは、右の大倉憲章の規約において、各従業員の大倉一家から譲受けた株式が従業員団体（一種の組合と認定されている）に帰属する旨が定められている点である。もしこの規約にかかわらず、各従業員名義の株式が実質的にも各従業員の持株と解さるべきものであるとするならば、右の憲章はまさに議決権拘束契約ないしは株式処分の制限を内容とする契約であるといわざるをえないであろう。判旨が右の憲章の効力を問題としているのはこの立場からのように思われる。しかし、もし右の規約によつて各従業員名義の株式が実質的に従業員団体の所有に帰属せしめられているのであれば、これを議決権拘束契約ないし株式処分制限の契約と解すべき余地は存しないものといわなければならない。判示の別の個所では、株式が実質上も従業員団体の所有すなわち従業員の共有に帰属し、株主名義人たる各従業員はその共有者の一人にすぎなくなつているかのように述べている点からみれば、むしろこの後の場合ではないかとも思われる。もしそうだとすれば、右の憲章の規定は文字通り従業員団体がその共有にかかる株式の「共同管理」の規約を定めたにすぎないものと解すべきこととなるであろう。そしてかような規約を定めたにすぎないものとすれば、これを当然に無効と解する必要のないことはいうまでもないであろう。

(3) 議決権行使停止の仮処分

議決権行使の停止を命ずる仮処分命令がなされた場合、その株主は議決権を行使しえないことはいうまでもない。この場合、仮処分により議決権の行使を停止された者の有する株式数が、定足数の算定の基礎である発行済株式総数に算入さるべきか否かが問題となるが、その仮処分が当該株式の発行無効を理由に会社を仮処分債務者としてなされたものであるときは、定足数の算定については発行済株式総数から除外するのが妥当であろう（西原・前掲講座(三)八五八頁、田中(誠)・吉永・山村・前掲四三九頁、久保・企業会計八巻一〇号一七一五頁。反対、鴻・判例評論六号一一頁、ただし、同・株式会社法と仮処分制度(二完)商事法務研究一二七号八頁。松田・概論一七五頁は、仮処分の理由を分かたず、これを算入すべきものとされる）。最近の神戸地方裁判所の判決【51】もこの結論をとつている。もつとも、その理由とするところには疑問がないではない。ことにこの場合の仮処分命令が新株そのものから仮に議決権を奪うものであつて、単に特定の株主についてのみ議決権の行使を停止する仮処分とはその性質を異にすると述べていることは、仮処分の原因に遡ればそうもいえないではないが、発行無効の瑕疵を帯びる新株も新株発行無効判決が確定した場合にその時から将来に向つてのみ効力を失うのにすぎないから(商二八〇ノ一七I)、法律的な説明としては正当とはいえないであろう(大森・前掲ジュリスト選書六四頁以下参照)。むしろこの場合には、仮処分を受けた株式を定足数算定の基礎たる発行済株式総数に算入するときは、仮処分の目的を達しえないおそれがあることに、その理由を求むべきではないかと考える。

【51】「新株発行を無効とする確定判決は、将来に向つてのみ新株を無効にするものであるところ、右仮処分は、右判決確定以前に新株そのものから仮に議決権を奪うことによつてつまりその限度において、右新株の無効(いわば一部無効)の状態ないし地位を暫定的に実現しているものである。従つて、右仮処分は、株式譲渡の無効等の理由により、新株自体から議決権を奪うことなくして、単に特定の株主についてのみ議決権の行使を停止する仮処分とは、性質を異にするものである(議決権行使の停止がいかなる理由によるものかは、発行会社において容易に知り得るところである)から、商法第二百四十条第一項の議決権なき株式に準じて右仮処分により議決権行使を停止された新株の数は、定足数の計算に際して発行済株式の総数に算入すべきではないと解するのが相当である」(神戸地判昭三一・二・一下級民集七・二・一八五)。

これに反して、株式の効力そのものには関係なく、ただ株式譲渡の無効などを理由に、特定当事者間において株主資格が争われているにすぎない場合には、仮処分の一時的措置としての性格からしても、仮処分の対象となつた株式は常に発行済株式総数に算入すべきものと解せられる(前掲ジュリスト選書六八頁六九頁、西原・前掲講座(三)八五八頁。なお大森・前掲講座(三)九〇七頁、三戸岡「白木屋事件をめぐる法律問題」ジュリスト五八号一五頁以下参照)。

四　議事及び決議

一　総会の成立

（一）出席株主の資格審査　総会においては、その議事に入るに先だち、出席株主と株主名簿上の株主との同一性の有無ならびに委任状の真否について調査する必要があり、会社はかかる調査をなす権利義務を有する。この場合における出席株主の資格審査につき、会社が定款をもつて印鑑届を要求している場合に、出席株主の提出する印鑑と届出印鑑との照合をすれば問題はないが、開会前後の短い時間にこれを行うことは事実上困難であるから、実際上は会社から送付した総会招集の通知書又は封筒の提示を求めて株主の確認をなすことが少なくない。かような手続によつて真正の株主とみとめられる者を株主として取扱つた場合に、それで会社が免責されるか否かは理論上は相当問題であるが、事実上それ以上の調査を要求することが不可能にちかいことから考えると、これを肯定するほかないであろう（西原・前掲講座(三)八五七頁参照）。

ここに会社が免責されるという意味は、単に会社が株主でない者又は真正の代理人でない者をして決議に参加せしめたことによる責任を負わないということだけであつて、実際に株主又は真正の代理人でない者が決議に参加したことが証明されるかぎり、決議取消の原因となることを免れないかどうか、すこぶる疑問である（前掲ジュリスト選書一六二頁参照）。異論もあるが、株主総会が成立する上において株主関係の劃一的処理を必要とせざるをえないことからいつても、また決議の法的安定の要請から見ても、会社が免責されると解する以上は、決議についても取消の原因とならないものと解するのが妥当ではないかと考えられる（既出【45】参照。反対、西原・前掲講座（三）八五七頁。【52】はその投票のみを無効とする。【105】参照）。この場合、会社が印鑑照合により株主の確認を行つたときは、会社が免責されるのみならず決議取消の原因ともならないのに反して、総会招集の通知書又は封筒による簡略な確認方法をとつたときは、会社の免責を生ずるも決議取消の原因となることは免れないとする解釈も考えられないではないが、すでに会社の免責をみとめる以上、かかる区別をなすことは困難であろう。会社が印鑑照合をした場合において、印鑑が異なるにかかわらず株主又は代理人がその権利者たることを証明しないため（既出【44】参照）、会社がその者の出席を拒んだときも同様であつて、会社は免責されるとともに決議取消の原因ともならないと解すべきである。これに反して、会社が印鑑照合その他相当の方法によつて株主又は代理人の資格を調査しなかつた結果無権利者が決議に参加したときは、後述のように決議取消の原因とならざるをえない。しかし、この場合でも、印鑑照合その他出席者の資格の調査は、「出席者ハ株主ノ権利ヲ有スルモノナルヤ否ヲ調査スルノ手続」に関する「ニ過キスシテ、決議ノ方法ニハ何等ノ関係ヲ有セサルモノ」【52】であるから、事実上真正の株主又は代理人が総会に出席しているかぎり、会社が上述の調査を怠つたことによつて決議が取消の訴に服するものでないことはいうまでもない。

【52】「定款……ニハ株主総会ノ当日会議ニ列席前出席名簿ニ署名捺印シ代理人タル者ハ其ノ旨ヲ記シテ署名捺印スヘシトアリテ此規定タルヤ其明文上明カナル如ク開会前ニ於テ出席者ハ株主ノ権利ヲ有スルモノナルヤ否ヲ調査スルノ手続ヲ定メタルニ過キスシテ決議ノ方法ニハ何等ノ関係ヲ有セサルモノトス……故ニ仮令出席名簿ニ記名調印シ一応株主又ハ其相当代理人ト認メラレタルモノト雖モ投票後ニ至リ株主又ハ相当代理人ニ

アラサルコト判明シタル上ハ其投票ハ無効ニ帰スヘク又仮ニ記名調印セサルモ投票シタル株主ニシテ果シテ真正ノ株主ナルニ於テハ右名簿ニ記名調印セサルノ故ヲ以テ其投票ヲ無効トスルノ条理ナシ」（大判明三四・一〇・二八民録七・九・一六八【105】）。

なお、出席株主又は代理人の資格審査の権限が、総会（田中(誠)・法協四三巻一三六八頁）又は議長（河村・前掲二二九頁。西原・前掲講座(三)八五七頁は、審査の職務権限を有する者は議長であるが、これを最終的に確定するのは総会自体とされる。同旨、間・前掲一二九頁）のいずれに属するかについては、学説上議論がある。それは窮極的には総会自体に属するが、一般にその行使は議長に委ねられているものと解してさしつかえないであろう。その権限が実際上問題となるのは、総会において出席株主の資格・委任状の真否等について疑義や紛争を生じた場合であるが、かかる場合に総会が議決権行使の排除等を決議し、或いは総会の延期を決議したときは（既出【35】の白木屋事件参照）、議長においてこの決定に従うべきことはいうまでもない（松田・鈴木(忠)・条解一八三頁二一四頁）。しかしこの場合においても、総会が恣意的に「真正ナル株主ノ議決権ヲ奪ヒ株主ニアラサル者ニ之ヲ付与スルカ如キハ、素ヨリ其権限ニ属セサル」もの【53】であるから、出席株主の権利者であることが明らかな場合はもとより、例えば印鑑照合の結果真正の株主又は代理人であることが推定される場合にも、総会が、その権利者たることを疑うべき別段の理由がないにもかかわらず、これを総会の決議から排除しようとするときは、議長はその決定に従う必要はない。むしろ議長たる「取締役ハ株主名簿其他ノ資料ニ依リ真正ノ株主ト認ムヘキ者ヲシテ其議決権ヲ行ハシムヘキ職務アルモノ」【53】であるから、故意又は過失によってその決定を執行するときは、かえって議長が会社に対し任務懈怠の責任を負わなければならないこととなる。

【53】「本件係争ノ百株ハ高田茂ノ所有ニアラスシテ森善四郎和田重平ノ持株ナリトセハ縦シヤ株主総会ニ於テ高田茂ノ持株ナリト決議スルモ斯ル決議ハ当然無効ニシテ株主ノ資格及議決権ニ関シ何等ノ消長ヲ来ササルモノトス何ントナレハ株主総会ハ法律及定款ノ規定ニ基キ其権限ニ属スヘキ事項ヲ決議シ得ヘキヤ論ヲ俟タスト雖モ真正ナル株主ノ議決権ヲ奪ヒ株主ニアラサル者ニ之ヲ附与スルカ如キハ素ヨリ其権限ニ属セサルヲ以テナリ而シテ株式会社ノ取締役ハ株主名簿其他ノ資料ニ依リ真正ノ株主ト認ムヘキ者ヲシテ其議決権ヲ行ハシムヘキ職務アルモノナレハ仮リニ明治三十三年十一月二十一日ノ総会ニ於テ如上ノ決議ヲ為シタリトスルモ控訴会社ノ取締役カ係争株ノ株主ハ高田茂ニ非スシテ森善四郎、和田重平ナリト認メ高田ヲ排斥シ森、和田ヲシテ各五十個ノ議決権ヲ行ハシメタルハ当然ニシテ決議ノ方法ニ違背スル所アルヲ見ス」（大阪控判明三七・五・四新聞二一四・二二）。

（二）　取締役の出席　取締役が同時に株主である場合には、株主として総会に出席しその決議に加わりうることはもちろんであるが、株主でない場合においても、各取締役は取締役たる資格において当然に総会に出席し、かつ発言する権限を有する（商二四四Ⅱ参照）。ただし、株主総会は株主をもつて組織されるものであり、取締役の出席は総会が成立するための絶対的要件ではないから、取締役全員が欠席した場合においても、他に総会の成立を妨げる欠陥を伴わないかぎり（実際には決議不存在とみるべき欠陥を伴う場合が多いであろう。後出【99】参照）、当然には総会決議の不存在の原因とはならない【59】。ただ総会が取締役の出席を不当に拒否したか、又は取締役が出席しようとしても出席できない状態で開かれた場合の総会の決議は、違法又は著しく不公正な決議として取消の訴に服するものと解される（前掲ジュリスト選書一五一頁以下、西原・前掲講座（三）八五九頁）。

（三）　総会の開会　総会は、招集通知に定められた定刻に開会さるべきものであることはいうまでもないが、社会通念上是認される範囲では、たとい定刻を過ぎて開会しても必ずしも決議の瑕疵とはならない（前掲ジュリスト選書一四九頁以下参照）。これに反して、定刻前における開会は不適法であって、定刻前に決議がなされたときは、少なくともその決議は取消の訴に服することを免れず、もしその決議が定刻より前になされたために著しく多数の出席株主がこれに加わることをえなかったような場合には、法律上はその決議は不存在と解すべきであろう。次の判決【54】は、定刻より数分ないし十数分の遅速があっても定刻に開催されたものとみなすのが社会通念であるとして、定刻より十数分前に開催議了された総会の決議を瑕疵なきものとしているが、定刻前の開会と定刻後の開会とを同視している点で正当とはいえない（田中（誠）・会社法二二五頁）。

【54】「標準時ニ基キ分秒ノ正確ヲ期スル汽車発着ノ如キハ格別総会ノ開催時刻ノ如キハ仮令数分乃至十数分ノ遅速アルモ其総会ハ定刻ニ開催セラレタルモノト看做スハ社会取引ニ於ケル一般通念ナルヲ以テ仮ニ本件総会カ定刻ヨリ十数分前ニ開催議了セラレタリトスルモ予メ通知セラレタル日時ニ総会ノ開催ナカリシモノト謂フコト能ハス」（名古屋地判大一二・二・一九新聞二一二七・一九）。

定足数を要する決議においては、議案の採決に際して定足数に達する株主の出席を要することはいうまでもないが【55】、開会の当初から継続して定足数が維持されることは必ずしも必要でない（前掲ジュリスト選書一六八頁以下、ジュリスト一九号三五頁、ただし西原・前掲講座（三）八五八頁）。下級審の判決（後出【76】）に、議長が定足数の不足を理由に開会宣言後議事に入らずして直ちに総会を散会せしめた事件において、「いわゆる定足数は、特別決議を必要とする総会においてもその総会の成立要件でないことは、定足数不足の総会決議も総会決議取消の訴に服するところから明白である」と述べて、その散会宣言を無効としているものがあるが、正当である。

【55】「当該決議ヲ為スノ当時法定ノ定足数ヲ欠キタル以上ハソレカ株主ノ中途退場ニ因ル場合ト雖其ノ決議ハ当然無効ナリト謂フヘク所論ノ如ク中途退場シタル株主ハ議案ニ反対ノ意見ヲ表シタルモノト看做スコトヲ得ス又仮令所論ノ如キ慣行アリトスルモソレハ公ノ秩序ニ関スル規定ニ反スル無効ノモノト謂ハサルヘカラス然レハ商法第二百九条〈現商三四三条〉ニ定メタル決議ヲ為スニ当リ株主総会開会ノ当時其ノ定足数ヲ欠カサリシ以上ハ決議ノ当時現在シタル株主ノ数ハ問フ所ニ非スト為ス論旨ハ理由ナシ」（台湾高法判昭七・二・二七評論二一商法一二七）。

二　議　長

（一）　選任　総会の議事においては議長を欠くことをえない（商二四四Ⅱ参照）。議長は、定款に別段の定めがないときは、出席株主の互選によってこれを定めることを要するが、実際には定款をもって、総会の議長は社長がこれに当り、社長に事故があるときは他の取締役が一定の順序でこれに当る旨を定めているのが通常である。議長は必ずしも株主たることを要しないから、かかる定款の定めも有効であって（後出【60】、ただし田中(誠)・会社法二二四頁参照）、かような規定がある場合に正当な理由なくして他の者が総会の議長として議事に関与したときは、決議取消の原因となる【56】【57】。

【56】「監査役カ定款ノ規定ニ違背シ総会ノ議長トシテ其ノ決議ニ関与シタルコトハ或ハ決議ノ方法定款ニ違反シタルモノト云ヒ得可ケンモ之カ為ニ直ニ決議其ノモノノ内容ニ違法アリト断スルコトヲ得サルモノト解スヘク従テ所論ノ事由ハ商法第百六十三条第百六十三条ノ二〈現商二四七条二四八条〉ニ依リ決議ノ日ヨリ一ケ月以内ニ訴ヲ以テノミ之ヲ主張シ得ヘキモノトス」（大判昭六・九・二九新聞三三二〇・一六）。

【57】「被控訴会社定款ニハ総会ノ議事カ議長タルヘキ者ノ職務ニ関スルトキハ其議事ニ限リ別ニ株主中ヨリ議長ヲ選挙スヘキ旨ノ規定アリテ右議事ハ明カニ取締役藤山雷太ノ職務ニ関スルモノナルニ拘ラス別ニ株主中ヨリ議長ヲ選挙スルコトナク同人自ラ議長トシテ前記承認ノ決議ヲ為シタルモノナルヲ以テ該決議ハ定款ノ

規定ニ違反シ当然無効ナリト主張スレトモ右ハ単ニ総会ニ於ケル決議ノ方法カ定款ニ違反スルコトヲ主張スルモノニシテ商法第百六十三条〈現商二四七条〉ニヨリ総会ノ決議無効ノ宣言ヲ求ムルハ格別決議無効確認ヲ求メ得ヘキモノニアラサルヲ以テ右主張モ亦理由ナキモノト謂ハサルヘカラス」（東京控判昭五・一・二四新聞三〇八七・八）。

ただし、定款に定められた社長及びその他の取締役に病気・旅行その他の事実的障害があって、その総会出席が不可能な場合には、定款にその旨の定めがない場合でも、出席株主の互選によって議長を選出することができる。議長不信任の決議が有効になされ、しかも定款の定めによって他に代るべき取締役がない場合、「各取締役選任ノ決議ニツキソノ株主間ニ争アリテ、ソノ取締役タル資格ニ疑義アリ、而カモ一面株主間ニソノ資格ニツキ争ナキ監査役アリテ、コノ者カ議長席ニ着クコトニツキ株主間ニ異議ナキ場合」【58】、議長の不当な閉会宣言とともに全取締役が退場した後において株主が残留して決議を行う場合【59】、などにおいても同様である。

【58】「原告等ハ右総会ニ於テハ取締役ニアラサル監査役山田音吉カ議長トシテ議決シタルヲ以テ右ハ定款第二十九条ニ反シ無効ナリト主張シ右定款第二十九条ニ原告主張ノ如ク株主総会ノ議長取締役コレニ任スヘキ旨ノ規定アルコトハ当事者間ニ争ナキモ元来取締役ハ株式会社ノ業務執行機関トシテ会社ノ内情及事業ノ状況等ニツキ精通スヘキカ故ニコノ者カ株主総会ノ議長トシテ議場ノ整理質疑応答等ノ任ニ当ルヲ適当トスルト謂フ理由ニ出テタルモノト解スヘク更ニ進ンテ議長タルニハ取締役タラサル者ヲ以テコレニ代フルコトヲ許サスト謂フ如キ程ノ強キ意味ヲ有スル趣旨ノ規定ナリト解スヘキ実質的理由ヲ発見セサルカ故ニ右ハ通常ノ場合ヲ規定シタルモノニシテ取締役社長ソノ他各取締役共ニ事故アルカ或ハ各取締役選任ノ決議ニツキソノ株主間ニ争アリテソノ取締役タル資格ニ疑義アリ而カモ一面株主間ニソノ資格ニツキ争ナキ監査役アリテコノ者カ議長席ニ着クコトニツキ株主間ニ異議ナキ場合ノ如キ取締役ニ非サル者カ議長席ニ着クコトカ止ムヲ得サルトキ或

ハコレニツキ正当ナル理由アルニ於テハ取締役ニ非サル者カ株主総会ノ議長トシテ議決ヲ為スコトヲ妨ケサル趣旨ノ規定ナリト解スルヲ相当トスヘシ」（東京地判昭一五・一一・二四評論三〇商法一三四）。

【59】「債権者等は、右総会は定款に定めた適法な議長及び取締役の出席しない総会であるから、株主総会ではないと主張する。しかしながら、債権者等主張のような総会の議長となるべき者の資格を定めた定款第十六条（註――「株主総会の議長は取締役社長がこれに任ずる。取締役社長が事故あるときは予め取締役の定めた順位により他の取締役がこれに代る」という規定）のあることは、前掲疏甲第五号証により認められるが、当日出席していた脇本外二名の取締役は、その閉会宣言と共に退場し、他の取締役は欠席していたこと前示認定のとおりであるから、かゝる場合にあつて総会の決議により取締役でない出席株主を議長に選任することは、条理上適法である。また取締役の出席が総会の成立要件とはなつていないから、取締役が全員欠席していても、その株主総会であることを妨げるものではない」（神戸地判昭三一・二・一下級民集七・二・一八五）。

少数株主が裁判所の許可を得てみずから招集した総会（商二三七Ⅱ）においても、定款の規定による社長その他の取締役は当然には議長となりえず、総会がまずその互選をもつて議長を選任することをうるものと解するのが妥当であろう（前掲ジュリスト一八号二四頁、田中（誠）・会社法二二五頁、西原・前掲講座（三）八六一頁、蓮井「株主総会の議長」政経論叢七巻一号一五一頁。反対、【60】、松田・鈴木（忠）・条解一九六頁）。けだし、議長に関する右の定款の規定は、取締役会の招集にかかる通常の総会を前提として設けられたものとみるのが至当だからである（【58】参照）。

この点において問題となるのは、議長が会議の目的たる事項につき特別の利害関係を有する場合であるが、「議長は、その地位において議事の整理に当るも、議決に加わり、その結果を左右することをえないものである」から、特別の利害関係の存在によつて直ちに議長となりえないと解する必要はないであろう【60】（前掲ジュリスト選書一七三頁以下、西原・前掲講座（三）八六一頁、松田・鈴木（忠）・条解二一三頁、蓮井・前掲政経論叢七巻一号一五〇頁。反対、田中（誠）・会社法二二五頁、西本・前掲一二七頁）。もつとも、その結果として決議の不公正を生じたときは、決議取消の訴の原因となるを免れないから、実際問題としては議長の地位を避けるのが穏当であることはいうまでもない。

【60】「株主総会において、何人が議長になるかは、法律に何らの定がなく、通常定款を以て会社理事者の一人をこれに当らせる旨定めこれに従うものが多い。一般にこの定款の定を不適法とする事由はないから、特別の事情のない限り、この定のある会社の総会がこれによるべきはいうをまたないところである。このことは、総会が会社によつて招集された場合であると、商法第二三七条の規定により株主によつて招集された場合であるとによつて差異あるをみない。唯議案が議長たる者個人に利害ある事項にわたる場合においては、その者は、商法第二三九条第五項の精神により議長を回避するを要しないかという問題が残るのであるが、法律上はこれを消極に解し、この場合でも議決権を行使しない限り、議長を回避するを要しないものとするを相当とする。そのわけは、議長は、その地位において議事の整理にあたるも、議決に加わり、その結果を左右するをえないものである。されば、本件で古川浩が自己が議長たるべきことを主張して譲らなかつたことは誤であるといわなければならない」（東京地決昭二八・九・二判タ三三・三五）。

右の判決【60】と異なり、つぎの二判決【61】【62】は、改選の対象たる取締役はその総会の議長となりえないものと解している。しかし、この両判決はいずれも少数株主が裁判所の許可を得て招集した総会に関するものであるから、その点にもとづき結論としては正当といえよう。さらに別の判決【63】でも、決議につき特別の利害関係を有する者は議長となりえないとされているが、この事案では、議長に対し定款をもつて可否同数の場合における裁決権が与えられているのであつて、判決もこの点をとらえて、特別利害関係人が議長となることは右の定款の規定の趣旨に反するものとしているのである。後述のように、可否同数の場合には議長これを決する旨の定款の規定は無効と解すべきであるが、かりにこれが有効であるとすれば、特別利害関係人がかかる権能を有する議長の職につきえないことは、「商法二三九条五項の精神」【60】からいつても当然のことであろう。

【61】「本件株主総会ノ会議ノ目的タル事項ハ前示ノ如ク（一）定款第七条及第八条削除ノ件及（二）取締役改選ノ件ニシテ而モ総会ハ株主カ少数株主権ノ行使トシテ其ノ招集ヲ取締役ニ請求シタルニ取締役ニ於テ之ニ応セサル為メ裁判所ノ許可ヲ得テ之ヲ招集シタルモノナル点並ニ株主総会ノ議長ニ関シテハ商法ニ何等ノ規定ナキモ前示乙第五号証ニヨレハ控訴会社ノ定款第十七条第二項ニハ「議長ハ議事ノ整理上必要ト認メタルトキハ会議ヲ延長若クハ続行シ又会場ヲ変更スルコトヲ得」ル旨ノ規定アルノミナラス株主総会ニ於ケル議長ノ議事ノ整理方ノ如何ハ議事ノ結果ニ対シ事実上相当ノ影響ヲ及ホシ得ルノ実情ニ鑑ミルトキハ本件株主総会ノ決議事項中取締役改選ノ決議ニ付テハ其ノ解任又ハ選任ノ対象タル取締役自身カ総会ノ議長トナルカ如キハ出席シタル株主ニ異議ナキ場合ヲ除クノ外ハ適法ナラサルモノト認ムヘク控訴会社ノ前示定款第十四条ノ規定モ通常ノ場合ヲ規定シタルモノニシテ前示ノ如ク特殊ノ場合ヲ規定シタルモノニアラスト解スルヲ相当トスヘク又他ノ決議事項タル定款変更ノ件ニ付テハ固ヨリ取締役カ議長タルコトヲ妨ケサルモ株主総会ノ議事ハ同一ノ議長ニヨリ継続セシメラルルヲ便宜トシ且之ヲ以テ通常トスル点ニ鑑ミルトキハ本件株主総会ノ議長ハ定款第十四条ノ規定ニ拘ラス取締役ニアラサルモノニシテ株主ノ選任シタルモノヲ以テ之ニ充ツルヲ以テ最モ当ヲ得タル措置ナリト謂ハサルヲ得ス」（東京控判昭一三・八・一八評論二七商法四三七）。

【62】「控訴人等ハ被控訴会社定款第二十八条ニハ「株主総会ノ議長ハ社長之ニ当リ社長差支アルトキハ他ノ取締役之ニ代リ取締役差支アルトキハ出席株主中ヨリ之ヲ選任ス」ヘキ旨ノ規定アリ而シテ本件株主総会ニハ取締役社長岡田元三郎出席シ議長タリ得ヘキニ拘ラス故意ニ之ヲ排シ末正栄蔵自ラ議長席ニ付キ其ノ指揮ノ

下ニ本件決議ヲ為シタルハ決議ノ方法定款ニ違反スル旨主張シ被控訴会社定款ニ控訴人等主張ノ如キ定アルコト当事者間争ナキトコロナレトモ本件株主総会ハ末正栄蔵等カ少数株主権ノ行使トシテ裁判所ノ許可ヲ得テ招集シタルモノニシテ取締役監査役全員ノ改任及選任ヲ唯一ノ決議事項トナセルモノナルヲ以テ斯ル株主総会ニ於テハ社長又ハ他ノ取締役カ議長トシテ議事ノ進行ヲ主宰スルハ甚タ穏当ヲ失スルモノト謂フヘク而シテ斯ノ如キ場合モ前記ニ所謂社長又ハ取締役差支エアル場合ニ該当スルモノト解スルヲ相当トスルヲ以テ本件株主総会ニ社長岡田元三郎カ出席シタリトスルモ同人ハ議長ノ職務ヲ執ルコト能ハサルモノト謂フヘク議長ハ結局出席株主中ヨリ之ヲ選任スヘキモノナルトコロ（中略）末正栄蔵ハ前記出席株主中二十九名此ノ持株数三千二百二十三株ノ賛成ヲ得テ議長ト為リタルコトヲ肯認シ得ヘク（中略）然ラハ末正栄蔵カ議長トシテ議事ノ進行ヲ主宰シタルハ正当ニシテ本件ハ其ノ決議ノ方法ニ定款違反ノ点ナク此ノ点ニ関スル控訴人等ノ主張モ亦理由ナシ」（大阪控判昭一二・二・二六新聞四一二五・八、同旨、神戸地判昭一〇・一二・一七新聞三九五〇・一〇）。

【63】　「按スルニ被控訴会社定款ニ控訴人主張ノ如キ定（註——「総会ノ決議ニ付可否同数ナルトキハ議長ハ自己ノ議決権ノ外ニ於テ裁決ス」という規定）アルコトハ議長トシテ決議ノ成否ヲ決定スルノ権ヲ有スルコトヲ定メタルモノナリト解スルヲ相当トス而シテ議長ハ株主総会ニ於ケル議案ノ提出、質疑応答、動議ノ提出討論並表決等ニ付其ノ進行ヲ指揮スルモノニシテ特ニ被控訴会社定款ニ於テハ右規定ニ依リ決議ニ付可否同数ナルトキハ其ノ成否ヲ決スル権能ヲ有スルモノナルヲ以テ決議ニ付特別ノ利害関係ヲ有スル者カ議長トシテ議事ヲ主宰スルコトハ頗ル不適当ニシテ時トシテ公平ヲ失スル虞ナキ能ハサルコト旧商法第百六十一条第四項ニ於テ総会ノ決議ニ付特別ノ利害関係ヲ有スルモノハ其ノ議決権ヲ行フコトヲ得サル旨規定シ総会ノ決議ノ公正ニ行ハルルコトヲ期シタルコト、成立ニ争ナキ乙第一号証ニ依リ認メ得ラルル本件株主総会ニ於テ被控訴会社取締役社長永井益太郎カ本総会ノ決議事項ハ重役ニ関係アルヲ以テ議長ハ他ノ株主ヨリ選任シタシト諮リ訴外田畑守吉ヲ議長ニ選任シタル事実ヲ併セ考察スルトキハ前記定款ノ規定ハ議長ハ当該総会ノ決議ニ付特別ノ利害関係ヲ有セサルモノナルコトヲ前提要件トシタルモノナルコト一点疑ナク従テ決議ニ付特別ノ利害関係ヲ有

スルモノカ議長トシテ議事ヲ主宰セル決議ノ方法ハ被控訴会社定款ニ違反スルモノナリト謂ハサルヘカラス」（長崎控判昭一五・七・一三民集二〇・四二三）。

なお右のように、特別利害関係人が総会の議長となることはさしつかえないとしても、総会が議長不信任を決議するかぎり、もはや議長となりえないことはいうまでもない。のみならずこの議長不信任案の審議においても、問題となつている当人は議長となりえないものと解すべきであろう（前掲ジュリスト選書一七五頁、西原・前掲講座（三）八六一頁）。従つてこの場合には、定款にその旨の定めがあれば他の取締役、もしかかる規定がなければ出席株主の互選によつて議長を定めなければならない。ただし株主がかようにして、議長不信任を理由に、定款に定められた議長を排斥し株主中より議長を選出するためには、総会の決議を経ることを要することはいうまでもなく（【58】参照）、例えば、「定款ノ規定ニ従ヒ代表取締役カ議長トシテ開会ヲ宣シ議事ヲ指揮シ居ル際、出席株主中ノ意見ヲ同シクスル同志カ団結シ議長不信任ヲ理由トシテ議長ヲ無視シ、右定款ノ規定ニ依ラスシテ擅ニ同志ノ中ヨリ議長ナル者ヲ擁立シ、其ノ者ノ指揮ノ下ニ同志ノ賛成ヲ得テ為シタル決議ハ、票数ノ多寡ニ拘ラス会社ノ機関タル株主総会ノ決議トシテ法律上其ノ存在ヲ容認スルニ由ナキモノ」（横浜地判昭一三・五・二八新聞四三三九・六）というほかない。つぎの判決【64】は、少数株主が裁判所の許可を得て総会を招集したが、議長は定款所定の者が当るべきか、又は招集者側から出すべきかにつき意見の対立を生じたので、総会では何人が議長たるべきかを決定せず、出席株主の株式数の点検もしないまま、少数株主を代表する者がみずから議長であるとして議事を進め、取締役解任等の決議をなしたところ、その総会終了宣言の直後、定款所定の議長が会社側の株主とともに先の議案を否決する処置をとつた事件（いわゆる日本競輪事件）に関するものである。

【64】「（【60】の判旨に続く）しかし、それにもかかわらず、総会が古川浩が議長たることを承認して議事に入り、議決をしたのであるならば、それはそれとして、取扱はまた別になり、必ずしも、議決の存在を否認するにも及ばないわけであるが（決議の方法についての瑕疵の問題が残る場合あることは別として）、本件で自己が議長たることを主張して譲らなかつたといつても、古川浩は、議長として、議事に入るため、出席株主（代理によるものをふくむ）の所有株数を点検調査したわけではなく、又そのいわゆる表決に当つて賛否の数を出席株主の所有株数によつて確認したわけでもなく、その上古川浩の総会終了宣言後間髪を入れず別途議事の進行をはかろうとした一派があつたこと前認定の通りであつてみれば、本件総会は、あらかじめ、古川浩が議長たることを承認して議事に入り、又は表決に応ずることによつて古川浩が議長たることを承認して議決をしたものとは、とうてい認めることができない。結局本件総会においては議長の統裁による議事即ち議決がなかつたことになるのである」（東京地決昭二八・九・二判タ三三・三五）。

（二）　職務権限　　議長の権限についても商法に別段の規定はないが、会議一般の原則として、総会の開会及び閉会の宣言をなし、議案の提出・質疑応答・討論・表決等の議事の進行を指揮し、議場の整理をなすなどの権限を有することはいうまでもない。

議事の進行を妨害し議場の秩序を妨げる者があるときは、右の権限にもとづき妨害者に警告を発し、或いはその発言を禁止しうるが、やむをえない場合にはさらにその者の退場を命ずることもできる（前掲ジュリスト選書一六七頁、西原・前掲講座(三)八六二頁、佐々木等・株式会社法釈義一一八頁、間・前掲八三頁）。ただし、株主を議場から退去せしめて決議した場合において、その措置が著しく不公正とみとめられるときは、決議取消の原因となる（【65】参照、佐々木等・前掲一四八頁）。もつとも、警察官吏がその職権により或る株主を議場より退去せしめることを求めた場合には、議長としてはこれに応ぜざるをえないから、議長において格別の責任を負わないのはもとより、決議の瑕疵を生ずることもないというべきであろう。つぎに掲げる判決【66】は、株主が警察官吏により不法に退場せしめられたことを理由に、決議が公序良俗に反し当然に無効であると主張した事件に関するもののごとくである（伊沢・法学一巻九号三四四頁）。それが、警察官吏の方でその職権によつて議長に対し株主の議場退去ないし引渡を求めたような場合ではなく、議場整理の必要から議長が警察官吏の協力を求めた結果その強制退去が行われた場合であれば、なお議長の責任及び決議の瑕疵の問題が残りうるであろう。しかし右の判決がそのいずれの場合に関するかは明らかでない。なお【65】の判決は、議場混乱の場合の整理を依頼されてあらかじめ隣室に出頭していた刑事が、議長の許可を得て、不穏の形勢をなした株主を退去せしめた事件に関している。

【65】「議長ニ於テ議場整理ノ必要上不穏ノ行為アリタル者ヲ議場ヨリ退去セシメ依テ其株主権ヲ行使スルコトヲ得セシメサリシ場合ニ於テハ或ハ決議ノ方法カ法令又ハ定款ノ規定ニ反スルコトヲ理由トシテ商法第百六十三条〈現商二四七条〉ノ規定ニ基キ形成ノ訴ニヨリテ之カ無効宣言ヲ求メ得ルハ格別為メニ決議自体カ定款又ハ法令ノ規定ニ違反スル法律上当然無効ノモノト謂フヲ得ス」（東京地判昭五・七・二五新聞三一五三・六）。

【66】「株主総会の議事中警察官吏が其職権に因り或株主を議場外に退出せしめたる場合に於ては其株主は自然右決議に加はることを得ざるに至るは事実已むを得ざる所にして警察官吏の為したる当該処置の当否は爾余の株主に於て適法に為したる株主総会の決議の効力に何等消長を及ぼさざるものなること勿論なり」（大判昭七・三・二六法学一・九・三四四）。

一部の株主により議場が混乱に陥り、議事の遂行に著しい障害を生じた場合において、その株主の退場を強制することも困難であるというようなときは、総会に諮つた上でその会場を同一建物内の他の室に移転するなどの処置をとることも許さるべきである。そして会場の混乱の程度によつては、議長の単なる宣言によつて会場を移転することも、やむをえない処置として是認される場合を生じうるであろう。つぎの判決【67】はこのような事案に関している（判旨に賛成、浜田・商事法判例研究（2）一六五頁。なお【35】参照）。

【67】　「（註――甲及びその一派の改革派と称せられる株主は開会当初から委任状に疑ありとしてその調査を要求し、もつて議事の進行を阻止し、これを流会に終らせようと企てていたが、計算書類承認の議案が上程されるとともに、甲一派は議長に罵声暴言を浴せ、議場を喧騒に陥らしめ、更に議長が委任状調査のために一時休憩を宣して後開会してからは、益々喧騒をきわめ、ことに甲がかねて事情を明らかにして会場に入場せしめていた乙・丙の両名は、議長席に殺到し議長を議場の一隅に押しやり、怒声を発して議場を全く混乱に陥し入れた。その間甲は自ら議長席につき議事を進行せしめようとした。そこで議長は定款違反と叫んで議長席に戻ろうとしたが、右乙・丙等に阻止されたので、逆に会場を同商工会議所内の階下の室に移す旨宣言し、みずから率先して階下に行き、他の取締役その他の株主二十数名もこれに続き、その室で引続き総会を継続して決議した。他方、階上でも改革派の株主が甲を議長として決議した）而シテ右判示ノ如キ場合ニ於テハ議長ハ専権ヲ以テ其ノ総会ノ会場ヲ少クトモ招集通知ニ指定セラレタル場所ニ於ケル他ノ一室ニ移スコトヲ得ルモノト認ムヘク之カ為メ改メテ各株主ニ対スル通知ヲ発シ又ハ出席株主ノ全員若クハ過半数ノ同意ヲモ要セサルモノト解スルヲ相当トスルヲ以テ右伊原カ本件総会ノ会場ヲ前記商工会議所ノ階下ノ一室ニ移ス旨宣言シタルニヨリテ適法ニ該会場ノ移転アリタルモノト断セサルヘカラス従テ依然階上ニ居残リタル一派ノ株主ニヨリテ為サレタル本件決議ハ法律上株主総会ノ決議ト称スルコトヲ得ス全然株主総会ノ決議タルノ効力ナキ当然無効ノモ

ノニシテ敢ヘテ商法第百六十三条〈現商二四七条〉ノ規定ニヨリ無効ノ判決ヲ俟ツコトヲ要セサルモノト謂ハサルヘカラス」（東京控判昭一二・一二・二七新聞四二四七・一七）。

議長の職務執行を妨害する行為は業務妨害罪を構成し（大判昭五・一二・一六刑集九・九〇七【19】）、また会社に関係のない者が、「一派ノ重役ノ入場ヲ阻止シ又ハ喧噪ヲ逞フシ、多数ノ威力ヲ示シテ其ノ重役等ヲ威迫シ、因テ該株主総会ノ開催ヲ不能ナラシメ、之ヲ流会スルノ止ムナキニ至ラシムル目的ヲ以テ同会社ニ立入」つたときは、たとい右総会を流会に導くことが同会社取締役の一人の意思に反しないものであつても、会社の意思に反することは明白であるから、その行為は刑法一三〇条にいわゆる故なく侵入した者に該当する（大判昭九・一二・二九刑集一三・一三九九）。

三　決　議

（一）決議の方法

(1)　通常決議　商法又は定款に別段の定めがないかぎり、総会の決議は原則として発行済株式総数（ただし商二四〇Ⅰ）の過半数に当る株式を有する株主が出席し、その議決権（ただし商二四〇Ⅱ）の過半数をもつて行う（商二三九Ⅰ）。

（イ）賛否の採決の方法については法律上特別の規定はなく、定款に別段の定めがないかぎり、挙手・起立・投票その他議案につき賛否を確認しうるならば、いかなる方法でもさしつかえない（【70】参照）。

【68】「会議ノ目的タル事項ノ賛否ニ付直ニ決議セラレタシトノ動議成立シ異議アリト云フ者ナク而モ否決スルコトニ賛成スル者ノ議決権ノ数カ過半数ナルコト明白ナル場合ニハ挙手起立投

票等ノ採決方法ニ依ラスシテ決議ヲ為スモ敢テ違法ニ非ラスト解スルヲ相当トス」(東京控判昭五・(ネ)三三三号新聞三四三三・一五)。

投票により採決を行う場合においても、賛否についての株主の議決権の数の計算が遺漏なく行いうるかぎり、必ずしも記名投票によることを要しない(しかし【69】の判決は、投票は性質上常に記名投票たるべきものとするようである。累積投票の場合につき、境・前掲講座(三)一〇一五頁参照)。また記名投票による場合でも、その氏名の「記載正確ナラス又ハ誤記アル場合ニ、他ノ証拠ニヨリ何人ノ投票ナルヤヲ明確ニ知リ得ルニ於テハ、其投票ヲ無効トスヘキ条理」なきことはいうまでもない【69】。

【69】「投票ハ其自体ニ於テ何人ノ投票ナルヤヲ知リ得ル為メ其氏名ヲ正確ニ記載スヘキハ勿論ナルモ其記載正確ナラス又ハ誤記アル場合ニ他ノ証拠ニヨリ何人ノ投票ナルヤヲ明確ニ知リ得ルニ於テハ其投票ヲ無効トスヘキ条理ナシ何トナレハ投票者ノ判然明確ナラサル場合ニ他ノ証拠ニ依リ之ヲ証明スルヲ得ストノ法則ナク又条理上ヨリ観察スルモ他ノ証拠ニ依リ証明セシムル為メ他ノ投票者又ハ其他ノ利害関係人ノ権利ヲ妨害スル所ナケレハナリ」(大判明三四・一〇・二八民録七・九・一七五)。

(ロ)　決議は、「定款ニ別段ノ定メナキ限リ、出席株主カ明認シ得ヘキ方法ニ於テ為シタル表決ノ結果、会議ノ目的トナレル議案ニ対スル賛成又ハ反対カソノ議決権ノ過半数ニ達セルコト明ナルニ至」った時において成立する。議長がその結果を宣言することは必ずしも必要でない【70】(同旨、東京控判昭一〇・二・一八新報四二八・一〇、田中(誠)・会社法二二五頁。反対、間・前掲八五頁、なお西原・前掲講座(三)八六六頁)。

【70】「株主総会ニ於ケル議事ノ方式ニ付テハ法律ニ特別ノ規定ナキヲ以テ定款ニ別段ノ定メナキ限リ出席株主カ明認シ得ヘキ方法ニ於テ為シタル表決ノ結果会議ノ目的ト為レル議案ニ対スル賛成又ハ反対カソノ議決権ノ過半数ニ達セルコト明ナルニ至リタル以上此ノ時ニ於テ其ノ可決又ハ否決ノ決議成立シタルモノト謂フヘ

ク必スシモ議長カ採決ニ入ル旨ヲ宣言シ表決ノ方法ヲ定メテ出席株主ニ告知シ出席株主カ其ノ方法ニ従ヒ表決ヲ為シタル後議長ニ於テ賛否孰レノ表決カ多数ナルヤヲ宣言スルコトヲ必要トスルモノニ非ス」（大判昭八・三・二四法学二・一三五六）。

この判決について注意すべきは、「出席株主が明認しうべき方法においてなしたる表決」と述べている点である。かかる方法で表決がなされるときは、出席株主は各自みずから表決の結果を確認することをうるから、議長がその結果を宣言することを要しないで決議の成立をみとめることができるのである。しかし、採決の方法として投票によつたような場合には、その表決の結果は直ちに出席株主において確認することはできないから、原則として議長がその結果を報告し当該総会においてこれを確認することを要し、この確認をなした時に決議が成立するものと解すべきであろう（前掲ジュリスト選書一九八頁、西原・前掲講座(三)八六六頁）。これに対しては、投票がなされた時に決議は客観的に成立し、ただその結果が不明であるにすぎないのだから、閉会後においてその結果を算定して株主に通知する措置をとることもさしつかえないとする見解がある（鈴木・前掲ジュリスト選書一九九頁）。右の大審院判決【70】も述べているように、本来決議は議案に対する表決の結果がその総会において明らかになつた時において成立するものというべきであるから、投票による表決の場合には、その性質上総会で投票の結果を確認することを要するものと解するのが妥当であるとおもう。

（ハ）　可否同数の場合には原案否決と解すべく、この場合の決定を議長に一任する旨の定款の規定は、株主平等の原則に反して無効である（多数説）。学説上これに反対の見解（松本・前掲二六四頁、田中(耕)・概論三六七頁、松田・概論一七六頁）

があり、下級審の判例のうちにも、「総会ノ決議ニ付可否同数ナルトキハ議長ハ自己ノ議決権ノ外ニ於テ裁決ス」る旨の定款の規定が有効であることを前提として、議長にかかる権能がみとめられている以上、議案につき特別の利害関係を有する者は議長となりえないと解したものがあることはすでに述べたとおりである(既出【63】)。

なお、右の定款の規定が通常問題とされるのは、議長が株主として議決権を行使した上でさらに裁決権を行使する場合、又は株主でない議長が裁決権を行使する場合についてであるが、時には、議長は可否同数の場合において裁決権を有する代りに、株主としては議決に加わりえない旨を定めることも考えられる(地方自治法一一六、中小企業等協同組合法五二Ⅰ Ⅲ等参照)。かような規定ならば、少なくとも可否同数の場合における決議の帰趨の点では、議長が裁決権を有せず、ただ株主として議決権を行使する場合とかわりはないわけであるが、しかし議長につき一般に株主としての議決権の行使を排除している点で違法たるを免れない。かりに右の規定が、議長が株主として決議に加わりえないのは議長としての裁決権を行使する場合に限る趣旨であるとするならば、この規定は実際上殆んど無意味なものというほかない。のみならず、株主総会の決議は株主の頭数によってではなく、その持株数に応ずる議決権の行使によって行われるのが建前であるから、株主としての議決権の行使を排除した上で議長たる地位にもとづく決定権を与えることは、株式会社の基本構造に反するものとして、理論的にも無効と解すべきではないかと思う(改正会社法の疑義と解明四八頁以下参照)。　次の判決【71】は、「可否同数ナルトキハ議長之ヲ決ス。但此場合ニ於テハ議長可否ノ権ニ加ルコトヲ得ス」という定款の定めがある場合に、議長がその持株につき議決権を行使した結果賛否同数となつたので、さらに裁決権を行使して原案を否決した事件に関するが、判旨は、右の定款の但書の規定は株主としての議決権行使を不当に制限するものであるから無効であるとし、結論において、単純に「可否同数の場合には議長の決するところによる」とする趣旨の定款の定めを適法なものとみとめている。

【71】「甲第三号証定款第二十一条ニ依レハ総会ノ議事ハ法律ニ別段ノ規定アル場合ノ外ハ出席株主決議権ノ過半数ヲ以テ之ヲ律シ可否同数ナルトキハ議長之ヲ決ス但此場合ニ於テハ議長可否ノ権ニ加ルコトヲ得ス総会ノ決議録ハ出席株主二名以上之ニ署名捺印シテ本会社ニ保存スルモノトスト規定アリ又原審証人等ノ証言ニ拠レハ同条但書制定ノ趣旨ハ元来被控訴会社ハ個人営業者カ鉄道省ノ方針タル一駅一店主義ニ基キ合同シ組織セラレタルモノナル関係上互ニ協調ヲ旨トシ会社ノ円満ナル発展ヲ期センカ為特ニ議長ノ専断ヲ防カントシ議長カ採決権ヲ行使スル場合ニハ株主トシテ議決権ヲ行使シ得サル旨ヲ明ニシタルモノナルコトヲ認ムルニ足レリ然レトモ株主ノ議決権ノ行使ハ商法第百六十二条但書ノ場合以外ニハ定款ヲ以テスルモ尚且之ヲ制限スルコトヲ得サルモノト解スルヲ相当トスルカ故ニ前記定款第二十一条但書ノ規定ハ株主ニ対シ拘束力ナク議長ハ同規定ニ不拘自己ノ持株ニ付テノ議決権ヲ行使シ得ヘキモノト言ハサルヘカラス」（宮城控判昭六・八・一一三新聞三三一二・一〇）。

(2)　特別決議　定款の変更等のいわゆる特別決議事項については、総会の決議は、発行済株式総数の過半数に当る株式を有する株主が出席し（一部の株主に対し総会招集の通知をなさなかつた場合でも、それらの株主を除外して右の定足数を算定しうべきものでないことはもちろんである。東京地判昭一一・一二・二二評論二六商法四七七）、その議決権の三分の二以上に当る多数をもつてなすことを要する（商三四三・三四二・二四五I・二五七II・二八〇・二八〇ノ二II・二九三ノ二I・三四一ノ二II・三七五・四〇五・四〇六・四〇八III等）。ただしこの要件を欠いてなされた決議も、決議として当然に不成立となるわけではなく、ただ決議の方法が法令に違反するものとして取消の訴に服するにとどまる（商二四七I）。昭和一三年の商法改正前における判例（大判大一〇・七・二七民録二七・一四二二、同昭四・四・八民集八・二六九、同昭五・一〇・一〇民集九・一〇三八、既出【55】等）は、通常決議において定足数に関する定款の定めに違反したときは決議取消の原因となるにすぎないが（昭和二五年の改正前の商法は、通常決議については定足数の定めをしていなかった）、特別決議について定足数を欠くときは、法の強行規定に違反するものとして決議は当然に無効であるとしていた。しかし当時にあつても、特別決議につき定足数を欠く場合も理論上は決議の成立過程における瑕疵として、単に取消の訴に服するにすぎないものと解するのが正当であるとして、学説の多数（竹田・論叢二六巻一五六頁、片山・前掲六〇四頁、田中（耕）・判民昭四年度二五事件、同・判民昭五年度一〇五事件。反対、松本・前掲二六五頁、板倉・論叢一六巻三三四頁以下）は、右の判例に反対していた。いずれにせよ、昭和一三年の改正により現行商法二四七条一項後段の規定が設けられたので、この問題は解消するに至つたわけである。

（二）決議事項

株主総会において決議しうべき事項は、商法又は定款に規定のある事項に限り（商二三〇ノ三）、総会がこれ以外の事項について決議しても、その決議は法律上当然に無効である（後出、東京地判昭二七・三・二八下級民集三・三・四二八【167】）。

また、株主総会の権限に属する事項でも、特定の総会で決議しうべき事項は、その総会の招集の通知又は公告に掲げた事項に限り、総会がその範囲を越えて決議したときは取消の訴に服する【101】【102】【88】。定款の規定をもつてしても、通知又は公告に掲げない事項についてなされた決議を有効とすることはできない（民六四参照）（反対、大阪地決大三・五・二二新聞九五三・二八）。従つて例えば、「取締役増員の件」として通知された総会において取締役の解任を決議し【72】、「工場工事の報告、会社経営に関する件」という通知のもとに資本減少を決議し（東京控判昭七・五・二〇新聞三四三八・一六）、計算書類の承認の件についてのみ通知された総会において取締役の選任を決議したときは（東京控判昭八・四・二五商事判例集追録（三）一三九）、その決議はいずれも取消を免れないが、そのほか例えば、「取締役三名選任の件」として通知された総会において、これを増員して五名の取締役を選任するがごときも許されないものというべきである（鈴木等・ジュリスト一九号三六頁、大隅・園部・前掲二二頁、前掲ジュリスト選書二九頁以下一九三頁以下参照）。

なお昭和一二年の東京地方裁判所の判決【73】は、取締役甲の辞任による補欠取締役選任の総会招集の通知をなしたところ、総会開催前に甲が辞任を撤回したので、総会では乙を甲の補欠としてではなく取締役の増員として選任した事案において、補欠として取締役を選任することと取締役増員の目的で新たに選任することとは会議の目的として同一ではないという理由の下に、その決議の取消をみとめている（判決と同旨、朝山・株主総会の法律実務九一頁）。もしこの事件において、会社が定款をもつて、欠員取締役の補充として選任された取締役の任期は前任者の残任期間とする旨の規定を設けていたとすれば、判旨は必ずしも不当とはいえないであろうが、そうでないとすれば、両者が決議の目的として同一でないものとは解し難く、判旨は正当とはいえないとおもう。もつとも、学説においては、任期満了前に退任した場合にその補充として選任された取締役の任期は、性質上当然に退任取締役の残任期間たるべきものと解する説がある。その解釈の当否はともかくとして（大隅・園部・前掲四四頁）、判旨がかような見解の下に補欠取締役の選任と増員としての取締役の選任とを同視しえないとするのであれば問題は別であるが、しかしその点は明らかではない。また取締役増員のために定款所定の取締役の員数の増加を必要とする場合であれば、別にこれに関する定款変更の通知をなし、まず定款変更をした上で取締役の選任をしなければならないことはいうまでもないが、本件ではこの点も問題とならなかつたようである。

【72】「被控訴人は右臨時株主総会における被控訴人の取締役たることを解任する旨の決議は予め各株主に通知のなかつたことであるから、右決議は商法第二百三十二条第二項によつて違法であり取消さるべきものであると主張するのに対し、被控訴会社は右臨時株主総会の会議の目的事項の通知に取締役解任の件という記載のなかつたことは認めるが、その記載に係る取締役増員の件というのにおのづから取締役解任の件も包含されておるものであるから結局取締役解任の件も通知されたものであると抗争するにより按ずるに取締役増員は従来からの取締役を解任することに関係なく行いうることであるのみならず、単に取締役増員とのみいえば従来の取締役はこれをその儘として変更せず、新に取締役を増員することと解するのが普通であるから、取締役増員の件なる通知にはおのづから取締役解任の件の通知を包含するという見解は採用し難く、従つて本件係争の決議は予め株主に通知のなかつた事項についてなされたものとなさざるを得ないのである」（名古屋高判昭二九・五・二六下級民集五・五・七三八）。

【73】「前任取締役ノ辞任ニ因リ其ノ補欠ノ為ニ取締役ヲ選任スルコトト辞任取締役ノ補欠トシテニ非ス取締役増員ノ目的ニテ新ニ取締役ヲ選任スルコトトハ株主総会ノ会議ノ目的トシテ彼此同一ニアラス従テ前者ノ通知ヲ以テ後者ノ趣旨カ之ニ包含セラルルモノニアラスト解スルヲ相当トス然ラハ本件臨時株主総会ハ原告ニ対スル前示通知ニ会議ノ目的トシテ記載セラレタル事項以外ノ事項ヲ決議シタルモノニシテ畢竟右決議ハ商法第百五十六条第二項所定ノ手続ニ違背シタル不法アルモノト謂ハサルヘカラス」（東京地判昭一二・二・九評論二六商法一八六）。

右のように、特定の総会において決議しうべき事項はその総会の招集通知に掲げた事項に限られるが、しかしその範囲内でならば、原案を修正して決議することももちろんさしつかえない（同旨、大阪地決大三・五・二三新聞九五三・二八）。しかし、その修正は無制限に許されるものではなく、会議の目的たる事項をあらかじめ株主に通知することを要求する法の趣旨に背反することは許されない。具体的にいかなる程度の修正が許さるべき原案の修正とみとめられるかは、株主に通知された会議の目的たる事項から見て、その修正が一般に株主の予見しうべき範囲内に属するかどうかを標準として、各場合につき決するほかない（既出【28】参照）。例えば、利益金処分の議案において配当予定金額を増減し、取締役の報酬決定の議案において報酬額を減少し（前掲ジュリスト選書一九五頁以下参照）、また取締役数名選任の議案においてこれを減員すること（ただし累積投票の請求があつた場合には通知のあつた通りの員数を選任しなければならない。鈴木等・ジュリスト一九号二〇頁、大隅・園部・前掲二二頁）などは、いずれも許される。これに反して、取締役の報酬決定の議案において報酬額を増加し、また取締役三名選任の議案においてこれを五名に増加するがごとき修正は、許されないものと解すべきであろう。

四 総会の終結

議事日程の全部を終了し、議長が閉会の宣言をすれば、総会は当然に終結するが、議事日程の終了前でも、総会がその続行を決議し又は審議の打切りや議案の削除を決議したときは、総会は有効に終結する。

問題は、総会の議長がその専権をもつて議事日程の終了前に総会を終結せしめうるか否かである。これにつき昭和一四年の東京地方裁判所の判決【74】は、総会の閉会等はこれに関する総会の有効な決議が存しないかぎり議長の専権に属し、議長において株主の意思に反する閉会の宣言をなした場合でも、議長の責任の問題を生ずることは別として、その宣言自体は有効と解すべきであるとしている（そのほか、大阪地判昭九・一〇・一一新聞三七九八・一二、大阪地決大三・五・二二新聞九五三・二八等も、出席株主の資格調査等の正当な理由があれば、議長において当然に総会を終結せしめうるとする）。しかし、総会の終結が出席株主の意思であれば議長において閉会の宣言をなしうることはいうまでもないが、株主の意思に反して議長が一方的に総会を終結せしめうるものと解することはできない。むしろ議長は、所定の会日においてできるだけ議事日程の全部を終了せしめるよう適切な議事の運営をはかる職責を有するのであつて、審議の継続が可能であるにもかかわらず、議長において一方的に議案の削除や審議の打切りを宣言したときは、議長としての責任の問題を生ずるのはもとより、その宣言自体を無効と解しなければならない（前掲ジュリスト一七七頁、西原・前掲講座(三)八六九頁、松田・鈴木(忠)・条解二一四頁、濱・判例評論六号一〇頁）。最近の下級審判決は、議長が、はじめから総会を流会に導く考えで、議場の一時の混乱を幸いにあえて閉会宣言をなした事件【75】、及び定足数の不足を理由に、株主の異議を無視して閉会後直ちに閉会宣言をなした事件【76】において、このことをみとめている。

【74】　「株主総会ノ開会後ニ於ケル議事進行及延会閉会等ハ此点ニ付総会ニ於テ有効ナル決議成立セサル限リ一ニ議長ノ専権ニ属シ仮令議長ニ於テ決議成立前ニ出席株主多数ノ意思ニ反スルコトヲ予期シ乍ラ不当ニ延会又ハ閉会ヲ宣シタル場合ニ於テモ斯ノ如キ不当ナル処分ヲ為シタル議長カ其ノ責任ヲ負担シ又ハ株主ニ於テ商法第百六十条〈現商二三七条〉ニ基ク請求ヲ為シ得ヘキコトアルハ格別右延会乃至閉会ノ宣言自体ハ其ノ効力ヲ左右セラルルモノニ非スト解スヘキヲ以テ本件株主総会ハ右太田ノ為シタル延会ノ宣言ニ依リ確定的ニ同年四月五日ニ延会セラレ之ヲ以テ当日ノ議事ヲ終了シタルモノト謂フヘク右ニ反スル原告ノ主張ハ之ヲ採用セス」（東京地判昭一四・一一・七新聞四五〇〇・一四）。

【75】　「以上の事実によれば、八月三十日の総会において、議長藤倉は、その同調者とともにはじめから流会にしようという考えを持つていて、議場が一時乱れたのを幸にして、法律上も事実上も、議事に入ることが可能であるにかゝわらず、あえて議事に入ることをさけ、閉会を宣言して一味の者とともに退場したのであり、このように議長が総会の議事進行についての権限を濫用した場合には、たとえ総会を終了する旨の宣言をしても、総会はこれによつて終ることなく、議長及び退席者は自らその権限及び権利の行使をせずして任意退場し

たに過ぎないとみるのが相当である。したがつて、金子等残留株主によつてなされた延期の決議はもとより適法であるといわなければならない」（東京地判昭二九・五・七 下級民集五・五・六三二）。

【76】「債権者等は、右定期総会は脇本議長のいわゆる流会宣言により終了したから、爾後残留株主において決議したとしても株主総会ないしその決議は存在しないと主張する。

しかしながら、いわゆる定足数は、特別決議を必要とする総会においてもその総会の成立要件でないことは、定足数不足の総会決議も総会決議取消の訴に服するところから明白であるのみならず、成立につき争のない疏甲第五号証によれば、債権者等主張の第一、第三号議案の決議は、債務者会社の定款上、定足数を必要としないことが認められるし、一旦総会が開催された場合においては、もはや招集権者のみならず、議長も議案を残しながら総会に諮らずして閉会を宣言するのは違法であり、かゝる宣言は無効であるから総会に諮らずに行つた脇本議長の閉会（同議長は、「流会」の語を使つているが、この場合「閉会」といつても差異はない）の宣言は、無効といわざるをえない。従つて、脇本議長が閉会を宣した当初から同人の退場後もその場に残留した大多数の株主出席のまま、引続き総会は、開催されているものといわねばならない」（神戸地判昭三一・二・一 下級民集七・二・一八五）。

或いは議場が混乱に陥り、或いは総会は閉会されたが決議に必要な定足数に達する株主の出席をうる見込がない結果、審議の継続が事実上困難となつたような場合でも、事情の許すかぎり、議長は総会に諮った上で閉会を宣言するなり、総会の延期又は続行の決議を求める等の処置をとるべきである（西原・前掲講座（三）八六九頁参照、なお、鈴木等「東電事件をめぐる法律問題」ジュリスト一四号三四頁以下）。つぎの判決【77】は、議場が混乱に陥り到底議事を進行しえなかつたので、議長がただ閉会と独語して退場したところ、株主が残留して総会を継続した事件に関するが、判旨は、この場合の残留株主の決議は法律上不存在とはいえないものとしている。なおこの事件における総会は少数株主の招集したものであるが、定款の規定により社長が議長となつたので、これにつき株主が異議を唱えている。判決はこの点を問題としていないが、少数株主の招集した総会においては定款により社長が当然に議長となるものではなく、総会における互選により議長を選出すべきことは既述のとおりであって、この点からいっても本件の「総会ハ未タ閉会セサリシ」ものと解しなければならないであろう。

【77】「控訴人カ前叙ノ如ク閉会ヲ宣シ議長トシテ議案ヲ附議セントシタルモ株主等ハ社長ノ招集セル株主総会ニアラサレハ控訴人ニ於テ議長タルヘキモノニアラスト異議ヲ唱ヘ代理ニ依ル株主ノ委任状ヲ提出スル者ナク又別席ニアリテ会場ニ列セサル株主モアリテ頗ル混乱ノ状態ニ陥リ到底議事ヲ進行スル能ハサリシヲ以テ控訴人ハ未タ何等ノ決議ヲ為スニ至ラス約二十分間ノ後唯閉会ト独語シナカラ株主甲乙丙等ト共ニ退場シタルニ依リ前記竜平カ株主等ヨリ推挙セラレテ議長トナリ出席株主八十七名其ノ株式数千五株内代理委任状ニヨル株主五十六名此ノ株式数六百二十株アリトシテ議事ニ入リ全会一致ヲ以テ本件決議ヲ為シ同四時三十分マテニ閉会シタルモノナルコトヲ確メ得ヘシ左レハ本件決議ヲ為シタル株主総会ハ前示招集通知ニ依ル株主総会カ控訴人ノ閉会宣言後混乱ニ陥リ未タ閉会セサリシヲ右竜平カ議長トシテ継続シタルモノニ外ナラス従テ本件決議ハ何等ノ招集通知ナキ株主総会ニ於テ議セラレタルモノト謂フヲ得ス」（東京控判昭三・判決月日不詳民集八・二八四）。

議長による総会の閉会宣言が無効な場合には、残留株主は他の議長を選出して審議を継続することができるわけである。しかしその決議は、「何等ノ招集通知ナキ株主総会ニ於テ議セラレタルモノト謂フヲ得」ない【77】にしても、もし議長の閉会宣言により総会が有効に終結したものと解して退場した株主があるときは、なお決議取消の訴に服するものというほかないであろう（前掲ジュリスト選書一七七頁以下、西原・前掲講座(三)八六九頁）。前記の【75】【76】【77】の判決はいずれも、単なる決議不存在の主張にこたえたものにすぎない。

五　議事録

株主総会の議事については議事録を作り、議事の経過の要領及びその結果を記載し、議長並に出席した取締役が署名しなければならない（商二四四）。議事録は総会開催の事実・議事の経過及びその結果につき会社の利益のためにも不利益においても一応の証拠となる【78】。しかし唯一の証拠方法ではなく、他の証拠によりその記載の真実と異なることを主張し、これを補充し変更することができる（取締役会議事録につき、東京地判昭二八・一二・二八判タ三七・八〇）。

【78】「本件臨時株主総会ノ開催及其ノ決議ノ存在スルコトハ前論旨ニ付説明シタル如クニシテ其ノ日時カ昭和十年一月十日午後三時頃ナルコトハ原判示挙示ノ証拠ニ依リ之ヲ認定シ得ラレサルニ非ス」「而シテ右臨時株主総会ニ関スル書類トシテハ単ニ乙第一号証ノ決議録カ存在スルノミニシテ之ニ附属スヘキ委任状株主出席簿等カ存在セストスルモ之ニ依リ直チニ本件臨時株主総会ノ開催並決議ノ存在ヲ否定セサルヘカラサルモノニ非ス」（大判昭一六・三・二五新聞四七〇一・一六）。

議事録の作成義務者は、その総会における議長である。議事録には、議長のほか出席した取締役（代表取締役に限らない）の全員が署名することを要するが（商二四四II）、その署名は議事録の内容を確認する意味をもつにすぎないものと解すべきであって、署名した取締役の全員をもって作成者と解することは正当でない。もっとも代表取締役は議事録を本店及び支店に備え置くことを要するから（商二六三I）、議長をしてその作成をなさしめる義務があるものと解すべきであろう（前掲ジュリスト選書一八二頁、取締役会議事録につき、大隅・園部・前掲七二頁。これに対し代表取締役を作成義務者とする見解もある。例えば、石井・ジュリスト一八号二七頁、西原・前掲講座(三)八七一頁）。なお、故意に議事録に記載すべき事項を記載せず又は不実の記載をしたときは、取締役は過料の制裁を受け、場合によっては刑罰を科せられるが（商四九八I19）、この点につき総会の議事録は「総取締役又は会社を代表すべき取締役が取締役たる資格上自己の文書として作成すべきものにして、敢て会社を代表して会社の文書として作成すべき性質のものに非ずとも解し得るが故に、会社の取締役に於て之を作成し若は其代理人をして之を作成せしめたる以上は、縦令其の内容の記載に不実の点ありとするも、之を以て他人の署名文書を偽造したるものといふを得ず」とした判決（長崎控判大六・一二・二八新聞一三七四・二七）がある。

支店の設置・本店又は支店の移転その他の変更登記（非訟一八八II）、総会の決議による会社解散の登記（非訟一九三I）、会社合併による解散・変更の登記（非訟一九三I・一九三ノ二I3）など株主総会の決議を要する事項の登記の申請においては、その申請書に総会の議事録を添付することを要し、その添付がないか又は議事録の記載が不備な場合には、登記官吏はその申請を却下しなければならない（大決大七・一一・一五民録二四・二一八六【158】、大隅・山口・前掲三六頁参照。なお決議事項の登記申請手続については、黒木「株主総会決議事項の登記をめぐる諸問題」商事法務研究一一七号二頁以下・一一八号五頁以下参照）。この場合、決議の内容に関する議事録の記載に不備が存するのであれば、会社は他の証拠をもつてこれを補うことを許されるであろうが、議事録自体を添付せず、他の証拠の提出をもつてこれに代えることはできないものといわなければならない。けだし、議事録は決議に関する唯一の証拠ではないにしても、すでに商法が総会の議事につき議事録の作成を要求し、非訟事件手続法がこれにもとづいて議事録の添付を要求している以上、登記の申請に当つては、申請者は議事録の記載をもつて決議の事実を証明することを要し、登記所もまた議事録にもとづいてその審査をなすべきものとする趣旨と解せざるをえないからである。この点につき、資本減少の登記において、議事録には株式数の減少による資本減少の記載はあつたが、それと同時に行われた払込株金額減少の決議の記載がなかつたため、その登記が遺脱していたので、会社がこの決議を証明する証拠書類を添付して追加更正登記の申請をなした事件がある。登記所はその申請を却下したので、会社は議事録は決議の事実を証明する唯一の証拠ではないと主張して争つたが、大審院はその主張を排斥している【79】。しかし、登記制度の目的から見て、更正登記をみとめるのが正当ではないかと考える。

【79】「株式会社ノ登記事項ニシテ株主総会ノ決議ヲ要スルモノニ付登記ヲ申請スルニハ総会ノ決議録ヲ以テ其ノ決議ヲ経タルコトヲ証明スルヲ要シ他ノ証拠ヲ以テ之ヲ補フコトヲ得ス是レ非訟事件手続法第百八十八条第三項ニ於テ此ノ如キ事項ノ登記申請書ニハ株主総会ノ決議録ヲ添付スルコトヲ要件トシタル所以ナリ」（大決大一二・一二・四新聞二二一〇・一三）。

五　決議の瑕疵

一　序　説

実際上、株主総会について法律上の紛争を生ずるのは、その決議の効力をめぐつてである。そして総会の決議の効力が問題とされるのは、何らかの点において決議に瑕疵がある場合であることはいうまでもない。その意味において、株主総会に関する法律問題はその決議の瑕疵に関連して集中的にあらわれるものといつてさしつかえない。株主総会の決議の瑕疵は、その決議の成立手続について存することもあれば、またその内容について存することもある。

総会招集の手続又はその決議の方法に関する法令違反がとくに著しく、法律上の意味における株主総会又はその決議の成立をみとめえない場合には、一般原則により、何人から何時でもいかなる方法によつても、決議の不存在を主張することができ、必要があれば決議不存在確認の訴を提起することができる。

法律上総会の決議とみとめうべきものが成立した場合でも、或いはその決議成立の手続において、或いはその内容において法の強行規定又は定款に違反し、瑕疵を帯びることがある。この場合にも、純理からすれば、その決議は法律上株主総会の決議たる効力を有しないはずであるが、商法は、このうちとくに決議の成立手続に瑕疵がある場合、すなわち総会招集の手続又は決議の方法が法令もしくは定款に違反し又は著しく不公正な場合には、決議は当然には無効でなく、訴をもつてこれを取消しうべきものとするとともに（商二四七）、決議の内容が法令定款に違反する場合には決議は当然に無効であり、決議無効確認の訴の対象となるものとしている（商二五二）。

株主総会の決議の取消又は無効の訴に関する制度は、明治三二年の現行商法制定後、明治四四年及び昭和一三年の二度にわたり重要な改正を経ているが、右のように、決議の内容について瑕疵があれば決議は当然に無効であるが、決議の成立過程に瑕疵があるときは決議取消の訴に服するにとどまるとすることは、これらの改正を通じてかわらない商法の基本的な立場である（石井「株主総会決議の瑕疵」講座（三）九四一頁、同・株主総会の研究二〇九頁）。

(1)　明治四四年の改正（法七三号）前　明治四四年の改正前の商法一六三条は、「総会招集ノ手続又ハ其決議ノ方法カ法令又ハ定款ニ反スルトキハ、株主ハ其決議ノ無効ノ宣告ヲ裁判所ニ請求スルコトヲ得」、「前項ノ請求ハ決議ノ日ヨリ一ヶ月内ニ之ヲ為スコトヲ要ス」とするとともに、決議の内容が法令・定款に違反する場合については、特別の規定を設けていなかった。同法が、総会の決議に法令定款違反の瑕疵があるときは、原則として決議は当然に無効であるが、ただその瑕疵が総会招集の手続又は決議の方法に関するものである場合には、とくに一定期間内に限り、株主においてその決議の「無効宣告」を裁判所に請求しうるとする構想に立つものであることは明らかである。しかし、そのいわゆる「無効の宣告」が法律上いかなる性質及び効果をもつかの点については、必ずしも明瞭ではなかつた（当時の学説の見解については、石井・前掲講座(三)九四一頁、同・株主総会の研究一二二頁以下、松田「いわゆる株主総会決議無効確認の訴について」岩松裁判官還暦記念論文集一九五頁参照）。もつとも判例は、早くからこれが決議取消の性質をもつものであることをみとめ、決議の成立手続の瑕疵を理由とする決議無効の主張は、同条の訴をもつてのみなしうるものとし【80】、法がその請求を一定期間内に限つていることからして、「総会ノ決議無効ノ宣告ヲ裁判所ニ請求スルコトヲ株主ニ許シタル規定ハ、株主ノ取消権ヲ認メ之ニ基キテ其取消ヲ為サシムルモノ」なりとし【81】、従つて無効の宣告があるまでは決議は有効と解すべきものである【82】【83】とする趣旨の判決をくりかえしていた（もつとも当時の下級審判例のうちには、無効の宣告は有効な決議を将来に向つて失効せしめるものであるとして、判決の遡及効を否定するものもあつた。例えば、大阪地判明三五・一一・一七新聞一二一・九）。

【80】「此判旨タル要スルニ明治三十年四月十五日ノ総会ハ真正ノ株主ヲ招集シタルモノト認ムルヲ得サルヲ以テ同総会ニ於テ選挙セラレタル役員ハ無効ニシテ従テ其役員ノ為シタル公売処分ハ無効ナリト云フニ在ルヲ以テ即チ総会招集ノ手続不当ナリト云フノ故ヲ以テ総会ノ決議即チ役員ノ選挙ヲ無効ナリト認メ以テ公売処

分ヲ無効ト断定シタルモノナリ凡ソ株式会社ノ総会招集ノ手続又ハ其決議ノ方法カ不法ナルノ故ヲ以テ総会ノ決議ヲ無効ト為スニハ旧商法ニ依リタルモノナルト新商法ニ基キタルモノナルトヲ問ハス訴ヲ以テ無効タルノ宣告ヲ受ケサル可カラサルモノニシテ無効ノ宣告ヲ受ケタル事実ナキ総会ノ決議ニ対シ漫ニ之ヲ無効視スルコトヲ得サルコトハ商法第百六十三条（中略）商法施行法第四十八条（中略）ニ依リ自ラ明ナリ然ルニ原判決ハ前掲ノ如ク明治三十年四月十五日ノ総会決議ノ曾テ無効ノ宣告ヲ受ケタル事実ヲモ認メス恰モ総会招集ノ手続ニ不当ノ廉アレハ其決議カ当然無効ナルカ如ク断定シタルハ株主総会ノ決議無効ニ関スル法則ヲ不当ニ適用シタル不法ヲ免カレサルモノトス」（大判明三五・七・四民録八・七・一九）。

【81】「商法第百六十三条ニ於テ総会ノ決議無効ノ宣告ヲ裁判所ニ請求スルコトヲ株主ニ許シタル規定ハ上告論旨（註――決議無効の宣告は判決前から無効な決議をその状態に応じて無効と宣言するものであり、法が一ケ月の期間を限つたのは、その間株主に異議がなければ、むしろ決議を有効とするのが公益に適うからである、という主張）ノ如キ法意ニアラスシテ株主ノ取消権ヲ認メ之ニ基キテ其取消ヲ為サシムルモノナルコトハ同条第二項ニ於テ取消ヲ請求スル期間ヲ限定シ其期間経過ノ後ハ決議ノ有効ニ確定スヘキモノナルコトヲ示シタルニ依テ明瞭ナリ」（大判明三六・四・六民録九・三八三）。

【82】「商法第百六十三条ニ該当スル決議ハ裁判所ノ無効ノ宣告アルニ非レハ有効ナルコトハ同条第二項ニ右無効宣告ノ請求ヲ為スヘキ期間ヲ限定スルニ依テモ明白ナルコトハ既ニ当院ノ判示セルカ如シ（明治三十五年（オ）第六四〇号同三十六年四月六日判決参照）」（大判明四〇・一・二四民録一三・一〇）。

【83】「商法第百六十三条ニ規定セル株主総会ノ決議ハ当然無効ナルモノニアラス裁判所ノ宣告ヲ待チテ始メテ無効トナルモノナレハ現ニ解散ノ状態ニ在ル会社ニ対シテハ清算人ヲ会社ノ代表者トシテ右決議無効ノ請求ヲ為スヲ相当トス」（大判明四二・三・二五民録一五・二五〇。同旨、大判明三八・四・一九民録一一・五二八）。

(2)　明治四四年の改正法　明治四四年の改正においては、右の商法一六三条の規定の不備を補正する目的をもつて、商法一六三条ないし一六三条の四において新たに詳細な規定が設けられた。なかんずく株主の濫訴の弊を防止する趣旨の下に、株主による訴の提起につき一定の要件が設けられるとともに(一六三Ⅱ)、「総会招集ノ手続又ハ其決議ノ方法カ法令又ハ定款ニ反スルトキハ、株主、取締役又ハ監査役ハ訴ヲ以テノミ其決議ノ無効ヲ主張スルコトヲ得」るものとして(一六三Ⅰ)、決議の無効の主張が訴の方法に限られることが明らかにされるに至つた。従つてこの明治四四年の改正法においても、決議の成立過程に関する瑕疵は決議取消の訴の原因たるにすぎない、とする従前の商法の立場に基本的な変更はないものといいうるのであつて(石井・株主総会の研究二一一頁参照)、通説も明瞭にこれが決議取消の訴であることをみとめていた(松本・前掲二六九頁以下、同・法協五〇巻九号二一〇頁、竹田「株主総会決議無効の判決の第三者に対する効力」民商四巻四七一頁、田中(耕)・会社法概論四八七頁、田中(誠)・会社法提要四四七頁、板倉「株主総会決議の無効に就て」論叢一六巻二一頁以下)。また判例も、その多数は従来の見解を踏襲し、決議の成立手続に関する瑕疵は決議を当然に無効とするものではなく、これを無効とするには無効宣言の判決を要するものと解していた【84】【85】【86】(同旨、【102】、東京控判明四五・四・一九新聞七九九・二一、同明四五・五・二〇新聞七九四・二〇、京城地判大三・一二・二一新聞一〇〇四・二六、東京地判大一〇・二・一二評論一〇商法八二、同大一〇・九・一三評論一〇商法四二二、同大一一・三・六新聞一九九一・二一、同大一一・三・二八新聞一九九五・一八、東京控判昭六・二・六新聞三二五六・一六、同昭七・五・二〇新聞三四三八・一六、同昭八・一二・一五新聞三六六三・八、東京控決昭九・八・二五新聞三七五五・一五、東京地判昭一一・一二・一八新聞四一〇二・一九)。しかしながら、法文上は依然として決議の取消なる用語を用いなかつたのみならず、むしろ従前の「決議無効の宣告」なる語句を改めて、「決議の無効を主張」なる語を用いたため、学説のうちには、右の訴は当初より無効な決議につき、その無効なことを宣言するものであるとする見解(例えば、片山・前掲六二九頁)もないではなく、判例にも、「決議無効ノ判決ハ決議カ当初ヨリ無効ナルコトヲ確定スルモノニシテ、若シ法定期間内ニ決議無効ノ訴ヲ提起スル者無クンハ、決議ハ法律上有効トナル結果ヲ生スルニ過キサル」もの【87】(同旨、【151】【156】、大阪控判大五・九・九新聞二七四・二七、長崎控判昭五・二・二七新聞三〇九九・五等）と説くものを生ずるに至つた。しかしこれらの判例も、その趣旨とするところは、もつぱら決議無効判決の効果が遡及し、決議が当初から無効となることをいわんとするにあつたのであつて、判決確定前において既に決議が当然に無効なものとして取扱わるべきかのように述べている点で、表現の不適当なことはともかくとして（この点において【87】の判旨を批難するものとして、松本・前掲二七六頁、同・判民昭六年度七二事件）、必ずしも通説及び多数判例の見解とその立場を異にするものとはいい難いのである（【87】の判旨参照。片山・前掲六三〇頁の主張も、その本旨は無効判決の効力が遡及することを指摘するにあるものと思われる）。ことにかような特殊の無効の訴の制度は、「総会ノ決議カ存在セサルカ又ハ其内容ニ於テ法令又ハ定款ニ違反シ当然無効ナル場合ニ適用スヘキモノニアラス」して（大判大一〇・九・二八民録二七・一六四六【90】、同昭二・一〇・七新聞二七七一・一三、同昭七・二・一二民集一一・二〇七【7】、同昭九・一二・一八新聞三七九六・一七【91】、同昭一〇・七・二法学五・二・一二七）、かかる場合の訴は通常の無効確認の訴によるとする点で、とくに異論を述べるものはみられなかつたのである。

【84】「株主総会ノ決議ハ其ノ内容ニ於テ法令中ノ公益規定又ハ会社定款ノ規定ニ違反スルモノナルトキハ当然無効タルヘクシテ敢テ其ノ無効タルコトヲ宣言スル判決アルコトヲ俟タスト雖之ニ反シ単ニ其ノ招集ノ手続又ハ決議ノ方法カ法令又ハ会社定款ニ違反スト云フニ過キサル場合ニ於テハ当然無効ニ非ス之ヲ無効トスルニハ其ノ無効タルコトヲ宣言シタル確定判決アルコトヲ要スルモノトス」（大判昭四・六・二二新聞三〇七七・一〇）。

【85】「原審ノ確定シタル事実関係ノ下ニ於テハ本件株主総会ノ決議ハ固ヨリ其ノ招集ノ手続又ハ決議ノ方法ニ付瑕疵アリト為スヘキコト所論ノ如シト雖之ヲ無効ト為ス判決ナキ以上該決議ハ一応有効ニ成立シタルモノト解スヘキモノナルコト原判決ノ説示スル通リナリトス」（大判昭一二・一〇・一四大判全集四・一〇二六、法学七・一三三）。

【86】「商法第百六十三条ハ株主総会ノ決議ハ裁判所ノ無効宣言アル迄ハ有効ニ存在スルモ株主ノ利益ヲ保護スル目的ヨリ総会招集ノ手続又ハ決議ノ方法カ法令又ハ定款ニ違背シタルカ為メ株主ヨリ一箇月内ニ其無効

宣言ヲ請求スルコトヲ許シタル規定ナレハ総会決議カ法令又ハ定款ニ違背シ其内容ニ於テ当然無効ナルトキ各株主ニ於テ其無効ヲ主張スル訴権アリヤ否ヤハ一般ノ原則ニ依リテ解決セサルヘカラス」（大判大二・六・二八民録一九・五三〇）。

【87】「按スルニ株主総会ノ決議ハ其招集ノ手続又ハ決議ノ方法カ法令又ハ定款ニ反スルトキハ当然無効ナルヲ以テ何人モ時ノ前後ヲ問ハス無条件ニテ其無効ヲ主張シ得ルハ理論上正当ナリト雖モ理論ニ一任シ何時ニテモ其無効ヲ主張シ得ルモノトセハ其決議ヲ前提トセル会社取引ノ権利関係ニ意外ノ錯雑ヲ来タシ当事者ノ利害ニ重大ノ影響ヲ及ホスコトアルヘク斯ノ如キハ立法上考慮スヘキ事項ニシテ商法第百六十三条以下ノ各規定モ主トシテ斯ノ如キ結果ヲ緩和センカ為メニ設ケラレタルニ外ナラス然レトモ此等ノ規定ハ其決議ヲ以テ無効ノ判決アルマテ有効ナリトシ判決ヲシテ決議カ将来ニ向テ無効ナルコトヲ宣言セシムル趣旨ニ非スシテ決議無効ノ判決ハ決議カ当初ヨリ無効ナルコトヲ確定スルモノニシテ若シ法定ノ期間内ニ決議無効ノ訴ヲ提起スル者無クンハ決議ハ法律上有効トナル結果ヲ生スルニ過キサル趣旨ノ規定ナリト解スルヲ相当ナリトス」（大判大一〇・七・一八民録二七・一三四六）。

(3)　昭和一三年の改正法　昭和一三年の改正法（法七二号）によって、従来の決議無効の訴は規定の上でも「取消の訴」なる表現を与えられるとともに、決議の内容が法令又は定款に違反することを理由とする決議無効確認の訴については、別に現在の二五二条の規定が設けられるに至つた。そしてまた決議取消の訴については、一方株主の訴提起の要件に関する規定（旧一六三II）を削除すると同時に、他方その濫用を防ぐために裁判所の裁量棄却をみとめる規定（商二五一）を新設するなどの改正が行われた。さらに昭和二五年の改正（法一六七号）に際して、決議取消の提訴権者から監査役を排除し、訴の提起期間を三月に伸長し、また裁判所の裁量棄却をみとめる第二五一条の規定を削除するなどの若干の改正が行われたが、その他の点では、昭和一三年の改正法をそのまま受けついで今日に至つているわけである。

二　決議の取消

(一)　総　説

(1)　総会招集の手続又は決議の方法が法令もしくは定款に違反し、又は著しく不公正なときは、株主又は取締役は訴をもつて決議の取消を請求することができる(商二四七I前段)。決議が法律又は定款に定めた定足数に達する株主の出席なくしてなされた場合も同様である(商二四七I後段)。このような決議に関する手続上の瑕疵は、瑕疵としても比較的軽微であり、かつその判定も技術的に困難であつて、かかる場合に「理論ニ一任シ何時ニテモ其無効ヲ主張シ得ルモノトセハ、其決議ヲ前提トセル会社取引ノ権利関係ニ意外ノ錯雑ヲ来シ、当事者ノ利害ニ重大ノ影響ヲ及ホスコトアルヘク、斯ノ如キハ立法上考慮スヘキ事項ニシテ、商法第百六十三条(現商二四七)以下ノ各規定モ主トシテ斯ノ如キ結果ヲ緩和センカ為メニ設ケラレタルニ外ナラ」ない(大判大一〇・七・一八民録二七・一三四六【87】)(通説。ただし、竹田・論叢二六巻一五九頁、石井・前掲講座(三)九四三頁参照)。

(2)　決議の成立手続に瑕疵がある場合におけるその取消は、訴によつてのみ主張することをうべく【88】【89】、かつその訴の性質は、判決があるまでは一応有効な決議を、その決議の時に遡つて無効とすることを目的とする形成の訴である(京都地判大二(ワ)二三七号新聞九三四・二二、東京地判昭一一・一二・一八新聞四一〇二・一九等)。

【88】　「株主総会ノ招集ニ当リ予メ通知セラレタル其ノ会議ノ目的タル事項中ニ株金払込ニ関スル件ニ付テノ記載ヲ欠キタルカ如キハ商法第百六十三条〈現商二四七条〉ニ所謂総会招集ノ手続又ハ其ノ決議ノ方法カ法令ニ反シタル場合ニ該当シ其ノ決議ノ無効ハ訴ヲ以テノミ之ヲ主張シ得ルコトハ同条ノ規定ニ照シテ一点ノ疑ナキ所ナルヲ以テ原審カ論旨摘録ノ如ク判示シ本訴請求ニ対スル防禦方法トシテ右決議ノ無効ヲ主張スルニ過キサル上告人ノ抗弁ハ採用スルニ足ラスト為シタルハ正当ナリ」(大判昭八・六・六法学三・一〇四)。

【89】「株主カ株主総会招集ノ手続カ違法ナルコトヲ理由トシテ該総会ノ決議ノ無効ヲ主張スルニハ該決議無効ノ判決ヲ以テスルコトヲ要シ単ニ抗弁ヲ以テ之ヲ主張スルヲ得サルモノニシテ之ト反対ノ見解ニ基キ原判決ヲ攻撃スル本論旨ハ理由ナシ」（大判昭一三・二・二法学七・七九八）。

（二）訴の原因

(1) 決議不存在の場合との区別　上述のところにより決議取消の訴がみとめられるのは、総会招集の手続又は決議の方法が法令もしくは定款に違反し、又は著しく不公正な場合である。これは総会の決議は一応成立しているが、その成立の過程に法令・定款違反の瑕疵があるすべての場合をいうのであって（竹田・論叢二六巻一五九頁）、一方では決議の内容が法令又は定款に違反する場合（商五二）を含まないとともに、他方法律上の意味において総会の決議の成立をみとめることをえない場合も除外される【90】【91】【92】【7】（大判大一〇・九・二八民録二七・一六四六、長崎控決昭七・八・一五新聞三四五一・五、東京地判大五・五・三〇判例一民四四五、大阪地判大八・三・一九新聞一五七〇・六、東京地判昭四・一〇・四評論一九商法四三）。法律上総会決議の成立をみとめえない場合には、決議取消の訴をまつまでもなく、一般原則により、何人からでも、何時でも、またいかなる方法によっても決議の不存在を主張することができ、必要があれば決議不存在確認の訴を提起することをうるとするのが、通説及び判例の見解である（東京地判昭三〇・七・八下級民集六・七・一三八二【188】は、傍論として、決議不存在の場合も総会の成立過程に瑕疵があるのだから、訴提起期間の要件に合致するかぎり、決議取消の訴として、そこで成立したと称せられている決議の取消を求めうると述べているが、決議取消の訴は一応有効に成立した決議の取消の訴であり、はじめから決議の成立をみとめえない場合は取消の対象となりえないとする判例及び通説の理論からすれば、この見解は疑問というほかあるまい）。

【90】「商法第百六十三条＜現商二四七条＞第一項ハ株主総会ノ決議カ総会招集ノ手続又ハ決議ノ方法カ法令又ハ定款ニ反スル場合ニ之カ無効宣言ヲ請求スルコトヲ許シタル規定ナレハ総会ノ決議カ存在セサルカ又ハ

其内容ニ於テ法令又ハ定款ニ違反シ当然無効ナル場合ニ適用スヘキモノニアラス本件ニ在リテハ大正三年六月二十五日上告銀行取締役タリシ被上告人謹治カ監査役伊藤由太郎ト協議ノ上総会ノ招集ヲ為ササルハ勿論株主ノ出席モナク又其委任ヲモ受ケスシテ右両名カ甲第五号証ノ如ク上告銀行株主総会決議録ヲ作成シタリトノ事実ハ原院ノ認定セル所ニシテ従テ決議ハ存在セス仮ニ存在セリトスルモ絶対無効ニシテ商法第百六十三条ノ訴ヲ俟テ無効トナルヘキモノニアラスト判示シタルハ正当ニシテ論旨ハ理由ナシ」（大判大一〇・九・二八民録二七・一六四六）。

【91】「商法第百六十三条第一項ハ株主総会ノ存在ヲ前提トシ其ノ決議カ総会招集ノ手続又ハ決議ノ方法カ法令又ハ定款ニ反スル場合ニ之カ無効宣言ヲ請求スルコトヲ許シタル規定ナレハ総会ノ決議カ存在セサル場合ニハ其ノ適用ヲ見ルヘキモノニ非サルコト同条項ノ解釈上疑ナキ所ナリ」（大判昭九・一二・一八新聞三七九六・一七）。

【92】「（【155】の判旨に続く）本件ノ如ク当初ヨリ法律上効力アル決議ト認ムヘキモノナク当然無効ナル場合ニ之ニツキ商法第百六十三条ノ訴ヲ提起シ決議ヲ無効トナス創設判決ヲ求ムルカ如キハ之ヲ許容スヘキ筋合ニ非サルコト疑ヲ容レサルトコロナリト謂フヘク縦令右総会若クハ決議ナルモノニ付キ偶々商法第百六十三条所定ノ事実換言スレハ総会招集ノ手続又ハ決議ノ方法カ法令又ハ定款ニ反スル如キ事実モ亦存在シタリトスルモ此ノ故ヲ以テ商法第百六十三条ノ訴ヲ許容シ得ヘキニ非サルコト勿論ナリトス」（東京控判昭八・一二・一五新聞三六六三・八）。

総会開催の事実が全くなく、又は決議が事実上存在しないにもかかわらず、会社が議事録に虚偽の記載をなして決議があつたかのごとく仮装しているような場合には、決議は存在せず、何人からでも、何時でも、またいかなる方法によつてもその不存在を主張しうることは明らかであるが【90】（東京地判大五・五・三〇判例一民法四四四、東京地判大一四・一一・一八新聞二五二〇・一〇、仙台地古川支判昭二・六・二〇新聞二七三九・八、東京地判昭一一・一二・一八新聞四一〇二・一九、大阪地判昭二九・一一・一七下級民集五・一一・一八八六。前掲【91】もかかる事件における判決である。これに反して奈良地判昭二六・一一・一三下級民集二・一一・二五は、有限会社の社員総会につき、総会は一応開かれたが結局議案の採決がなされずして散会し、事実上決議が不成立ないし不存在とみられる場合でも、社員総会が一応開かれ、かつ決議が成立した旨の議事録が作成されその旨の登記を経由しているときは、形式上決議の成立をみとめると同時に、該決議がその手続において法令並びに定款に違反するものというべきであるとしているが、正当とはいえない。なお東京地判昭二九・六・二五下級民集五・六・九二三は、株券発行前に株式を譲受けた者のみが株主としてなした決議を、法律上不存在としている）、事実上株主の集会又はその決議とみとめうべきものが一応成立している場合でも、その手続に関する欠陥が著しく、法律上の意味における株主総会又はその決議の成立を容認しえないときは、やはりその決議は不存在と解しなければならない。従つて決議の成立手続に欠陥がある場合には、具体的にいかなる程度の欠陥が決議の不存在をもたらし、またいかなる程度の欠陥が決議取消の原因となるにとどまるかの区別につき、実際にははなはだ重要かつ困難な問題を生ぜざるをえない（具体的な事例につき決議の不存在と取消との限界を論じたものとして、竹田・民商四巻一頁以下、石井・株主総会の研究一八三頁以下参照）。ただごく一般的にいうならば、「およそ、社団の機関たる総会は社団の構成員全員の会議たるを本質とするから、構成員の全員が出席の機会を与えられるべきこと条理の当然であり、従つて、社団の構成員の集会が総会と認められるためには、招集権限ある者によつて社団の構成員全員にたいして総会を開く旨告知する処置がとられ、これによつて集まつたものであることが、最小限の要件である」（東京高判昭二五・四・二二下級民集一・五九〇）といえよう。かような見地からして、つぎに掲げるような場合には、その決議はいずれも法律上不存在と解しなければならない。ただしこれらの場合においても、株主全員が出席し総会を開くことに同意して決議をなした場合（全員出席総会）には、その決議は総会の決議たる効力を有するものと解すべきことはすでに述べた通りである。

（イ）　招集権者の招集によらない場合【93】

【93】　「株主総会ハ之ヲ招集スル権能ヲ有スル者ニヨリテ招集セラルヘキコトハ商法ノ規定ニ依リテ明カナル故ニ其招集ノ権能ナキ者ノ為シタル招集ハ元来株主総会ノ招集ト認ムヘカラサルカ故ニ従テ斯ル総会ニ於テ為シタル決議ハ亦株主総会ノ決議ト認ムヘカラス然レハ本件総会ハ全ク取締役タル資格ナカリシモノノ招集ニ

係ルヲ以テ其決議ハ亦無効ナリ」（東京地判明四〇・二・四新聞四一〇・二一。同旨、仙台控判明四一・三・二〇最近判例集二・一〇五、広島地判明四五・二・六新聞七七六・二四、東京控判大四・三・一五新聞一〇〇九・二二、東京地判大一一・一二・一一新聞二〇八八・一九、長崎控判大一〇・二・二四新聞一八二一・一九、東京控判昭八・一二・一五新聞三六六三・八、東京地判昭一〇・四・二四評論二四商法四六一、同昭二九・一二・二七判タ四四・五二、同昭三四・一・二六判時一七六・二九、なお既出【7】【18】）。

（ロ）　株主総会の招集通知とみとめえない場合【94】

【94】　「前記二月二十三日の会合の招集通知は従来の株主総会の招集の場合と異り商法所定の期間を存することなく委任状用紙を同封することなく株主総会なる文字を用ひずして懇談会なる名義を用ひ且其の会議の内容たる事項も株主総会の決議を要せざる事項を含み且つ株主総会としての意思決定（決議）を求むる趣旨の明確ならざること並右決議通知書に「株主懇談会を開き候処株主多数の動議に依り臨時株主総会成立致し云々」の文字あることを認め得べく叙上の事実に徴するときは右会合の席上臨時株主総会の決議として為されたる決議は畢竟株主総会の招集なくして為されたるものと認むるを相当とすべく右に反する債務者三木亦一本人の供述は措信し難く他に右認定を覆すに足る証拠なし然らば右決議は株主総会の決議として当然無効（不成立）なりと認むべし」（神戸地判昭一二・五・二八新聞四一四九・五）。

（ハ）　招集の通知洩れが著しい場合

一部の株主に対して招集通知が欠けているときは、招集手続の瑕疵として決議取消の原因となるにすぎないが【100】、その通知の欠缺が著しく、単に一部の株主にのみ通知がなされたにすぎないような場合には、有効な総会の招集はなく、これにもとづいてなされた総会の決議は当然に不存在と解しなければならない。このことは学説及び判例【95】【96】【97】上ほぼ異論のないところである。

もつとも、具体的にどの程度の通知の欠缺があれば総会の成立をみとめえないかの限界は、明瞭には定めがたいところであつて、結局は各個の場合につき株主総会の本質にかんがみて、これを判断するほかない。この点につき、昭和一二年の大審院判決【95】は、「其ノ通知ヲ発シタル株主ノ数著シク僅少ニシテ、社会通念ニ基キ殆ンド其ノ招集ノ通知ナキニ等シキ場合ニハ、之ニ基キ開催セラレタル集会ハ株主総会ト認メ得」ず、従つてその決議もまた当然に無効であるとしており、最近の下級審判決【97】もこの見解をとつている。また学説においても、単に個々的な株主の除外は決議の取消を惹起するにとどまるが、すべての株主の原則的除外は総会たるの観念を否定せしめるとする見解がある(石井・株主総会の研究一八四頁。同旨、河村・前掲二九五頁、西本・前掲二一二頁)。これらの見解からすれば、かなり多数の欠缺でも、当然には決議の不存在を惹起するものではないかのような結論にならざるをえないが、むしろ逆に、通知の欠缺が僅少であつて、社会通念上大体において株主全体に招集の通知があつたといいうる場合には、総会の決議としての成立をみとめうるが、そうでないときは決議不存在と解するのが妥当ではないかと思われる(竹田・民商四巻一三頁、大隅・商事法判例研究(2)一四一頁以下)。けだし法的安定のためには、決議不存在の場合をなるべく狭く解するのが妥当であるとしても、総会招集の通知は総会成立の基礎をなすものであり、その否定は直ちに総会の否定につながるものであつて、この場合と、一応株主の全員に対してなされた通知の内容に不備がある場合【101】【102】とを、同一に論ずることはできないからである(大隅・前掲一四二頁)。

いずれにしても、招集通知が発行済株式四万株中各一千株の株式を有する株主二名に対してのみ洩れているような場合には、決議取消の原因たるにすぎないものといいうるが【97】、これに反して、招集通知を受けて出席した株主が株主総数六九八六名中五三名のみの場合【95】、「招集洩れの株主が全株主九名のうち三分の二たる六名に達する場合」【96】、「発行済株式総数二万株のうち一万八千株につき正当株主に招集なく、僅か二千株の株主であるにすぎない者一名に対してのみ招集手続がとられているにすぎない」場合（東京地判昭二九・二・一九下級民集五・二・一九三）などにおいては、総会の決議としての成立をみとめえないことは当然であつて、【95】【96】【97】の判決の結論が正当なことについてはまず異論の余地がないであろう（菱田・商事判例研究ジュリスト一六三号五九頁は、右の東京地判昭二九・二・一九下級民集五・二・一九三に反対していられる）。もつとも【97】の判決が、一部の株主に対して通知が欠けている場合でも、「その株主の出席があつた場合には、他の株主にも影響力を及ぼし、総会の決議数に影響を及ぼしたのであろうような場合」には、株主総会自体の成立がなく、従つてその決議も当然に無効であるという旨を述べていることは、多少問題である。その趣旨は、招集の通知洩れのあつた株主が株主数の上ではたとい少数にすぎない場合でも、その持株数が会社の発行済株式総数の中の多数を占めているか、又はその株主が総会に出席すれば他の株主に対して影響を与えたであろうような場合においては、決議は取消しうべきものではなく、当然に不存在としなければならないとするにあるものと思われる（もし逆に、大多数の株主に対して招集通知が欠けている場合でも、その株主の持株数が全体として少数であり、決議の成否に影響を及ぼしえないと思われる場合には、決議不存在ではなく、取消の訴に服するにすぎないとする趣旨であれば、その不当なことはいうまでもないであろう）。株主総会の決議は株主の頭数によつてではなく、株式の多数によつて決せられるのであるから、総会招集の通知洩れについても、株主数のみならず通知を受けなかつた株主の持株数をも考慮すべきであるとすることは、一見相当の理由があるように見えることは否定できない。しかしここでは株主の招集通知につき、その通知の欠缺が株主全員によつて構成さるべき総会の成立を妨げる程度に重大であるか否かが問題なのであるから、その判断ももつぱら招集洩れのあつた株主の数を基準とすれば足り、株主の持株数や決議について有すべき影響力までも考慮に入れる必要はないものとすべきであろう（もっとも株式の分散している大規模会社においては、大多数の株主に対する通知の欠缺は、同時に大多数の株式を有する株主に対する通知の欠缺となるのが通常であるから、結論的にはそのいずれを判断の基準とするもさしつかえないことになるが）。

【95】　「株式会社ニ於テ株主総会ヲ招集スルニ当リテハ商法第百五十六条〈現商二三二条〉ノ規定ニ依リ会日ヨリ二週間前ニ株主名簿ニ記載セラレタル各株主ニ対シテ其ノ旨ノ通知ヲ発スルコトヲ必要トスルコト明ニシテ該招集ノ通知ハ招集ノ権限アル者ヨリ株主名簿ニ記載セラレタル全株主ニ対シテ之ヲ発スルコトヲ要スルモノト云ハサルヘカラス左レハ該株主総会招集ノ通知ニシテ株主名簿ニ記載セラレタル全株主ニ対シテ之ヲ発セス而モ其ノ通知ヲ発シタル株主ノ数著シク僅少ニシテ社会通念ニ基キ殆ント其ノ招集ノ通知ナキニ等シキ場合ニハ之ニ基キ開催セラレタル集会ハ株主総会ト認メ得サルモノト云ハサルヘカラス」（大判昭一二・九・一七裁判例一一民事二四四）。

【96】　「前認定によつて明らかな如く、招集洩れの株主が、全株主九名のうち三分の二たる六名に達し、その持株は、総株式五千株の約半数たる二千百株に及ぶのであるから、右は全株主に対し招集通知をしなかつたのも同然であり、たとえ西島等三名の株主が適宜会合して決議したとしても、親子間の相談に等しく（西島益男、坂本敏之が代表取締役西島弥太郎の実子であることは、争がない）、これを以て株主総会が成立し、その決議があつたものとは、社会観念上とうてい認め難い」（大阪高判昭三一・二・二二下級民集七・二・四〇〇）。

【97】　「元来株主総会の招集通知は各株主に対して発せられなければならないもので、全然招集通知を発しなかつた場合には原則として株主総会自体の成立がないのであるから、従つてその株主の集会において為された決議は取消を待たずして当然に無効である。けれども単に一部の株主に対してのみ通知を欠いたに過ぎない場合の如きは、未だ株主総会の成立自体を害しないものであつて、その総会において為された決議も亦招集手続の違法として取消し得るに過ぎないものと解すべきである。尤も故意に一部株主に対して招集通知を欠く場合につき多少疑問がない訳ではないが、要は一部株主に対する通知の欠缺のために全然通知を欠いた場合と法

的評価の異らないような場合又はその株主の出席があつた場合には他の株主にも影響力を及ぼし総会の決議数に影響を及ぼしたのであろうような場合は格別、総会の決議数に影響のない場合には一部株主に対して招集通知をかく場合といえども、矢張りそれはその招集手続の違背として単に取消訴訟の対象となるに過ぎないものと解すべきものとする」（松山地判昭二六・七・九下級民集二・七・八七七）。

なお最近において、総会招集の通知洩れが著しいことを理由に株主総会の不成立ないし決議の不存在なることをみとめた最高裁判所の判決【98】がみられた（株主総会の不成立ないし決議の不存在に関する最高裁判所の判例としては、本判決が最初のものと思われる）。これは前掲【96】の判決の上告審判決であつて、【96】の判決が、たとい全株主九名のうち二名の株主に対しては口頭によつて総会招集の通知がなされたとしても、それは全然通知なきに等しいものであるのみならず（前出【22】）、かりにその点は措くとしても、全株主九名中六名の株主に対しては全く招集通知が洩れているのであるから、右は全株主に対し招集通知をしなかつたのと同然であるとしたのに対し、口頭によつてなされた総会招集の通知も全然招集通知なきに等しいものとはいえないのみならず、本件総会には少なくとも三名の株主が出席しているのであるから、一応株主総会の決議として成立しているものとみとむべきであると主張して上告したのである。口頭によつて総会招集の通知がなされた場合でも、その総会の決議は当然に不存在と解すべきではなく、むしろ一般には、招集の通知は一応なされたが、その手続が違法なものとして、決議取消の原因となるものと解すべきであることはすでに述べた通りであつて（三七頁）、この点に関する上告人の主張はそれ自体としては不当とはいえない。しかし本件においては、口頭によつて招集通知がなされたのは代表取締役の実子である株主二名に対してだけであつて、残りの六名の株主に対しては全く招集通知がなされなかつたのである。かような総会をもつて株主総会が成立し、その決議があつたものとなし難いことは、【96】の判決のいう通りであつて、最高裁判所が原判決を支持して本件総会の決議を不存在とみとめたことは、もとより正当といわなければならない。

【98】　所論は要するに本件株主総会決議は有効に成立したもので、たとえ手続に瑕疵ありとするもそれは決議取消の事由たるに過ぎず、これを決議不存在と解するのは誤りである旨主張する。

しかし原審は所論総会当時における上告会社の株主は原判示の如く被上告人、真砂、植村、田辺、中西、中田、上告会社代表取締役西島弥太郎、西島益男、坂本の九名（総株式数五千株）であること、しかるに右総会については被上告人以下六名（その持株二千百株）に対しては招集の通知が全然なされなかつたこと、西島益男及び坂本に対したとえ招集の通知があつたとしても、それは単なる口頭の招集にすぎず、しかも西島益男及び坂本の両名はいずれも西島弥太郎の実子であることを認定し、所論株主総会の決議は、なんら法律所定の手続によらず単に親子三名によつてなされたことが明白であるから、これをもつて株主総会が成立し、その決議があつたものといえない旨判示しているのであつて、原審のこの判断は相当である」（最判昭三三・一〇・三民集一二・一四・三〇五三）。

（二）　総会の招集が有効に撤回又は変更された場合　　或いは総会の招集が有効に撤回（既出【33】参照）又は延期され、或いは総会招集の通知に予定された開会時刻や会場が有効に変更された場合（既出【67】参照）においては、たとい当初の予定時刻や会場に株主の一部が参集して決議をなしても、その決議は法律上不存在というほかない。つぎの判決【99】は、既述の白木屋事件（【35】参照）において、一部の株主が東京会館で開いた総会の決議を不存在と判示したものであるが、この判決の正当なことについては、あまり異論の余地はないであろう（大隅・判例評論三号二頁。ただし、鈴木・商事判例研究ジュリスト一六四号六七頁参照）。

【99】　「右認定の事実（註――事実については既出【35】参照）に徴すれば、株主総会延会会場を右東京会館

より中央クラブに移すことが適法かどうかは別として、四月二日東京会館で開催された右会合は白木屋の株主総会とは認めがたく、そこで成立したと称する決議は白木屋の株主総会の決議であるとは到底言い得ない。何となれば、当日は東京会館で白木屋の株主総会を開催することは事実上不可能であり、しかもまた株主総会を主宰すべき白木屋の取締役等は誰一人として同会館に参集せず、（中略）同会館に参集した株主のうち少くとも七、八十名はバスで中央クラブに誘導され、実際に同会館に参集した株主は僅か十数名にすぎず、それも白木屋のために準備されてはいず、山下汽船の会合のため準備されてあつた室に集合したというような状態の下においてはたとえそれらのものの間で会合を開きそれに白木屋第七十期定時株主総会なる名を冠しても、それは株主総会たるの実質を具えない単なる株主の集合にすぎず、いかなる意味においても白木屋の株主総会であるとはいえないからである」（東京地判昭三〇・七・八下級民集六・七・一三五三）。

総会が有効に終結したにもかかわらず、なお一部の株主が残留して決議をなした場合も、右と同様に解すべきである（東京地判昭一四・一一・七新聞四五〇〇・一四【74】、大阪地判昭九・一〇・一一新聞三七九八・一二、大阪地決大三・五・二二新聞九五三・二八）。

(2)　決議取消の原因

決議取消の原因となる重要な事例についてはすでに各所において述べたが、ここではしばしば判例に現れた代表的なものをまとめて挙げておきたい。

（イ）　総会招集の手続又は決議の方法が法令定款に違反する場合

（a）　一部の株主に対する招集の通知洩れ　　この場合が総会招集手続の瑕疵として、決議取消の原因となることは、古くから判例の繰り返えしみとめているところであり（大判明四二・三・二五民録一五・二五〇、同明四二・五・二八民録一五・五二五【100】、同明四四・三・二三民録一七・一五一【122】、大阪控判明三六・一二・二八新聞一八九・八、同明三七・一二・二一新聞二五六・六、名古屋控判明四一・一〇・一〇新聞五三七・一四、東京地判大四・一二・七評論四商法四二三、東京控判大六・五・二五評論六商法五一八、大阪控判大一四・六・二九判例集報二商法六四、東京控判昭五・五・二七新聞三二八五・九、東京地判昭六・二・一八新聞三二四一・一三、同昭九・一一・二六評論二三商法六六四、同昭九・一二・五新聞三七九二・一一、同昭一一・五・二九新聞四〇一五・一〇、東京控判昭一三・八・三一新報五二三・一一等）。

学説上もほぼ定説といつてよい。

【100】「会社カ株主総会ヲ招集スルニ当リ商法第百五十六条〈現商二三二条〉第一項ノ規定ニ違反シ株主ノ一部ニ対シ之カ通知ヲ発セサルコトハ同第百六十三条〈現商二四七条〉ノ総会招集ノ手続カ法令ニ反スル場合ニ外ナラス随テ斯ノ如キ総会ノ決議ハ絶対ニ無効ナルニ非スシテ株主ニ於テ其無効宣告ヲ裁判所ニ請求シ裁判所カ之ヲ宣告シテ始メテ無効ヲ主張シ得ヘキモノトス」(大判明四二・五・二八民録一五・五二五)。

(b)　招集通知の記載の不備　招集通知における会議の目的たる事項(商二三二II)又は議案の要領(商二三二II)の記載が不完全又は不適当なときは、招集手続の瑕疵として決議取消の原因となることは明らかであつて、学説及び判例(大決明三五・七・八民録八・七・五一、大判明三七・五・二民録一〇・五九一。なお東京地判大一〇・一一・一八その他多数の下級審判決においてもみとめられている)上異論のないところである。

これに反して、議事日程又は議案の要領の記載を全く欠く場合には、右と同様決議取消の原因たるにすぎないものと解すべきか否か、多少疑問の余地がある(竹田・民商四巻一一頁。東京地判大一〇・七・二二評論一〇商法二九〇、河村・前掲二九五頁は当然無効とする)。これが実際に問題となるのは、総会が臨時に通知事項以外の事項を決議する場合である(竹田・民商四巻一一頁)。この場合においても、その決議を法律上不存在と解することは妥当でない。実際上も招集通知の記載が不完全な場合とその記載が欠けている場合との区別は必ずしも明確ではないから(石井・株主総会の研究一九六頁)、一般には決議取消の原因にすぎないものと解すべきであろう。判例【101】【102】【88】(盛岡地一関支判大一四・一二・七新報六六三・二五、東京控判昭七・五・二〇新聞三四三八・一六、同昭一一・一〇・一九新聞四〇九二・一三、東京地判昭一一・一二・一八新聞四一〇二・一九、同昭二七・三・二八下級民集三・三・四二〇、名古屋高判昭二九・五・二六下級民集五・五・七三八【72】、東京地判昭三〇・六・一三下級民集六・六・一一〇五【30】)及び通説も決議取消の原因と解している。

総会招集の通知の不備は、総会の日時・場所等の記載についても存しうる。この点についての判例は見当らないが、総会招集の通知は何時何処で総会が開かるべきかを明らかにするものでなければならないことは、事の性質上当然である。従つて、具体的な場所又は日時を示さずしてなされた招集は、招集なきものとして決議の不存在をもたらすものといわざるをえない。ただし、不適当な場所又は不適当な時における招集は、いずれも総会招集の手続に関する単なる瑕疵として、決議取消の原因となるにすぎない（竹田・民商四巻一二頁、石井・株主総会の研究一九二頁参照）。

【101】「株主総会カ予メ通知セサル事項ニ付キ決議ヲ為シタリトテ其ノ決議ハ当然無効ト為ルヘキモノニアラスシテ単ニ商法第百六十三条〈現商二四七条〉ニ規定セル無効ノ訴ノ理由ト為シ得ルニ過キサルモノトス」（大判昭五・四・三〇新聞三一二三・八）。

【102】「株主総会ニ於テ其決議カ招集通知書ニ会議ノ目的トシテ明記セラレサリシ事項ニ付キ為サレタル場合ト雖モ之ヲ以テ株主総会ノ決議ナリト認ムルニ妨ケナキヲ以テ総会招集手続カ法令又ハ定款ニ反スルコトヲ理由トシテ当該決議ノ取消ヲ求ムルハ格別之カ為ニ直ニ其ノ決議ヲ当然無効ノモノト認ム可キ理由ナシ」（大判昭七・一二・二二新聞三五一二・一七）。

なお、定時総会における計算書類の承認については、取締役は総会の会日の一週間前から計算書類（商二八二）及び監査役の報告書を本店に備置き、株主及び会社債権者の閲覧に供することを要し（商二八二）、また総会においては監査役は計算書類につきその意見を報告しなければならない（商二七五）。取締役が右の義務を怠つてこれらの書類を総会の会日前に本店に備え置かなかつた場合、又は監査役が右の報告をなさなかつた場合において、総会の決議の効力にいかなる影響があるかについては学説がわかれているが、少なくとも取締役が上述の義務を怠つたときは、決議取消の原因となるものと解すべきであろう（松田・鈴木（忠）・条解三九五頁、上田・法学一九巻二号二四〇頁。反対、田中（誠）・会社法二四五頁）。けだし、計算書類等を本店に備置き株主の閲覧に供するのは、株主があらかじめこれを閲覧し準備をした上で定時総会に出席することができるようにする趣旨に出ているからである。これに反して、取締役が計算書類を監査役に提出したが、監査役が意見の報告を怠り又は拒否した場合には、その報告なくして計算書類の承認決議がなされても、決議の効力には影響がないものと解しなければならない。以上と異り、つぎの下級審の判決【103】が、取締役が計算書類の備置義務を怠つても決議の効力には影響がないものと解していることは、注目に値いするところである。

【103】「取締役が商法第二百八十二条の規定による手続を遵守せず、計算書類及び監査役の報告書を総会前本店に備え置くことを怠るときは、取締役が同法第二百八十一条に掲げる書類の総会の承認をえられないかも知れないより大きい危険を負担したまま総会に臨まなければならないだけで、かかる懈怠を以て総会の招集又は決議の方法の瑕疵ということができない」（東京地判昭二八・三・九下級民集四・三・三六八）。

（c）　招集通知の期間の不足　　これが決議取消の原因であることについても、学説判例上異論はない（大判昭一〇・七・一五民集一四・一四〇四【20】、同昭一四・五・一六評論二八商法三七九）。会日の直前において通知を発したような場合においても、一応招集はあつたものとして、総会の成立をみとめてさしつかえないであろう（竹田・民商四巻一一頁、石井・株主総会の研究一八五頁）。

（d）　株主又はその代理人でない者の決議参加　　真の株主でない者又は株主の正当な代理人でない者が総会に出席して決議に加わつた場合には、その決議は決議の成立過程に瑕疵があるものとして取消の訴に服するものと解しなければならない。このことは学説上ほぼ異論のないところであるが、判例も明治三八年の大審院判決【104】以来この結論をみとめている（大判昭五・一〇・一〇民集九・一〇三八、最判昭三〇・一〇・二〇民集九・一一・一六五七、大阪控判

明三六・一二・二八新聞一八九・八、京都地判明三七・四・一一新聞二〇九・八、大阪控判明三七・一二・二一新聞二五六・七、名古屋控判明四二・一〇・二最近判例集五・二三四、大阪控判大五・九・九新聞一一七四・二七、東京地判昭三・七・一三新報一六三・二一、東京控判昭一一・一二・七新聞四一〇六・二〇、東京地判昭一五・五・二〇新聞四五六八・一五、同昭二八・二・二〇経済法律時報一・一・三七等。もっとも大判昭二・五・五新聞二六九六・五は、決議の当然無効の原因と解するかのようである）。

【104】「上告人カ第一審以来本訴請求ノ原因トシテ主張シタル所ハ本件株主総会ニ出席シタル者ノ中ニ真実株主ニ非サル者及ヒ株主ノ代理人ニ非サル者アリテ此等ノ者モ株主又ハ其代理人トシテ決議ニ与リタルカ故ニ其決議ハ無効ナリト云フニ在ルコトハ訴訟記録ニ徴シテ明白ナリ故ニ本件ノ訴訟ハ事実上株主総会ノ存在セサリシコトヲ以テ其原因トスルモノニアラスシテ実際招集セラレタル株主総会ニ於テ表決権ナキ者カ其決議ノ数ニ加ハリタルコトヲ以テ其原因トスルモノニ過キス蓋株主ニ非サル者若クハ其代理人ニ非サル者ハ株主総会ニ於テ表決ノ権利若クハ権限ヲ有セサルコト勿論ナルモ斯ノ如キ者カ其総会ニ出席シタレハトテ之カ為メニ其総会ノ存立ヲ妨ケサレハナリ而シテ商法第百六十三条ニ所謂其決議ノ方法トハ単ニ表決権アル者ノ決議及ヒ表決等ニ関スル方法ヲ指スノミナラス其評議表決等ヲ為ス者ノ適格者ナルコト即チ表決ノ権利若クハ権限ヲ有スル者ニ限リ評議表決ヲナシ其権利権限ナキ者ハ其評議表決等ニ干与セサルコトヲモ包含スルモノト解スルヲ当然ナリトス故ニ株主総会ニ於テ株主ニ非サル者及ヒ其代理人ニ非サル者カ其決議ノ数ニ加ハリタルコトハ同法ノ所謂決議ノ方法カ法令ニ反スル場合ニ外ナラサルヲ以テ其事ヲ訴訟ノ原因トシテ総会決議ノ無効ナルコトヲ確定セント欲スル株主ハ同法条ノ規定ニ依リ訴訟ヲ為スコトヲ得ルノ外ニ途アルコトナシ然レハ原院カ同法条ノ規定ニ基カサル本訴ノ請求ヲ排斥シタルハ正当ニシテ上告論旨ハ何レモ其理由ナキモノトス」（大判明三八・四・一九民録一一・五三〇）。

もっとも、右の判決【104】の数年前における同じ大審院判決【105】は、総会招集の通知をなさず、又は総会に出席した株主の入場を故なく拒絶したような場合は別として、正当な委任状を有しない者が議決権を行使したような場合には、その投票のみを無効とすれば足り、全体としての総会の決議を無効（現行商法における取消）とすべきではないとしている（同説、西本・前掲一七一頁）。この判決の立場が、その後の判例及び通説の見解と異なり、非株主や正当な代理人でない者が決議に加わつても、当然には決議自体の瑕疵としてその取消の原因とはならないとするのであるか、それとも一般には決議の成立手続に関する瑕疵として決議取消の原因となるが、結果においてその行使した議決権の数が決議を左右するに足りないときは、決議そのものまでも無効とする必要はなく、従つて取消の請求を棄却しうるとするのであるかは、必ずしも明瞭ではない。もし後者であるとすれば、後述のように、単にその行使した議決権の数のみを問題にし、その無権利者の出席自体が総会の決議の成立に影響を与えうべきことを忘れている点で是認しがたいものがあるにしても、その結論は必ずしも不当とはいえないであろう。学説にもこのような見解をとるものがあり（例えば、河村・前掲三二七頁）、最近の下級審判決にもこの立場に立つとみられるものがある（後出【120】参照）。

【105】　「株主総会招集ノ際株主ニ開会ノ通知ヲ為サス又ハ総会ニ出席シタル株主ノ入場ヲ故ナク拒絶シタルカ如キ場合ニハ其株主権ノ行使ヲ故ナク妨クルモノナルヲ以テ其総会ニ於テ為シタル決議ヲ無効ト為ササルヘカラサルコトハ上告論旨ノ如シ然レトモ出席株主カ自己ノ有スル権利数以外ノ投票ヲ為シ又ハ二重ニ投票シタルニ於テハ仮ニ正数以外ノ投票ヲ無効トシ又ハ相当ノ委任状ヲ有セサル者ノ投票ヲ除去シタリトテ別ニ株主権ノ行使ヲ妨害スルモノニアラサレハ之レカ為メ総会ノ決議ヲ無効トスヘキ理由ナシ」「正数以外ノ投票又ハ委任状ヲ有セサル者ノ投票ハ其効ナキモ之レカ為メ全体ノ投票ヲ無効トスヘキモノニアラサルコトハ普通ノ条理ナリ若シ夫レ上告人所論ノ如ク多数ノ投票中僅カニ一個ノ無効ナル投票アルカ為メ全体ノ投票ヲ無効トシ再投票ヲナストセンカ徒ニ時間ト費用トヲ浪費スルニ過キスシテ何等ノ実益ナシ」（大判明三四・一〇・二八民録七・九・一六八）。

（e）　特別利害関係人の決議参加　　これが決議取消の訴の原因であることも、通説及び多数判例

（松山地判明四五・判決月日不詳新聞七九八・二四【48】、東京地判大一五・五・二一評論一六商法三七〇、東京控判昭五・五・二七新聞三二八五・九、東京地判昭八・七・一七新聞三五八七・一三、同昭二八・三・九下級民集四・三・三六八、名古屋高判昭三二・六・一七下級民集八・六・一一二〇【47】）のみとめるところである。

（ロ）　総会招集の手続又は決議の方法が著しく不公正なとき　例えば、ことさら株主の出席困難な時刻や場所を選んで総会を招集した場合、暴行脅迫を用いて決議を成立させた場合などがこれに当る。総会の招集が相当な時間及び場所においてなされ、また決議が公正になさるべきことは、条理上当然法の要求であるとみとめられるから、右のような場合も、広い意味では総会招集の手続又は決議の方法が違法な場合にほかならない。昭和一三年の商法改正前においては、総会招集の手続又は決議の方法が著しく不公正なときも決議取消の訴に服する旨の明文の規定はなかつたが、大審院の決定【106】は、取締役が「会社ゴロヲ雇入レ暴行強迫ヲ以テ」議決権の行使を妨げ、「自派ノ暴力者ノミニテ株主総会ノ決議ヲ為シタ」場合につき、それが決議取消の訴の原因となることをみとめた。

【106】　「相手方株式会社尾三銀行ノ重役カ抗告人ノ発言ヲ禁シ会社ゴロヲ雇入レ暴行強迫ヲ以テ抗告人ノ株主権ノ行使ヲ妨ケ又ハ他ノ株主三百七十名ノ代理人トシテ出頭シタル株主ノ入場ヲ拒絶シ自派ノ暴力者ノミニテ株主総会ノ決議ヲ為シタリトスルモ是レ決議ノ方法カ法令又ハ定款ノ規定ニ違背シタルニ過キスシテ絶対無効ノモノニ非ス」（大決昭四・一二・一六新聞三〇八二・九）。

つぎの大審院判決【107】は、昭和一三年の改正法の下において、総会招集の手続又は決議の方法が著しく不公正なりとはいいえないとした事例である。

【107】「原判決に依れば原審は常務取締役甲は所論八月二十三日の総会を招集したるが当日の議案たる甲解任の件は否決せられたるも上告人解任の件は所論仮処分命令により遂に上程を見ずして止みたるより甲は同日役員会の議を経て更に上告人の解任を目的とする所論九月十二日の総会を招集の上本件の決議を見たるものなる処甲が右十二日の総会を招集したるは自己の非行を庇護する為又は上告人に対する私怨に報る為になされたるに非ずして一に被上告会社役員間の内訌を一掃し会社事業の経営に支障なからしめんとする念慮に出たるものなるのみならず右十二日の総会とは別に新に役員会の決議を経て招集せられたるものなれば仮処分命令にも抵触するところなき事実を認め且つ係争臨時株主総会の招集が正当なる権利行使の観念に反するものなりと為すべき事由は之を肯定するに足らずと為したるものなるが故に原審は所論主張事実をも審理の上之を肯認するに足らずとして排斥したるものなることを看取するに難からず而して原審挙示の当該証拠資料に依れば原審認定の事実を認定して之に反する他の証拠を排斥し得ざるに非ず原審が上告人の解任を目的とする本件総会の招集手続並に其の決議の方法が著しく不公正なりと云ふを得ずと為したるは正当にして原判決に審理不尽等所論の如き違法なく論旨理由なし」(大判昭一八・四・一六商事判例集追録二補遺二六)。

有限会社の社員総会に関するものであるが、最近において、総会招集の手続を著しく不公正とした判決【108】がある。これは、社員の間に甲乙両派の対立のある有限会社において、乙等の町会議員・町長に立候補したことを知りながら、甲等が、その選挙期日の六日前に臨時総会を招集し、しかも乙等の会日の延期の請求をも拒絶して、予定通り総会を開いた上乙等を解任した事件であつて、乙が右総会の会日の定めは著しく不公正であることなどを主張してその決議の取消(有四一・商二四七)を求めているのである。多少の疑問がないではないが、有限会社における人的性質から見て、判旨は正当といいうるのではないかと考える(本判決を疑問とするものとして、大隅・商事判例研究ジュリスト一五六号五九頁参照)。

【108】「以上認定の事実に従えば、被控訴人乙は甲等の要求にかかわらず長期間にわたり社員総会を開催せず、前示検査報告書を提出せられたことであるから、甲等が速かに社員総会の開催せられることを希望するのはもつともであるけれども、昭和二十六年四月六日一旦同月十二日に招集を予定しながら、翌七日に至り前尾弁護士の都合により同月十七日と定めた程であるから、たとえ甲等が右七日当時被控訴人乙が立候補することを予測しなかつたとしても、招集通知を発するまでにはその立候補したことをよく知つていたばかりでなく、招集通知に対して直ぐ選挙を理由に同月二十三日以後まで延期を求めて来ており、当時の選挙の実情として選挙以外の他事を顧みる余裕のないことは甲等にも解つていたし、総社員七名に過ぎない小規模の会社のことであるから、期日を変更する手続といつても大して手数を要するものではない。たとえ甲等が被控訴人乙等に不正行為があるものとの疑念を抱いていたとしても、総会招集を同月二十三日以後まで更に数日間延期することも許されない程急迫した事態にあつたものということはできない。そうすると右総会招集は少くとも被控訴人両名から理由を述べてその延期を求めて来た際これに応ずべきものであるのに、これを拒絶して開催を敢行したのは、招集の手続が著しく不公正なものといわなければならない」(大阪高判昭三〇・二・二四下級民集六・二・三三三)。

(3)　個々の株主の議決権行使の瑕疵と決議の効力

株主の議決権行使を固有の意味における意思表示と解すべきか否かは別として、これについても意思表示に関する民法の一般原則の適用があり、従つて無能力を理由としてその議決権の行使を取消し(民四・九)、また錯誤・詐欺・強迫(民九五・九六)を理由としてその無効又は取消を主張しうることは、学説の一般にみとめるところである(松本・前掲二六八頁、田中(耕)・概論三五八頁、石井・商法I二八一頁、大森・前掲講座(三)九〇一頁)。しかし、株主の個々の議決権行使がかような主観的原因によつて無効とされ或いは取消されても、それは決議を構成する各個の議決権行使の無効たるにとどまり、全体としての決議の効力がこれによつて当然に失わしめられるものではない

（田中（耕）・概論三五七頁、石井・商法Ⅰ二八九頁、同・株主総会の研究八九頁以下、大森・前掲講座（三）九〇一頁、松田・概論一八〇頁）。ただ、かようにしてその議決権の行使が無効となつた結果決議に必要な多数を欠くに至つたときは、結局その決議の効力もまた否定されざるをえないから、株主又は取締役は決議取消の訴を提起することができるが、しかしそれは、議決権行使の無効又は取消が直ちに総会決議の瑕疵を生ぜしめた結果ではない（石井・商法Ⅰ二八九頁、同・株主総会の研究九〇頁）。

つぎの判決【109】は、特定の株主の株主権取得の原因もしくは決議を構成した議決権の一部の取得原因が公序良俗に反し、その株主権又は議決権の取得が無効であるとしても、決議の内容が公序良俗に反するかどうかの問題とはならない旨を述べているが、もとより正当である。

【109】　「商法第二百五十二条は民法第九十条を排除するものでないことは勿論であつて、決議の内容が公序良俗に反する場合は右商法第二百五十二条の適用がある一場合であると解すべきであるが、控訴人らのこの点の主張は決議に加わつた特定の株主の株主権取得の原因もしくは決議を構成した議決権の一部の取得原因がそれぞれ民法第九十条に該当するというのであるから、決議の内容について規定した右商法第二百五十二条の問題とはならないのである。このような決議を争うには別におのずから方法があり（商法第二百四十七条）、また違法に株主権をうばわれた者がこれを回復しもしくはその損害の賠償を求めるについても別個の方法があるのであつて、右決議の無効を主張し得ないことによつて、控訴人ら主張のような立場にある者の株主権の保護が全うされないとすることはできない。もつとも株主総会の決議に加わつたすべての者の株主権取得の原因が違法であつて、その株主権取得が実体上無効であるような場合には、これらの者によつて成立した株主総会の決議なるものは、形式的には決議たるの外観をそなえていても、法律上は全く無意味で決議ということを得ないわけであり、その意味で決議自体は不存在であつて、商法第二百四十七条もしくは第二百五十二条にかかわらず、なんびともその決議の不存在を主張し得べく、その意味において決議無効確認を求め得るものということ

ができるであろうけれども、本件控訴人らの主張は株式総数二十万株中控訴人らの三万三千株が違法に移転され、また決議を構成した千八百株の議決権は違法に取得されたものであるというに過ぎないから、もとより右のような場合にあたるものでないこと明らかである」（東京高判昭二八・一〇・五東京高時報四・四・民一三八）。

右と同様のことは、「出席株主カ自己ノ有スル権利数以外ノ投票ヲ為シ又ハ二重ニ投票シタ」ような場合においてもいいうることであって、この場合も、その無効投票を除いてなお多数決が成立しているかぎり、決議の効力に影響はないものと解しなければならない。すなわち、無効投票の結果直ちに「全体ノ投票ヲ無効トスヘキモノニアラサルコトハ、普通ノ条理」【105】といわなければならないめである。

(三)　訴の当事者

(1)　緒説　決議取消の訴を提起しうる者は株主又は取締役に限り、それ以外の者はこの訴を提起することをえない（商二四七I）。被告は常に会社である。

株主又は取締役が商法二四七条により決議取消の訴を提起したときは、「右法規ニ依リテ訴権ヲ有シ、反証ナキ限リ該訴ヲ為スノ利益ヲ有スルモノト推定スヘ」し、とするのが判例の見解である【110】（同説、田中(誠)・会社法二四七頁、河村・前掲三二六頁）。

【110】「商法第百六十三条ノ規定ニ依リ決議無効ノ訴ヲ提起シタル者ハ右法規ニ依リテ訴権ヲ有シ反証ナキ限リ該訴ヲ為スノ利益ヲ有スルモノト推定スヘク又決議ノ日ヨリ一ケ月内ニ訴ヲ提起シタル以上ハ爾後其ノ訴訟カ長年月ニ亘リテ繋属スルモ之カ為ニ無効タルヘキ決議ノ瑕疵カ補正セラルルノ理アルコトナシ今本件ニ付之ヲ観ルニ本件株主総会招集ノ為被上告人ニ対シテ発シタル通知状ニハ取締役重任等ノ決議事項ノ記載ナカリ

シニ拘ラス其ノ総会ニ於テ取締役会員ノ重任等ノ決議ヲ為シタルコトハ原審ノ確定シタル事実ニシテ被上告人ニ於テ右決議無効ノ本訴ヲ提起スルニ付利益ナキ事実ヲ認ムヘキ証拠ナキコトハ原判決ノ説示スル所ナリ故ニ原審カ論旨摘録ノ如ク判示シテ上告人提出ノ右決議ノ無効ヲ宣言スヘキ利益ナキ旨ノ抗弁ヲ排斥シタルハ洵ニ正当ナリ」（大判昭八・一二・五新聞三六七〇・一五）。

「会社ノ業務執行上ノ内部関係ニ関スル事項」であつても、「株主総会ノ決議ヲ経レハ是レ即チ会社ノ意思トナリ、株主ヲ拘束スルコト勿論ナルヲ以テ、苟モ其決議ニシテ商法第百六十三条（現商二四七）所定ノ瑕疵存スルニ於テハ、株主ハ訴ニヨリ之カ無効（現行商法における取消）ヲ主張シ得」る（東京控判昭一〇・一二・二評論二四商法一七二）。しかし例えば、株主総会が取締役の辞任の承認又は不承認を決議しても、「其ノ辞任ハ単独行為ニシテ会社ノ同意ヲ要スルモノニ非ス、従テ右決議ハ其辞任ノ効力ニ何等ノ消長ナク、法律上全ク無意義ナル決議ナリト謂ハサルヘカラス。斯ル法律上無意義ナル株主総会ノ決議ハ、仮ニ其ノ招集手続及決議方法ニ関シ形式上ノ瑕疵アリトスルモ、之カ取消ヲ許容スヘキ法律上ノ利益存セサルモノ」（福島地判昭一五・一二・一六新聞四七〇六・一〇）というほかないであろう（同旨、東京地判昭三一・五・一四下級民集七・五・一二一四も、事業協同組合の総会がなした現役員を信任しない旨の決議は、総会の意思の表明にすぎず、それによつて何等法律上の効果が発生するわけでないから、決議取消の訴（中小企協五四、商二四七）の利益はないとしている）。

なお、決議取消の訴の利益を否定した最近の事例として、つぎの二つの判決【111】【112】がある。これは、第三者に対する新株引受権の付与に関する総会の決議（商二八〇ノ二II）において、その付与を必要とする理由が「会社の役員及び従業員の功績労苦に報いるため」と開示されたのに対し、かかる形式的なものでは法の要求する理由の開示としては不十分であるから、決議の方法に違法があるとして、株主が決議取消の訴を提起した事件に関する。これに対して会社側は、商法二八〇条の二第二項にいわゆる理由の開示としては、一応相当の理由が開示されておれば足ると解すべきであると主張したが、東京地方裁判所の判決【111】は、この論点にはふれず、ただ本件においては原告に訴の利益がないものとして請求を却下したのである。そこで原告は、【112】に引用されているような理由を主張して控訴したが、東京高等裁判所の判決【112】も、原判決【111】と同一の立場に立つて原告の訴の利益を否定した。東京高等裁判所の判決はきわめて詳細であるが、その論旨は原判決と全く同一であつて、これを要約すれば、(1)すでに新株が発行ずみである本件においては、いまさら本件株主総会の決議を取消してみても新株の効力には何らの影響はないのであるから、この点よりする訴の利益はみとめられない。(2)また取締役に対し不公正な価額で新株を発行したことによる任務懈怠の責任を追及し、(3)又は取締役と通じて著しく不公正な価額で新株を引受けた役員・従業員等に対して商法二八〇条の一一による差額支払責任を追及するためにも、株主総会の決議の取消判決があることがその前提要件となるべき根拠はないから、この関係でも決議取消の訴をなすに足る法律上の利益をみとめることはできない、というのである（【111】の判決については、三戸岡・商事法務研究九六号二頁、中野・同一〇四号二頁、平尾・法学新報六五巻一一号九六九頁参照）。

【111】　「思うに、本件株主総会において決議された新株式がすでに発行ずみであることは、弁論の全趣旨により認められるけれども、右決議を取り消しても、新株の発行を無効ならしめるものではないから、本訴を新株発行無効の訴と解して訴の利益を認める余地は存しない。

また、株主以外の者に新株引受権を与えるにつきなされた株主総会決議取消の確定判決を得るならば、その結果、新株引受権のない者に公募価格より有利な条件で新株を与えたことになるから、その差額だけ不当に安い価格で発行したことによる取締役の責任が生じ、あるいは、取締役と通謀して著しく不公正な価格で新株を引き受けた役員従業員に対しても公募価格との差額を追徴できる筋合であるから、右取締役及び新株引受人等に対する責任追及の前提として、本件決議取消の訴を提起する利益があるかどうかが問題となるけれども、当裁判所は、やはりこの場合も訴の利益がないものと解する。

けだし、右の理由に従い取締役の責任を追及するためには、本件株主総会において商法第二八〇条の二第二項後段所定の理由開示が適法になされなかつたこと等、同決議の成立手続に瑕疵が存すること、もしその瑕疵が存しなかつたならば、本件決議が可決されるに至らなかつたであろうこと、ところが取締役が右瑕疵を看過し、同決議により新株引受権を与え新株を発行した結果会社に損害を生じたこと等を主張すれば足りるのであつて、右総会の決議を取り消すまでの必要は存しないからである（株主総会の決議の成立手続に瑕疵があることを理由に、決議の効力を否定するためには、商法二四七条の訴によらなければならないけれども、決議の効力自体は争うことはなく、ただ決議の成立手続に瑕疵が存したという事実を主張するについては、同条の適用がないものと解する。従つて、決議の日から三月内に決議取消の訴が提起されなかつた場合でも、右瑕疵の存在については、主張できることとなる）。以上の理は、著しく不公正な価格で新株を引き受けた者に対して責任を追及するについても妥当するから、結局、この場合にも本件訴の利益は存しないものといわざるを得ない」（東京地判昭三二・二・一五 下級民集八・二・二二四）。

【112】「商法第二四七条による本件株主総会決議一部取消の訴が形成の訴であることはいうまでもない。しかして、形成の訴は権利関係の変更を要求し得る旨法律に規定される場合に限つて提起できるものであるからその出訴要件に該当する限り、一応訴の利益ないし必要性は認められてしかるべきである。しかし、形成訴訟においても、形成の利益ないし必要性の存在が権利保護の要件をなすことはいうまでもないから、形成判決をしても、何ら具体的に実益がない場合には、その出訴要件を具備していても、その訴の利益を欠くに至ること

は勿論である。

ところで、本件株主総会において決議された株主以外の第三者に対する新株式がすでに発行ずみであることは訴訟人の明らかに争わないところである（中略）から、右新株が発行せられた後においても、なお右決議の取消を求める訴（控訴人は本件訴訟において、原審以来決議の取消のみを主張しており、本訴を新株発行無効の訴と解する余地はない。）の利益があるかどうかが問題となる。被控訴人はかかる場合には訴の利益がないと主張するのに対し、控訴人は右の場合でも、株主総会決議取消の訴が認容せられるにおいては、既に発行ずみの新株は無効となる効果を生じ、又右訴は瑕疵ある決議をなさしめた取締役及びこれと通謀してなした新株引受人に対する責任追求の前提をなすものであるから、いずれの点からみても、本訴の利益があると主張する。よつて本件訴の法律上の利益の有無につき以下検討する。

まず、新株発行後に株主総会の決議が取り消された場合、これに伴い新株が無効となるか否かについて考えてみるに、もしこの場合控訴人主張のように株主以外の第三者に発行せられた新株が無効とせられるならば、会社の株式が流通する際に、株主以外の第三者に発行せられた新株と株主に発行せられた新株とを区別するためその取引の都度会社に照会せざるを得ない等到底その煩に堪ない状態を惹起するに至るであろうし、又既に流通におかれた無効新株を爾後いかに処置すべきかの困難な問題を生ずるに至るべく、仮りに新株発行無効の訴における無効判決の際の処理に準じて、新株券の回収措置及び新株に対する払戻措置が講ぜられるべきものとしても、これによつて取引上の安全が害されること多大なものがある。他方、新株発行に当つて要求せられる株主総会の特別決議及び株主の新株引受権の性格を吟味するに、成程株主以外の第三者に新株引受権を与えるためには所要事項につき商法第三四三条による株主総会の特別決議に基く授権を必須とするが、元来新株発行は定款に特別の定めがない限り、取締役会が決定し得べき事柄であつて、右株主総会の決議は取締役が権限を濫用するのを防止するため設けられた対内的な要件にすぎないし、又第三者に対する新株引受権の付与は現存株主の会社支配及びその財産関係に重要な影響を与えるとはいうものの、現行商法は授権資本制度を採用し、この機能を十分に発揮させるため、前記のように新株発行を原則として取締役会の権限に属せしめ、株主は取締役会によつて新株引受権を与えられる場合を除き、当然には新株引受権を有しないとしたのであつて、新株発行の際考慮せられるべき株主の利益は控訴人主張のようにしかく絶対的なものとはいえない。しかも株主は、新株発行前においては、会社の不公正な新株発行によつて不利益を受けるおそれがあることを理由として新株発行差止の訴を提起することができ、要すれば本案訴訟の提起前と雖も仮処分命令を得て株式の発行を差止める途もある。更に新株発行後においては、後述するように、法令に違反して新株を発行した取締役及びこれに関与した新株引受人に対する責任追求の方法が認められ、又新株発行に法律的瑕疵があつてその発行の効力を認め得ない場合には新株発行無効の訴の提起も認められ、もつて株主の権利行使に遺漏なからしむるよう配慮がなされている。以上のように彼此考量してみると、たとえ株主総会の決議手続に瑕疵があり、これが取り消されたとしても、取引の安全上、既に発行せられた新株は無効にならないと解するのが相当である。このことにつき新株発行無効の訴において、既に新株が発行せられている事情を考え、その無効原因は厳格に解すべきものとされ、たとえいちじるしく不公正な方法又は価額で株式が発行せられた場合、又は引受人と通謀していちじるしく不公正な発行価額で株式が発行せられた場合と雖も、これをもつて新株発行自体の無効原因とはならず、これに関与した取締役等の責任を生ずるにすぎない、と一般に解されていることを想起すべきである。しからば、新株が発行されていない場合はさておき、既に新株が発行ずみである本件においては、今更本件株主総会の決議を取り消してみても、新株の効力には何らの影響はないから、この点よりする訴の利益を認めることはできない。

次に、訴をもつて瑕疵ある株主総会の決議を取り消すことが、取締役或は新株引受人に対しその責任追求の訴を提起する前提となるか否かについて考える。取締役が法令に違反し不公正な価額で新株を発行した場合には商法第二六六条第一項第五号により会社に対し任務懈怠に基く損害賠償義務を生じ、原則として株式の公正な価額と実際の割当額との差額について責任を負うべく、もし会社が取締役に対しその責任を追求しない場合には、株主は同法第二六七条により会社に代つて自ら取締役の責任を追求する訴を提起できるが、しかし叙上法条に従う起訴に当つてはその方法につき何らの制限なく、もとより株主総会決議取消の確定判決を得ることがその前提要件をなしおると解すべき根拠はない。従つてもし本件において取締役に対し責任を追求するがためには、取締役が株主総会において商法第二八〇条の二第二項後段所定の理由開示を故意又は過失により適法になさなかつたため、第三者が不公正な価額で新株引受権を与えられ、新株が発行された結果、会社が損害を蒙るに至つたことを主張立証すれば足るものと解せられる。勿論株主総会の決議成立手続の瑕疵は、その決議の日から三ケ月以内に取消の訴を提起しなければ、最早これを主張することができなく、右提訴期間の経過により手続の瑕疵は治癒されると解すべきはいうまでもないが、そうであるからといつて右提訴期間の経過とともに取締役の法令違反行為に対する責任までも当然に消滅するに至るものとは解せられない。蓋し取締役の法令違反行為が、一面において株主総会決議取消の原因となり、他面において取締役に対する損害賠償責任の原因を構成し、二面の効果を生ずるとはいうものの、それはそれぞれ別個の法律要件を形成しておるからである。ただ、右両者は事実上密接な関係を有するから、もし前者の決議取消の訴が確定した暁は後者の取締役に対する責任追求につき立証上便宜となるものといえるが、これをもつて決議取消の訴をなすに足る法律上の利益とはいい難い。又新株引受人が取締役と通謀していちじるしく不公正な価格で新株を引き受けた場合には商法第二八〇条の一一第一項により会社に対し公募価額との差額の支払義務を生じ、もし会社が新株引受人にその責任を追求しなければ、株主は同条第二項に基き会社に代つて新株引受人の責任を追求する訴を提起できるが、この場合においてもその起訴については何らの制限はなく、勿論株主総会決議取消の確定判決あることがその前提となるべき根拠はないから、単に同条所定の要件を主張し、立証すれば足るものと解せられる。しからば、本訴は取締役或は新株引受人に対する責任追求の前提としてもその法律上の利益を認めることはできないから、この点よりも訴の利益あるものとなすことができない。

その他、本訴について、判決を求める法律上の利益を見出し得ない。

以上のとおりであつて、本件訴は本案について判断するまでもなく、法律上の利益を欠くものとして却下すべく、措辞において若干異なるところがあるとはいえ、これと同一の見地に出でた原判決は相当であつて、本件控訴は理由がない」（東京高判昭三三・九・一三判時一六五・三四、民集一一・八・四九二）。

この【111】【112】の判決について考えるに、まず株主以外の第三者に対して新株引受権を付与する総会の決議においては、取締役は株主以外の者に新株引受権を与えることを必要とする理由を開示しなければならない（商二八〇ノ二Ⅱ）。その理由は必ずしも客観的に合理的なものであることを要しないが（「改正株式会社法の問題点」ジュリスト選書五四頁、鈴木・法協七二巻六号五九三頁以下、大隅・概説一八六頁、富山「新株引受権」講座（四）一二七一頁。反対、田中（誠）・会社法三二九頁）、全く理由を開示しないか又は虚偽の理由を開示したときは、決議取消の訴に服するものといわなければならない（「改正株式会社法の問題点」前掲六五頁、大隅・概説一八四頁、西原・会社法一五七頁、鈴木・法協七二巻六号五九三頁以下、富山・前掲講座（四）一二七一頁）。しかし、かような理由により総会の決議が取消された場合においても、新株発行の効力には影響はないものと解するのが妥当であるから（「改正株式会社法の問題点」前掲六二頁以下、鈴木・法協七二巻六号五九五頁、富山・講座（四）一二七一頁。反対、西原「改正株式会社の問題点」六三頁）、その限りでは株主には決議取消の訴を提起する利益はないものといえる。また取締役が総会において適法な理由の開示をなすことを怠り、その結果不当な決議が成立するに至つたとすれば、取締役はこれにつき任務懈怠の責任を免れないが、その責任を追及するためにも当該決議の取消をなすことは必要でないと解すべきであるから（従つて取消の訴提起の期間経過後においても追及できる）、この関係においても株主にはとくに決議取消の訴を提起する利益はない。ただ判決【111】のいうように、「決議の成立手続に瑕疵が存すること、もしその瑕疵が存しなかつたならば、本件決議が可決されるに至らなかつたであろうこと、ところが取締役が右瑕疵を看過し、同決議により新株引受権を与え新株を発行した結果、会社に損害を生じたこと等を主張」すれば足りる。それゆえ、上述の点のみから見れば、判決の述べている通り、株主には決議取消の訴を提起する利益はないものといつてさしつかえないであろう。しかしながら、取締役と通じて著しく不公正な価額をもつて新株を引受けた者としての役員ないし従業員の差額支払責任（商二八〇ノ一一）の追及の関係から見ると、必ずしも株主に訴提起の利益がないとはいえない。けだし、右の者に対する新株引受権付与に関する総会の決議が取消されず、従つて有効であるとするならば、新株の不公正発行の問題は生じないのに対して（富山・前掲講座(四)一二七二頁参照）、それが判決によつて取消されたならば、上述の者に対する新株引受権の付与は無効となり、新株引受権の存在を前提として役員ないし従業員に有利な発行価額で新株が発行されたときは不公正発行の問題を生じ、場合によつては引受人の差額支払義務（商二八〇ノ一一）を生ずることとなるからである。上述の【111】【112】の判決は「著しく不公正な価額で新株を引受けた者に対して責任を追及するについても」新株引受権の付与に関する決議を取消すことを要しないものとしているが、その決議が取消されない以上新株引受権の付与は有効となるから、その新株引受権にもとづいて株式を引受けた者に対し差額支払の責任を追及しうるとなすことは無理といわなければならないであろう。この点は取締役の責任を追及するのとは同一に論じえないのであつて、この関係では判決のいうように株主に訴提起の利益がないとすることには疑問の余地があるのを免れないであろう。

(2) 株主

（イ）原告たる株主の資格　株主はその持株数に関係なく決議取消の訴を提起しうるが（東京地判昭四・四

・二七新報一八六・二〇)、議決権なき株式の株主はこの権利を有しない(通説。反対、松田・概論一八〇頁、服部・提要二〇三頁、西本・前掲一七九頁)。

株主は訴提起の時に株主名簿上の株主であることを要するが、決議の当時株主であつたことは必要でない。しかし、訴提起の時から当該訴訟の判決確定に至るまで継続して株主たる資格を維持することを要し、訴提起後において株主たる資格を失つたときは、その取消権もまた消滅する【113】(石井・判民昭八年度一八〇事件、東京地判大一三・五・一九評論一四民訴三六三、東京控判昭一一・三・一〇新聞三九八〇・一四、少数株主の検査役選任の請求につき同旨、大決大一〇・五・二〇民録二七・九五二【15】)。

【113】「商法第二百三十二条〈現商四二八条〉カ事業著手後ノ株式会社ニ付キ其ノ設立無効ヲ主張シ得ル権利者ヲ株主取締役又ハ監査役ト規定シタルハ事業著手後ニ於ケル設立無効ノ確定カ当該会社ノ内外ニ尽大ノ影響ヲ及ホスモノナル事ニ鑑ミ特ニ会社ト最モ密接ノ関係ヲ有スル其ノ構成員又ハ機関ニ局限スル趣旨ニ出テタルモノニシテ単ナル利害関係ヲ考慮シタルニ依ルモノニアラサルカ故ニ其ノ無効ヲ主張シ得ル権利ハ株主取締役又ハ監査役ナル資格ニ終始スルモノナリト解スヘク従テ訴提起後ニ於テ夫等ノ資格ヲ欠如スルニ至リタル時ハ其ノ権利モ亦喪失(尤モ取締役若ハ監査役ハ一面ニ於テ株主ノ資格ヲ有スルヲ以テ該資格ヲ失ハサル限リ格別ナリ)スルモノナリト言ハサルヘカラス然ラハ本件ニ於テ上告人カ訴提起当時ニハ被上告会社ノ株主ナリシトスルモ其ノ後株金ノ払込ヲ怠リタルタメ失権処分ヲ受ケ判決当時ニ於テハ株主ノ資格ヲ失ヒタルコト原判示ノ如クナル以上上告人ハ最早事業著手後ノ被上告会社ニ対シ其ノ設立無効ヲ主張スル権利ヲ喪失シタル次第ニシテ之ニ依リ其ノ無効確定ヲ求ムル本訴ハ排斥ヲ免レサルモノトス」(大判昭八・一〇・二六民集一二・二六二九)。

資本減少決議の取消の訴を提起した株主が、その減資の方法として行われた株式の消却又は株式の併合による端株処分によつて株主資格を失つた場合にも、右と同様に取消の訴権を失うものと解すべきか否かは問題である。形式的に見れば、たといかかる処分の前提たる資本減少決議に取消原因があつても、決議取消の「裁判ノ確定スルニ至ルマテハ其効力ヲ保有シ、原告等株主モ亦之ニ拘束セラルルハ当然ナリト謂ハサル」をえないわけであるが【114】、実質的に見れば、かかる解釈は不当といわざるをえない。むしろ端株処分により株主資格を失つた株主も、決議の取消により回復さるべき潜在的な株主資格を保持するものとして、依然として取消の訴権を失わないものと解するのが正当ではないかと考える（提供期日までに株券を提供しなかつた株主の失権に関する旧商二二〇条ノ二・二二〇条ノ三の規定は、昭和一三年の改正により削除された）。　この点で最近の東京地方裁判所の判決が、中小企業等協同組合法一九条による除名決議にもとづいて除名された組合員がその除名決議の取消を訴えた事件において、提訴権者については商法の規定に対する若干の変容を免れずとして、決議の取消をみとめ（東京地判昭三〇・七・一八下級民集六・七・一五八）、また同様の理論にもとづいて解任決議により解任された取締役に対し当該解任決議取消の訴を提起する資格をみとめていることが注目される（東京地判昭三一・一二・二八判時一〇七・二〇【128】、大隅・山口・取締役会および代表取締役（本叢書、商法(4)）七五頁参照）。

【114】　「被告会社カ原告主張ノ如キ組織ニテ其主張ノ日時ニ設立セラレタル株式会社ニシテ原告等カ孰レモ主張ノ如キ株数ヲ有スル被告会社ノ株主タリシ事実並ニ原告主張ノ如キ臨時株主総会ノ仮決議及該仮決議承認ノ決議ノ一応成立シタル事実ハ当事者間ニ争ナシ仍テ按スルニ本訴ハ右臨時株主総会決議ハ其総会招集ノ手続ニ於テ原告等ニ対シ之ヲ脱漏シタルノ違法アリ又決議ヲ為スニ当リ賛否ノ議決権ノ数ヲ過リタルノ違法アリトノ点ヲ理由トシ其決議ノ無効ヲ主張スルニ在ルヲ以テ右決議ハ商法第百六十三条ニ依リ無効ノ宣言ノ裁判ノ確定スルニ至ルマテハ其効力ヲ保有シ原告等株主モ亦之ニ拘束セラルルハ当然ナリト謂ハサルヘカラス然ルニ被告会社カ該決議ニ基キ其主張ノ如キ株券提供ノ催告ヲ為シ且其旨定款所定ノ新聞紙上ニ公告ヲ為シタル事実及原告等カ右指定ノ日時迄ニ各其株券ヲ被告会社ニ提供セサリシ事実ハ当事者間ニ争ナキトコロナレハ原告等ハ

執レモ右提供ヲ為スヘキ期間タル大正十年十二月十二日ノ経過ニヨリ商法第二百二十条ノ三ノ規定ニ依リ其株主タル権利ヲ喪失シタルモノト謂ハサルヘカラス然ラハ原告等ハ既ニ被告会社ノ株主ニ非サルヲ以テ商法第百六十三条ニ依リ被告会社株主総会決議ノ無効ヲ主張スル本訴ハ失当ナルヲ免レス」（東京地判大一一・三・二八新聞一九九五・一九）。

株主は、訴提起の時から判決確定に至るまで継続して株主たる資格を有しておれば足り、必ずしも訴提起の時におけると同一株式を継続して保持することは必要でない（石井・前掲講座(三)九五五頁。反対、松田・概論一八一頁。昭和一三年の改正前の商法では、総会で異議を述べておくことが取消権行使の要件とされたから、この点は反対に解すべき理由があつた。竹田「株主総会決議無効の訴の権利者」民商五巻九頁、石井・同上九五五頁参照）。また株主は、必ずしも総会において決議に対し異議を述べたことは必要でなく、従つて前述のごとく決議の当時から株主であることをも要しないのである（大隅・会社法論二七五頁、石井・前掲講座(三)九五五頁）。最近の下級審判決に、株主の決議取消権は、「株主が株主総会なる会社の機関たる地位に於て有する権利であるから、此の権利は当該決議のなされたる当時に於て株主たる資格を有せし株主に於てのみ」これを行使しうると解したものがあるが【115】、訴提起の要件としてとくに決議に対する異議の申立を要求しない現行法の下においては、株主一般に決議の瑕疵攻撃の権利が与えられているものと解するのが至当であつて、この見解には賛成することをえない。

【115】「按ずるに商法第二百四十七条第一項に規定する株主の株主総会決議取消権は株主が株主総会なる会社の機関たる地位に於て有する権利であるから、此の権利は当該決議のなされたる当時に於て株主たる資格を有せし株主に於てのみ能く之を行使し且つ維持し得るものにして所謂一身専属的性質を有し譲渡、相続等により移転し得ざるものと解するを相当とする。したがつて株主総会決議取消の訴を提起したる株主にして、その訴訟の繋属中死亡したるときは、その相続人に於て之を承継するに由なく、訴訟は対立当事者の一方を失い当

然終了するに至るものと謂わねばならない」（仙台高秋田支判昭三一・四・三〇民集九・四・二四〇）。

なお右の判決は、株主の決議取消権が一身専属的性質を有し、相続等によつてもこれを移転しえないから、株主が訴訟繋属中死亡したときはその相続人においてこれを承継するに由なく、訴訟は当然に終了するとしている。また昭和二九年五月七日の東京地方裁判所の判決（東京地判昭二九・五・七下級民集五・五・六三二）も、株主の決議不存在確認の訴につき同様に解している。学説においてもこの見解をとるものがあるが（例えば松田・鈴木（忠）・条解二四〇頁、朝山・株主総会の法律実務一三四頁）、株主の決議取消権をとくに一身専属的な権利と解すべき理由はなく（詳細につき、大隅「いわゆる株主の共益権について」会社法の諸問題八七頁以下、一〇一頁以下参照）、この訴権も他の共益権と同様株主たる資格にもとづいてみとめられる権利にほかならないから、原告が株式全部を譲渡した場合は別として、原告たる株主の死亡又は合併により株主資格が消滅した場合には、その包括承継人が原告たる資格を承継するものと解してさしつかえない（竹田・前掲民商五巻九頁、間・前掲二一〇頁）。

（ロ）　原告たる株主の利益　商法二四七条の規定は、「株主総会ノ決議ハ裁判所ノ無効宣言アル迄ハ有効ニ存在スルモ、株主ノ利益ヲ保護スル目的ヨリ、総会招集ノ手続又ハ決議ノ方法カ法令ニ違背シタルカ為メ、株主ヨリ一ケ月（旧商一六三）内ニ其無効宣言ヲ請求スルコトヲ許シタル規定」（大判大二・六・二八民録一九・五三〇）【86】である。従つて、訴を提起する株主は、株主としての利益の見地においてその訴権を行使しうるのであつて（ただし株主が、株主たる資格をはなれた純個人的利益のために、この権利を濫用しえないことはもちろんである。東京地判昭四・四・二七新報一八六・二〇は、権利の濫用による訴提起は許しえないが、その請求が法律による権利行使とみとめられる以上、その結果被告会社に不利益を生じてもやむをえないとしている）、取締役におけるように、もつぱら会社自体の利益のためにこの権利を行使することを要求されるものではない（大隅・前掲会社法の諸問題一〇二頁、石井・前掲講座（三）九五九頁・註（一三）参照。これに反し、株主の決議取消の訴は会社の利益のための制度であるとするものとして、松田・概論一八三頁参照）。

しかしこのことからさらに進んで、提訴権者たる株主は、会社ないし全株主のために任務を負う取締役と異なり、自分にとつての手続的瑕疵を問題にしうるだけで、他の株主にとつての瑕疵(例えば、自分は招集通知を受けたが、他の株主に対する招集の通知洩れがあつたような場合)は問題にしえない(鈴木・会社法一二二頁)と解することは妥当でない(前掲ジュリスト選書四三頁以下、石井・前掲講座(三)九五五頁以下)。けだしこの場合でも、他の株主についての手続的瑕疵(例えば招集通知洩れ)の結果、自己の不利益の下に総会の決議が成立する可能性がないとはいえないからである。ことに右の見解に立つときは、株主が決議取消の訴を提起するためには、総会招集のなされた時から株主であつたことを要することになるが、これは総会において決議に対し異議をとどめると否とを問わず株主一般に決議取消の訴権をみとめている現行法の下では、無理な解釈といわなければならない(石井・前掲講座(三)九五六頁)。現行法と同様に、株主の訴提起の要件として決議に対し異議をとどめることを要求していなかつた明治四四年の改正前の商法の下において、大審院判決【116】も、通知を受けなかつた株主のみならず他のすべての株主において決議取消を請求しうることは、提訴権者たる株主を限定しない商法の規定に徴し疑を容れる余地なし、としていた。後出【122】の判決もこの立場をとつている。

【116】「株主総会招集ノ際各株主ニ通知ヲ発スルコトハ必須ノ手続ニシテ之ニ背キタルトキハ其通知ヲ受ケサリシ株主ノミナラス他ノ総テノ株主ニ於テ総会ノ決議無効ノ宣告ヲ請求スルコトヲ得ルハ商法第百五十六条〈現商二三二条〉ノ明文及ヒ第百六十三条〈現商二四七条〉ニ右決議無効ノ宣告ヲ請求スルコトヲ得ル株主ヲ限定セサルニ徴シ疑ヲ容ルルノ余地ナシ」(大判明四二・三・二五民録一五・二五〇)。

(八)　瑕疵と決議との間の因果関係　　右のように、株主はその株主としての利益の見地に従つて決議の取消を請求しうるが、しかし株主が取消の訴を提起するには、その決議によつて株主の利益が害されたか否か、従つて決議の実質的内容に賛成であつたか否かを問わない（竹田・民商五巻一三頁以下、石井・前掲講座(三)九五六頁九五七頁。同旨、松本・前掲二七二頁、間・前掲一七八頁、河村・前掲三二六頁）。また総会招集の手続又は決議の方法の瑕疵と決議との間の因果関係を証明する必要もない。このことは学説上ほぼ異論のないところといえる（竹田・民商五巻一四頁、石井・前掲講座(三)九五七頁、同・株主総会の研究二〇一頁、間・前掲一七八頁、河村・前掲三二六頁ただし三二八頁）。

かように決議取消の訴については、株主の側で決議の成立手続に関する瑕疵と決議との間の因果関係を証明することを要しないものと解せられるが、これに対し会社の側から右の手続上の瑕疵がなかつたとしても同一内容の決議が成立したであろうことを証明しえたならば、決議は取消を免れうるか否かについては、学説上議論がある。一部の学説は、手続の公正を維持する必要からもまた法文上からも、右のような立証により決議が取消しえなくなると解することはできないとしており（例えば、田中(誠)・会社法二四四頁、間・前掲一七八頁、松本・【118】判批・企業会計八巻三号四五八頁）、下級審の判例のうちにも、被告会社において違法の原因が決議の成立に影響を与えなかつたことを立証した場合には決議を無効とすべきでないという条理は、決議の違法の原因が法令中の任意規定に存し、比較的軽微な場合には是認しうるが、特別利害関係人の議決権行使の停止に関するような強行規定に存する場合には是認しえず、従つて仮にその特別利害関係人の行使した議決権の数を控除してなお過半数の賛成があるとしても、決議の法令違反は排除されないと述べているものがある【117】。

【117】　「商法第百六十三条ニ依ル決議無効ノ訴ニ於テ被告タル会社ニ於テ決議ノ違法ノ原因カ全然決議ノ成

否ニ影響ナカリシコトヲ立証シタル場合（例之招集通知カ適法ナラサリシニ拘ラス総株主カ出席シテ異議ナク決議ヲ為シタル場合特別利害関係ヲ有スル者カ決議ニ加ハリタルニ拘ラス其者ノ有スル株式数カ少数ニシテ大多数可決ニ影響ナカリシ場合出席株主カ権利数以外ノ投票ヲ為シ又ハ正当ノ委任状ヲ有セサル者カ投票ヲ為シタルニ拘ラス此等ノ投票ヲ無効トシ又ハ除外スルモ決議ノ結果ニ異動ヲ生セサル場合）ニ於テハ条理上決議ヲ無効ト為スヘキモノニ非スト解スル説アリ然レトモ此条理ハ決議ノ違法ノ原因カ法令中任意規定ニ付存シ比較的軽微ナル場合ニ於テハ是認スルヲ得ヘシト雖右原因カ例之商法第百六十一条〈現商二三九条〉第三項本文第四項ノ如キ強行規定ニ付存スル場合ニ於テハ之ヲ是認スヘカラサルコト論ヲ俟タス従テ仮ニ前示取締役解任決議ニ付右債務者等ノ行使シタル議決権ノ過半数ノ賛成アリタルコト債務者等主張ノ如シトスルモ之ヲ以テ右決議ニ付存スル前示法令違反ヲ排除スルノ効果ヲ生スルモノニ非ス」（東京地判昭八・七・一七新聞三五八七・一八）。

しかし、学説の多数はこれに反対であつて、被告会社において違法の原因が決議の結果に全然影響がなかつたことを証明した場合には、決議取消の判決をなすべきではないと解している（松本・前掲二七二頁二七三頁、竹田・前掲民商五巻一四頁一五頁、田中（耕）・概論三七六頁、松田・概論一八三頁。なお、石井・前掲講座（三）九五七頁九五八頁、同・株主総会の研究二〇一頁）。先にあげた明治三四年の大審院判決【105】もかかる見解を述べたものとみられないではないが（そのほか、明治三七年の和歌山地方裁判所の判決（判決月日不詳新聞二四三・二〇）も、特別利害関係人の参加した決議につき、【105】の大審院判決を踏襲したかのような見解を述べている）、最近の最高裁判所の判決【118】（上田・商事法務研究五五号三頁、宮川・民商三四巻三号四〇八頁）は明瞭にこの立場をとつている。これは、株主名簿上の株主でない者に総会招集の通知をなして議決権を行使させたこと（本判決は、会社がいまだ名義書換をしていない株式譲受人を株主とみとめてこれに総会招集の通知を発し、同人を総会に出席させたことは違法でない旨を判示しているが、この見解は正当とはいえない。詳細については、大隅「株式の譲渡」講座（二）六七二頁、同・会社法の諸問題一二九頁、本叢書名義書換の項を参照）及び特別利害関係を有する株主が議決権を行使したことを理由に、株主が計算書類承認決議の取消の訴を提起した事件に関する。原審では後に述べる理由【118】により取消をみとめなかつたので、原告たる株主が、「裁判所の裁量棄却をみとめていた旧二五一条の規定が削除されたのは株主保護のためだから、裁判所が請求を棄却しうるのは権利の濫用がある場合に限り、その他の場合においては、違法な決議を正当にし直すことが法の要求である」、という趣旨をもつて上告したのである。

【118】「原審は、本件において、株主総会の決議事項について特別の利害関係を有する株主の株式を表決から除外する措置をとらなかつたこと、株主でない者に株主総会招集の通知を発したこと等の違法があつたとしても、若しそのような違法がなかつたならば決議の結果が違つたかもしれないと推測されるような事情は、乙第一号証によつて認めらる本件株主総会の経過、その他の証拠から見て、存在しないと認定し、そのような場合においては、裁判所は株主総会の決議の取消請求を許容すべきでなく、そのことは、商法第二五一条が昭和二五年法律一六七号商法の一部を改正する法律によつて削除されたと否とに拘らない旨を判示した。思うに、商法二五一条は、昭和二五年法律一六七号商法の一部を改正する法律によつて削除されたが、それは、従来の同条の規定が、裁判所に一切の事情の斟酌を許し、従つてその裁量権を余り広汎に認めすぎる如く解されるおそれがあつたため削除されたものであつて、商法二四七条によつて提起された株主総会の決議取消の訴訟において裁判所が合理的な判断の下に右取消請求を認容するか否かを決しうることまでも否定しようとする趣旨と解すべきではなく、たとえ株主総会招集の手続又はその決議の方法が違法であつても、株主総会における議事の経過その他から判断して、その違法が決議の結果に異動を及ぼすと推測されるような事情の存在は認められないと原審の認定した本件のような場合（原審の右認定は当審においても是認できる。）において本件請求を棄却した原判示は正当であつて、所論は理由がない」（最判昭三〇・一〇・二〇民集九・一一・一六五七）。

この問題については法律に直接の規定はないが、決議の成立手続に瑕疵がなかつたとしても同一内容の決議が成立したことの明らかな場合に、なおかつその瑕疵を理由として決議を取消し、あらためて同一の内容の決議を反復せしめることは無意味であつて、法がかようなことを要求しているものとは解しがたい（竹田・前掲民商五巻一四頁）。その意味で、基本的には右の判例及び多数説の立場を正当と解すべきである。しかしながら、この学説・判例の立場を是認するとしても、会社が総会招集の手続又は決議の方法の違法が決議の結果に影響を与えなかつたことを主張して決議の取消を免れうるのは、そのことがきわめて明確な場合に限らるべきであつて、すでに決議に対する影響の可能性が存するかぎりは、決議の取消を免れえないものと解しなければならない（竹田・同上一四頁）。例えば総会招集の手続が違法な場合（例えば、招集の通知洩れ・議事日程の不記載の場合など）には、その株主の議決権の数を除外してなお決議は過半数をえているとしても、そのことを立証して決議の取消を免れうべき余地は全く存しないものというべきである（さきの【117】の判旨は、その限りにおいて正当である）。なぜならば、この場合には議決権の数だけが問題となるのではなく、その株主が適法な通知を受け、議案につき相当な準備をなして総会に出席したならばいかなる意見をもつに至つたか、またその株主の総会における意見の開陳によつて他の株主の議決権行使がいかなる影響を受けたであろうかは、全く不明だからである（竹田・前掲民商五巻一四頁一五頁、石井・前掲講座(三)九五七頁。同旨、松本・前掲二七三頁。これに対し上田「株主総会決議の瑕疵」実務株式会社法六講五〇頁は、事務上の手違いで僅少の株式を有するごく一部の株主に招集通知を出さなかつたような場合には、決議取消の原因にならないとする。なお河村・前掲三二八頁は、この場合も被告会社において株式数少数で多数決の成立に無意味なことを立証した場合には取消をなすべきではなく、ただ原告において影響の有無につき特殊事情の存在を立証したときは取消をみとむべしとするが、正当とはいえない。すでに決議取消の原因が存する以上、決議は取消さるべきが本則であつて、原告に対してかかる事実の立証を要求すべきでないことは、既述のとおりである）。右の【118】の判決のあつた翌年にあらわれた同じ最高裁判所の判決【119】は、【118】の判決が旧商法二五一条の削除後でも裁判所が合理的な判断の下に取消請求を認容するか否かを決することは否定されないとしたのに対して、現行法の下では従前と同様な裁量権は許されざるに至つたと解すべきであるとして、一見彼此矛盾するかのような見解を述べている。しかしこの事件は、招集通知に記載なき事項を決議したため（取締役増員の件という通知の下に原告たる取締役を解任した事件）、その決議の取消が請求されたものであつて、最高裁判所が、その瑕疵の軽微でないことを理由に決議取消の請求を認容したことは、結論として正当といわなければならない。（註二）

【119】「改正前の商法二五一条が削除された現在においても、削除前と同様な裁量権が条理上当然裁判所にあるという所論の見解は是認することができない。この種の裁量権は、原判示のように右規定の削除によつて許されざるにいたつたと解すべきである。そして、予め総会決議事項の通知をしなかつたことは、軽微な手続上の瑕疵ということはできないから、かかる通知のなかつた事項について株主総会の決議がなされた場合は、決議取消の訴において該決議は取消さるべきである。それ故論旨は採ることをえない」（最判昭三一・一一・一五民集一〇・一一・一四二三）。

そのほか、例えば株主でない者又は代理人でない者が決議に参加したというような瑕疵がある場合においても、右と同様に、単にその者の行使した議決権の数が多数決の成立に影響を与えなかつたということだけでは、いまだ決議取消の主張を排除することはできないものというべきである（反対、河村・前掲三八頁、西本・前掲一七〇頁一七一頁。なお既出【105】）。けだしこの場合にも、その無権利者がもし総会に出席せず、また討議に参加しなかつたならば、決議は違つた方向において成立したであろうと解される場合が存しえないではないからである（河村・前掲三二八頁は、無権利者の参加が決議の成否に影響を与えたことは原告の方で立証すべきであるとするが、その是認しがたいことはさきに述べたとおりである）。つぎの決定【120】は、五五万余株の出席株主の満場一致により取締役選任の決議がなされたが、そのうち二千株の株主が、定款に違反して株主でない警察官に議決権行使を委任していた事件である（下飯坂・商事法務研究一巻六号九四頁）。原審は、右の代理人の行使した議決権の数は僅か二千株で他は全員一致であり、選任決議の成立に影響はないものとして決議の取消をみとめなかつたのに対し、名古屋高等裁判所は、右取締役増員は不当な会社乗取り策を企図して行われたもので、これに協力して右代理人が総会決議をその意図する方へ導くため同会社役員・株主等に脅迫的手段を弄したこと等の事情があり、かかる背景のもとに決議が成立している以上、決議取消の原因及び仮処分の必要性は疏明されているとして、原決定を取消しているが、結論において正当といいうる。（菱田・商事判例研究ジュリスト一六五号六六頁は本決定に反対）。

【120】「右決議においては五十五株四千八百株の議決権が行使されて満場一致で議案が可決され其の内定款に反する議決権の行使として其の疏明あるものは前記株主に非ざる広瀬定男により代理行使された石川初次の二千株に過ぎず到底決議を左右するに足る数ではなかつたけれどもたとえ全体に比して僅少と雖も如上の事情を背景として右定款違反の議決権行使が包含されて決議が成立している以上右総会の決議の方法が定款に違反するものとして商法第二百四十七条所定の取消原因及び本件仮処分の必要性は疏明されているものと謂わなければならない」（名古屋高決昭三〇・九・一四下級民集六・九・二〇一二）。

註（一）【119】の判決においては、上告人は、現行法の下でも裁判所は旧法と同様の裁量権を有するものと解すべきこと、および本件では決議を取消して再議に附しても同一の結論が生まれる状況にあることを主張している。判旨はもつぱらこの前段の主張にこたえたのみで、後段の主張に対しては単にその瑕疵が軽微な手続上の瑕疵とはいえないと述べているにすぎないが、何故に本件の瑕疵が軽微な瑕疵とはいえないかの根拠を明らかにして、【118】の事件と本件との関係を統一的に説明することが望ましかつたとおもう（八木・民商三五巻五号六八八頁参照。これに対し判旨に賛成のものとしては、上田「株主総会決議の瑕疵」実務株式会社法六講五三頁以下参照）。なお事業協同組合の総会決議取消請求事件につき、東京地判昭三〇・七・一八下級民集六・七・一四四四は、定款に違反し回覧板をもつて総会招集の通知をなしたことは、著しい違法であり、その違法が決議の結果に影響を与えなかつたとは断じえないとして、決議の取消をみとめている。

（二）　株主の決議取消の訴権の抛棄

決議取消の訴を提起する権利は、定款をもつてこれを奪いえないのはもとより、株主もあらかじめこれを一般的に拋棄することはできないが、個々の場合において「株主カ之ニ甘シ、法ノ保護スル救済権ヲ拋棄」することはさしつかえない。このことは、「法カ株主ヲシテ無効宣言ノ請求権ヲ行使スヘキコトヲ強要セサルノミナラス、却テ其期間ヲ決議ノ日ヨリ一ケ月（旧商一六三、現商二四八Ⅱ）間ニ制限スルニ徴スルモ明」らかである【121】。

権利の拋棄は必ずしも明示たることを要せず、黙示でもよい（竹田・民商五巻一五頁）。(註一) しかし、いかなる場合に黙示の拋棄があつたとみるべきかは、実際にははなはだ困難な問題である。例えば、特定の株主についての招集通知が法定の期間に不足している場合において、当該株主がそれを承認して総会に出席したような場合には、少なくともその株主については取消権の拋棄があつたものとみてよいであろうが、しかし例えば、招集の通知洩れがあつた場合には、たとい株主が異議をとどめないで総会に出席して議決権を行使したとしても、そのことをもつて必ずしも直ちに権利の拋棄があつたものとみることはできないであろう。その株主が決議の内容に賛成した場合においても同様である。昭和一三年の改正前（明治四四年の改正後）の商法は、総会に出席した株主が決議取消の訴を提起するには、その総会において決議に対し異議を述べたことを要するものとしていたから（同一六三Ⅱ）、株主が決議に無条件に賛成したときは、決議取消の権利を拋棄したものと解せられたが（竹田・民商五巻一五頁。もつとも賛成投票しながら異議を留保しうるか否かにつき、竹田博士はこれを肯定されたが、大判昭九・一〇・二六民集一三・二〇一七は、総会に出席して議決権を行使しただけでは、いまだ異議を述べえなくなるものではないが、議案に賛意を表わしたときはもはや異議を申立てえない、としていた）、かかる規定のない現行法の下では、これと同一の解釈をとることは困難であると思う（前掲ジュリスト選書四三頁以下、西本・前掲一八二頁）。この点に関し、現行法と同様決議取消の訴を提起するにつき決議に対する異議の申立を要求していなかつた明治四四年の改正前の商法の下において、招集通知を受けなかつた株主が総会に出席して異議をとどめないで議決権を行使した場合に、決議取消の請求をなしえなくなるかどうかが争われた事件がある。東京控訴院の判決【121】は、この場合その株主は暗黙に招集手続の違法に対する救済権を拋棄したものとみとめるのが相当であるとしたが、大審院は、「若シ原判決ノ見解ノ如クスレハ、本件ノ如キ瑕疵アル総会ノ決議ハ通知洩レノ株主カ出席スルト否トニ依リテ、換言スレハ該株主ノ意思ニ依リテノミ其効力ヲ左右セラルルノ結果トナル」し、「原判決ノ所論ヲ拡張スルトキハ、通知洩レノ株主カ総会ニ於テ異議ヲ留保スルコトカ提訴ノ要件タルカ如キ結果ニ帰着」するという上告論旨を容れて、原判決を全面的に破棄している【122】。

【121】「株主ニ対スル招集ノ通知及ヒ通知ニ記載ス可キ条項ハ適法ナル株主総会開会ノ前提要件ニシテ之カ手続ニ違法アルトキハ株主ハ其決議ノ無効宣言ヲ裁判所ニ請求シ得ヘキコトハ同法第百六十三条ニ明示スル所ナリ而シテ株主総会開会前一定ノ期間ニ於テ通知ヲ発セシムル所以ハ株主ヲシテ予メ総会ノ目的及ヒ議決ノ事項ヲ熟知セシメ其議決前ニ於テ能ク其利害ヲ講究シ進ンテ之カ調査ヲ為スヘキ機会ヲ与ヘ株主ヲシテ完全ニ其権利ヲ行使セシムルト同時ニ会社ノ枢機ニ参与セル重役若クハ一部株主ヲシテ私擅ノ行為ヲ為スノ弊害ヲ避ケシメントスルニ在リテ其究極ノ目的ハ蓋シ株主ノ保護ニ外ナラサルヲ以テ其規定ノ性質上予メ定款ニ於テ之ヲ廃シ又ハ期間ヲ短縮シ或ハ株主ヲシテ予メ其利益ヲ拋棄セシムルコトハ法ノ認容セサル所ナルモ偶々右ノ手続ヲ遺脱シタルモノアル場合ニ於テ其株主カ之ニ甘シ法ノ保護スル救済権ヲ拋棄シ得ヘキコトハ法カ株主ヲシテ無効宣言ノ請求権ヲ行使スヘキコトヲ強要セサルノミナラス却テ其期間ヲ決議ノ日ヨリ一ケ月間ニ制限セルニ徴スルモ明ナリ本訴ニ於テ稲垣弥三郎カ適法ナル招集ノ通知ヲ受ケサリシコトハ之ヲ認メ得ヘシト雖モ同人カ

株主総会ニ出席シテ何等異議ヲ留メス決議権ヲ行使シタルコトハ当事者間ニ争ナキ所ナルヲ以テ同人ハ既ニ決議ノ目的及ヒ事項ヲ熟知セルト同時ニ暗黙ニ招集手続ノ違法ニ対スル救済権ヲ抛棄シタルモノト認ムルヲ相当トス然ラハ同人ニ対シ招集ノ通知ノ為サレサリシヲ理由トシテ無効宣言ヲ求ムルハ失当ナリ」（東京控判明四三・六・二七新聞六六二・二二）。

【122】「此認定事実ニ依レハ係争株主総会ノ決議ハ商法第百五十六条ニ定メタル招集手続ニ違背シタル場合ニ在ルヲ以テ同第百六十三条第一項ノ規定ニ依リ無効トシテ宣言セラルヘキモノト謂ハサルヲ得ス何トナレハ招集手続ノ欠缺ハ原判旨ノ如ク通知ノ発送ナカリシニ拘ハラス株主カ総会ニ出席シタルニ因リ適法ノモノト為ル如キ区別ヲ為スコトヲ容ササル厳格ナル規定ナルコトハ法文上一点ノ疑ヲ容レサレハナリ」（大判明四四・三・二三民録一七・一五一）。

註（一）　昭和三二年の東京地方裁判所の判決（東京地判昭三二・一一・一五下級民集八・二一二三）は、社団法人の社員総会の決議の無効を主張する者が当該社員総会においてその決議案を提出した者であり、しかもその決議に従つてみずから評議員の選考に当り、かつみずから評議員に就任し評議員選考委員会の議事録にも署名した者であつても、かかる行動をなしたことによつて直ちに右社員総会決議の無効確認の訴権を抛棄する旨の意思表示をなしたものとみとめることはできないし、かかる意思表示があつてもその効力をみとめえないことは多言の要をみないところである。またこのような場合にエストッペルないしクリーンハンドの原則を適用すべき限りではない、と述べている。結論についての当否はともかくとして、判決が決議無効の訴権は明示的にも黙示的にも本来これを抛棄することをえないものであるかのように述べていることは、疑問である。

いずれにしても、株主が特定の決議につき取消の訴を提起する権利を抛棄すれば、もはやその株主は決議の取消を請求しえないが、しかしこの場合でも、他の株主の取消権はこれがため当然に失われるものではないから、その株主において権利を抛棄しないかぎり、依然として決議の取消を求めることができる。単に特定の株主についてのみ招集手続の瑕疵があるにすぎない場合でも、既述のように他の株主は自己の利益において決議の取消を求める権利を失わないものと解すべきであるから、たといその株主が自己に対する招集手続の瑕疵を承認し、従って取消を求める権利を拋棄したとみとめられる場合でも、他の株主はその瑕疵を理由として決議の取消を求めうるものというべきであろう（前掲ジュリスト選書四三頁以下参照）。右の【122】の判決は、招集通知を受けなかつた当該株主が、総会に出席し異議なく決議に加わつたにもかかわらず、他の株主において通知の欠缺を理由に決議の取消を請求した事案における判決である（判決に反対、河村・前掲三二九頁）。

（ホ）　裁判所の裁量棄却　　昭和一三年の改正法二五一条は、主として株主の濫訴を防止する趣旨の下に、決議取消の訴が提起された場合において決議の内容・会社の現況その他一切の事情を斟酌してその取消を不適当とみとめるときは、裁判所は請求を棄却しうる旨定めていたが、この規定は昭和二五年の改正により削除された。しかしそれは、「従来の同条の規定が、裁判所に一切の事情の斟酌を許し、従ってその裁量権を余りに広範に認めすぎる如く解されるおそれがあつたため削除されたものであつて、商法二四七条によつて提起された株主総会の決議取消の訴訟において裁判所が合理的な判断の下に右取消請求を認容するか否かを決しうることまでも否定しようとする趣旨と解すべきではな」い（最判昭三〇・一〇・二〇民集九・一一・一六五七【118】。同旨、鈴木・石井・前掲一四〇頁、大隅・大森・前掲二三一頁三八頁）。従って、「改正前の商法二五一条が削除された現在においても、削除前と同様な裁量権が条理上当然裁判所にあるという見解は是認することができない」（最判昭三一・一一・一五民集一〇・一一・一四二三【119】、菱田・法協七五巻四号五一八頁）にしても、さきに述べたように、決議の成立手続における瑕疵が決議の結果に影響を及ぼさなかつたことが明確な場合においては、裁判所は決議取消の請求を棄却しうるものと解すべきであるし【118】、その他の場合においても、株主の訴提起が権利の濫用とみとめられる場合や、現に訴を提起するについて何らの利益も存しないとみられる場合においては、裁判所は依然としてその請求を棄却しうるものと解しなければならない（大隅・概説二二頁一二七頁、大森・講義一六七頁。会社設立無効の訴につき、同旨、和歌山地判昭三三・八・二〇下級民集九・八・一六六六。なお鈴木・石井・前掲一三九頁一四〇頁）。

次の判決【123】は、正規の手続によつて招集された株主総会における取締役選任決議後変更登記をなさないまま二週間を経過したため、あらためて電話により株主の賛否を問う方法で前決議と同一内容の決議を繰り返した上で、登記した事件に関する。大分地方裁判所の判決は、その決議は総会の決議として一応存在しているとして決議不存在確認の訴を棄却するとともに、その予備的請求たる決議取消の請求をも権利濫用の理由をもつて棄却している。この場合、電話によつてなされた取締役選任決議が総会の決議として存在しているとすることは無理であるが、最初の選任決議は適法になされ、かつその決議は撤回されたわけではないから、取締役の選任自体が存在することは認めなければならない。従つて、取締役の選任自体を争うことはできなく、その意味で結果的には右の判決の立場が認められるが、実は問題は取締役の選任が不適法なことにあるのではなくして、登記の申請が適法な期間内になされなかつたことにあるといわなければならない。

【123】「被告代表者清水逸夫本人訊問の結果によれば、昭和二十六年六月二十九日にされた本件決議はこれを為すに当り、予め会議の目的たる事項を記載した招集通知を同日より二週間前に各株主に対して発したわけでなく、かような手続は全然執られていないことを認めうるけれども、此の決議は前記に認定した経緯により、

同年六月十二日にされた決議を単に登記手続の便宜上更に繰返したに止るものであつていわば形式的なものであるから特に被告会社に不利益を及ぼすものではないと考えられるばかりでなく、前に引用した乙第二号証の記載によると原告は同年六月十二日に臨時株主総会に出席して前記決議を為し且つ同日の総会議事録にも取締役として署名捺印していることを認めることができる。そして原告は同年同月二十九日にされた本件決議についてのみ特にその違法を主張してこれが取消訴訟を提起し、これと内容を同じうする同年六月十二日の決議に対しては別に不服の申立をしていないことは弁論の趣旨に照して明白であるから、以上の事実を考え合わせてみると原告が株主として本件決議の手続に前記の違法があることを理由として、その取消並に登記の抹消手続を求めることはその権利を濫用するものというほかはない」（大分地判昭二七・一二・二〇下級民集三・一二・一八〇六）。

なお、旧二五一条の適用の下に決議取消の請求を棄却した判例としては、次の二つの判決【124】（判旨に賛成、大隅・民商一四巻五一五頁、石井・判民昭一八年度二七事件。なお中田・論叢四五巻四四六頁）【125】（判旨に反対、鈴木・谷川・商事判例研究(1)七事件）がある。

【124】「第二百五十一条ノ規定ノ主旨トスル所ハ濫ニ斯ル訴ヲ提起シ会社ノ秩序ヲ紊乱セントスル旨ヲ阻止スルニ在リテ会社ノ秩序ノ維持ヲ目的トスルモノナレハ会社側ニ於テ此点ニ付抗弁ヲ提出シタルト否トニ拘ハラス裁判所ハ職権ヲ以テ決議ノ取消ヲ不適当トスル事情ノ有無ヲ審査シ斯ル事情ノ存スル場合ニ於テハ右規定ニ依リ請求ヲ棄却スルコトヲ要スルモノト解スルヲ相当トス然ルニ乙第一号証ノ被上告会社ノ臨時株主総会議事録ニハ本件株主総会ノ議案タル取締役及監査役ニ対シ氷部収支計算ニ付キ訴訟ヲ提起スルノ件取締役及監査役ニ対シ問屋損害補償問題ニ付キ訴訟ヲ提起スルノ件ニ関シ一株主ヨリ該事業ニ付キテハ再三株主総会ニ於テ審議シ尽サレ既ニ訴訟ノ必要ナシトシテ否決セラレタル所ナレハ訴訟ヲ提起セサルコトニ決定セラレタキ旨ノ意見ノ開陳アリ満場異議ナク右議案ハ否決セラレタル旨ノ記載アリ又証人田畑守吉ハ原審ニ於テ被上告人カ本訴ノ如キ訴ヲ提起シタルハ上告会社ノ姉妹会社タル製氷会社ノ経営ヲ被上告人ニ一任シタル所金四千七百円余ノ使込ヲ生シ遂ニ上告人等ハ其ノ地位ヲ退カサルヘカラサルニ至リタル結果其報復トシテ上告会社ノ重役ニ不

正事実アリト為シ斯ル挙ニ出テタル旨ヲ供述スルヲ以テ若シ右乙第一号記載及証人田畑守吉ノ供述ノ如キ事実関係カ真ナリトセハ正ニ本訴ノ請求ハ商法二百五十一条ニ依リ棄却セラルヘキモノタルヲ失ハス果シテ然ラハ何等以上ノ点ニ言及スル所ナク被上告人ノ請求ヲ認容シタル原判決ハ審理ヲ尽ササルモノニシテ論旨理由アリ」（大判昭一六・四・五民集二〇・四一五）。

【125】　「被告会社は営業開始以来営業不振で、将来に対する計画もなく、このまま存続しても欠損を重ねるばかりであつたので株主の大多数が解散を希望するにいたり、前記の解散決議がなされたものであり、右決議が違法（註――招集通知期間の不足）であるとして取消されたとしても、被告会社の総株数千八百株のうち少くとも、千四百株の株主が解散に賛成である事実が認められ、再び会社解散の決議が行われる現況にあることがうかがわれるから、このような事情の下に本件決議を取消すことは不適当といわねばならぬ。よつて原告の請求を棄却し、訴訟費用は敗訴した原告の負担とし、主文のとおり判決する」（横浜地判昭二五・三・三下級民集一・三三三）。

(3)　取締役

取締役（清算中の会社においては清算人・商四三〇Ⅱ、会社整理の場合において管理人が選任されたときは管理人・商三九八Ⅱ）は、各自単独に決議取消の訴を提起することができる（商二四七Ⅰ）。必ずしも代表取締役に限らない（通説。反対、松田・鈴木(忠)・条解二四六頁）。また、任期の満了又は辞任により退任した取締役が、新たに選任された取締役が、就職するまで取締役としての権利義務を有する場合には（商二五八Ⅰ）、その者もここにいわゆる取締役に包含せられ、決議取消の訴を提起することができる【130】。

取締役が決議取消の訴を提起するときも、株主の場合と同じく、その取消を主張する権利は「取締役ナル資格ニ終始スルモノナリト解スヘク、従テ訴提起後ニ於テ夫等ノ資格ヲ欠如スルニ至リタル時ハ、其ノ権利モ亦喪失（尤モ取締役ハ一面ニ於テ株主ノ資格ヲ有スルヲ以テ、該資格ヲ失ハサル限リ格別ナリ）スル」（大判昭八・一〇・二六民集一二・二六二九【113】、石井・判民昭八年度一八〇事件）。この点においてしばしば問題となるのは、解任された取締役がその解任決議の取消を取締役たる資格において訴えうるか否かという点である。学説の多数はこれを消極に解している。すなわち、たとい解任決議に取消の原因があつても、取締役はその解任決議により直ちに取締役たる資格を喪失し、取消判決の確定により遡つてその資格に変動がなかつたことになるにすぎないから、解任された取締役は、別に株主たる資格で訴を提起するならばともかく、取締役たる資格ではもはや取消の訴を提起しえないとするのである（竹田・民商五巻一七頁、松田・概論一八一頁、松田・鈴木(忠)・条解二四六頁、西本・前掲一八四頁、河村・前掲三二三頁、塩田「取締役の解任をめぐる若干の問題」立命館法学三二号四三頁以下、崎田・法学新報六三巻一〇号九二頁以下、朝山・株主総会の法律実務一四一頁）。従来の下級審判例【126】【127】もこの見解である。

【126】「苟モ株主総会ノ決議アリタル以上仮令該総会ノ決議方法ニ違法アリテ無効ヲ主張シ得ヘキ場合ナリト雖モ訴ヲ以テ其無効ヲ主張シ該判決ノ確定ニ至ル迄ハ直ニ該総会ヲ目シテ無効ノモノナリト謂フヲ得サルコト商法第百六十三条及同条ノ二〈現商二四七条二四八条〉ノ規定ニ徴シ明白ナルヲ以テ株主総会ニ於テ取締役ヲ解任セラレタルモノハ形式上該決議ト共ニ直ニ其資格ヲ喪失シタルモノト謂フヘク唯該決議ノ無効ナルコト訴ニヨリ確定シタル場合ニハ始メヨリ遡リテ其資格ニ変動ナカリシコトト為ルニ過キサルモノト解スヘシ然ラハ本件係争株主総会ニ於テ取締役ヲ解任セラレタル原告ハ最早取締役タル地位ヲ失ヒタルモノナルヲ以テ取締役タル資格ニ於テハ本訴提起ノ能力ナク従テ取締役タル資格ニ於ケル原告ノ訴ハ不適法トシテ却下スヘキモノトス然レトモ原告ハ一面又株主トシテ本訴ヲ提起スト謂フニ在ルヲ以テ右不適法ナルカ為メ本訴全体カ不適法ヲ以テ観ルヘキニ非サルコト勿論ナリトス」（東京地判大一一・三・六新聞一九九一・二二）。

【127】「商法第百六十三条ニヨリ総会ノ決議ノ無効ヲ言渡ス判決ハ創設的ノモノニシテ総会ノ決議ハ該決議後右判決確定迄ハ其ノ効力アルモノナレハ本件ノ如ク右会社ノ株主総会カ同社ノ取締役タリ又ハ監査役タル抗告人等ヲ解任スル旨決議シタル以上タトヒ抗告人等カ商法第百六十三条ニヨリ右決議ヲ無効トスル判決ヲ求ム

ト雖モ該判決カ抗告人等ノ勝訴ニ確定スル迄ハ抗告人等ハ右会社ノ取締役タリ又ハ監査役タル事務ヲ執リ得サルモノ即該地位ニ在ラサルモノト謂ハサルヘカラス而シテ商法第百六十三条ノ三但書ノ規定ハ会社ノ株主ニシテ且現ニ取締役タリ又ハ監査役タル者ニノミ担保義務ヲ免スル趣旨ト解スヘキモノナルヲ以テ抗告人等主張ノ前記事実ヲ前提トシテ抗告人等ニ担保ノ供託ヲ命シタル原決定ハ相当ニシテ本件抗告ハ理由ナキヲ以テ之レヲ棄却スヘキモノト謂ハサルヘカラス」（東京控決昭六・二・七、新聞三二四五・一六）。

これに対して一部の学説は、違法な決議によつて解任された取締役に提訴資格をみとめないのは立法の精神に反するものであるとし（松本・前掲二七二頁）、或いは解任決議の効果はこの場合未確定の状態にあるとして（同・前掲二四二頁二五六頁）、解任された取締役に提訴資格を認めている（訴訟法的理論よりこれを肯定するものとして、中村・早稲田法学三三巻一・二冊六〇頁以下）。最近の下級審判決【128】【129】【130】（長野地松本支判昭四・一二・二六新聞三〇七八・八も結論として肯定説）も、解任「決議の取消により取締役に復帰する可能性を有するのであるから、その取締役たる潜在的地位に基いて」訴を提起しうるとし【128】、或いはこれをみとめなければ、「違法な株主総会の決議によつて解任された清算人（取締役）は、自らの手で右決議の取消を求めることができないこととなり」、「株主総会の決議取消訴訟の原告たる資格を違法に奪われるに等しいこととな」るとし【129】、或いは「かかる者にも決議取消の訴を提起する権利を認めることは、商法第二四七条第一項により、取締役をして決議の瑕疵を攻撃せしめ、株主総会の運営を監督させようとする法の精神に沿うものといわなければならない」【130】として、同様の見解をとつている（【129】に賛成、曾我部・企業会計九巻一三号一〇三頁）。

【128】　「取り消し得べき法律行為も取り消される迄は一応有効として取り扱われるという一般原則をこの場合にも適用するならば、原告は、本件訴による決議取消判決が確定して始めて商法第二五八条第一項により取

締役たる権利義務を有することとなり、右決議後取消判決確定迄の間はこれを有しないことに帰する。この立場からすれば、瑕疵ある決議により取締役の改選が行われた場合、右決議の取消権者としての取締役は、当該決議により選任された取締役を意味することになるが、決議の取消により自己の取締役たる地位は消滅するのであるから、一般的に見て、このような自己に不利益な結果をもたらす決議取消の訴の提起を該取締役に期待することは、極めて困難というの外はない。この不都合は、或株主総会で瑕疵ある決議により取締役全員が解任され、新陣容の取締役が選任された場合に更に明らかとなる。即ち、前記立場に従えば、旧取締役は、株主たる地位を有しない以上、その決議の取消を求め得ず、他方新取締役は、自己の利益に反する故、やはり決議取消を求めないであろうからである。従つて、商法第二四七条により、取締役をして、株主と並んで決議の瑕疵を攻撃せしめ、総会の運営を監督させようとする法の趣旨に沿う為には、決議の取消権者たる取締役の資格決定につき、前記法律行為の取消理論の適用に修正を加える必要があるものというべきである。即ち、右決議により取締役たる地位を失つた者は、係争決議の取消により取締役に復帰する可能性を有するのであるから、その取締役たる潜在的地位に基いて決議取消の訴を提起する資格を有するものと解するのを相当とする」（東京地判昭三一・一二・二八判時一〇七・二〇、下級民集七・一二・三九〇五）。

【129】「原審は株主総会において清算人を解任する決議があつた以上、たとえそれが違法であつても、訴をもつてその取消を主張し、該判決が確定するまでは、清算人の資格を失うものというべく、ただ右決議取消の判決が確定した場合に、初めに遡つてその資格に変動がなかつたものとなるにすぎないから、控訴人は本件総会の解任決議により、被控訴会社の清算人及び代表清算人の資格を失つたものと認め、その資格において、本訴を提起する適格のないものと断じ、これを不適法と却下したものである。

しかしながら、もし原審の見解の如しとすれば、違法な株主総会の決議によつて、解任された清算人は、自らの手で右決議の取消を求めることができないこととなり、結局右清算人は、商法第二百四十七条、第四百三十条によつて与えられた株主総会の決議取消訴訟の原告たる資格を、違法に奪われるに等しいこととなり、右原審の見解は到底肯認することはできないものといわざるを得ない。従つて、右のような清算人は、商法第四百三十条にいわゆる清算人として本訴を提起する資格のあるものというべきである。（もつとも、違法に解任された清算人を、なお清算人として取扱うのは商法第二百四十七条、第四百三十条の関係においてのみであるから、本件において、同法第二百六十一条ノ二、第四百三十条を適用して被控訴会社の代表者を定める必要はない）」（大阪高判昭三二・一・三一判時一〇九・一三、民集一〇・一・二五）。

【130】「右のように商法第二五八条第一項によつて取締役としての権利義務を有する控訴人が、その後任者を選任した本件株主総会の決議に瑕疵ある場合に、その瑕疵を争うことができるかどうかが問題となる。後任者選任の決議はその取消判決が確定するまでは有効であるから、右決議がなされたことにより、控訴人の取締役としての権利義務は消滅し、控訴人はもはや被控訴会社の取締役として右決議の取消を求めることはできないとする見解がある。しかしこの見解に従うときは、当該決議に瑕疵があつても、右決議によつて選任された取締役が決議取消の訴を提起しないかぎり、決議の瑕疵はついに争われることなくして終るおそれがある。けだし、新たに選任された取締役は決議の取消により自己の取締役たる地位を失うのであるから、かかる自己に不利益をもたらす決議取消の訴を提起することは恐らくしないであろう。反対に控訴人の如き前取締役は、決議の取消により、この有していた取締役としての権利義務を回復するのであるから、決議の取消につき最も利害関係と関心とを有するものであり、かかる者にも決議取消の訴を提起する権利を認めることは、商法第二四七条第一項により、取締役をして決議の瑕疵を攻撃せしめ、株主総会の運営を監督させようとする法の精神に沿うものといわなければならない。（以上は株主でない取締役が株主総会の瑕疵ある決議によつて解任された場合に一層適切にあてはまるものというべく、この場合と本件の場合とを区別する理由がない。）従つて、商法第二四七条第一項の取締役には、同法第二五八条第一項によつて取締役としての権利義務を有する者をも包含せしめ、かかる者は後任取締役の選任を内容とする株主総会の瑕疵ある決議の取消を求めることができるものと解する」（東京高判昭三三・七・三〇判時一六二・二八、民集一一・六・四〇〇）。

取消の対象たる決議も取消判決が確定するまでは一応有効であつて、判決の確定をまつてはじめて無効となるという一般理論により、問題を形式的にのみ考察するかぎり、多数説の立場を正当とすべきであろう。しかしこの立場に立つときは、違法な決議によつて解任された取締役はその違法を攻撃する途を有しないという不都合な結果を生ずることとならざるをえない。もつとも、取締役に決議取消の原告適格がみとめられるのは会社自体の利益のためであつて、取締役としての個人的利益保護のためではないから（法形式上取締役が決議取消の訴権を有するのは、会社の機関としてであるか又は機関構成者たる取締役員としてであるかは、困難な問題である。大隅・前掲会社法の諸問題一〇三頁。なお浜田「株主総会の決議の瑕疵と取締役」法政研究二五巻二―四合併号三三〇頁以下参照）、その取締役の解任決議の取消を訴求することが会社又は株主の利益において必要であるならば、他の取締役又は株主において訴を提起すれば足るのであつて、解任された取締役に強いてこの権利をみとむべき理由はないともいえる。しかし商法二四七条の規定は、「取締役をして株主と並んで決議の瑕疵を攻撃せしめ、総会の運営を監督させようとする」趣旨であつて【128】、この趣旨にそうためには、解任決議によつて取締役たる地位を失つた者も、決議の取消により回復さるべき取締役としての潜在的地位にもとづいて決議取消の訴を提起する資格を有するものと解するのが正当ではないかと思う（大隅・山口・取締役会および代表取締役・総合判例研究叢書商法(4)七五頁）。

なお、このような見解をとるかぎり、任期満了又は辞任によつて退任した取締役が商法二五八条一項によつて後任取締役の就職するまで取締役の権利義務を有する場合においても、その者は、後任者が就職した後その選任決議に瑕疵があるときは、その決議取消の訴を提起しうるものと解せられるであろう（前掲【128】【130】の判決は、かかる事案において、辞任取締役の原告適格をみとめたものである）。ただし最近の判決【131】にも反対の見解をとるものがある。

【131】「原告等は商法第二五八条第一項により取締役の権利義務を有していたところ、同年九月七日の総会で右原告等の任期満了を理由としてその主張のような後任者を選任する決議がなされたから、右原告等はここに取締役たる権利義務を喪失したわけである。

もつとも、右原告等はこの後任者選任決議の取消を訴求しているのであるが、取消の判決の確定するまでは有効な決議のあつたものとして取り扱われるべきであるから、結局右原告等は取締役の地位を有しないことに帰する。従つて右原告等が被告会社の取締役として前記決議の取消を求める本件訴は当事者適格を欠き不適法として却下を免れない」(東京地判昭三一・二・一三ジュリスト一〇六・六九)。

(4) 破産管財人

会社が破産した場合にも、株主又は取締役は、破産中の又は破産前の総会の決議につき取消の訴を提起することができる(竹田・民商五巻一九頁)。また破産前に提起された決議の取消又は無効確認の訴は、訴訟繋属中に破産が開始され、取締役又は清算人が破産財団の管理及び処分に関する事務を破産管財人に引渡したことにより、当然に訴訟の中断を生ずるものではない【132】。

【132】「本件ノ訴訟ハ上告人ヨリ被上告会社ニ対シ其清算人ヲ代表者トシテ提起シタルモノニシテ上告人カ原審ニ於テ請求シタル所ハ明治四十五年一月六日被上告会社代表者ノ名ヲ以テ招集シタル定時並ニ臨時株主総会及ヒ右総会ニ於テ為シタル各決議ハ無効トス被上告人ハ其無効タルコトヲ確認ス可シトノ判決ヲ求ムト云フニ在リテ其勝訴ノ結果ハ直ニ破産財団ヲ増減シ之ニ異動ヲ生スル如キ影響ヲ及ホスコトナシ故ニ本件訴訟ハ破産財団ニ関係ヲ有セサルヲ以ツテ訴訟繋属中破産ノ開始ニヨリ清算人カ破産管財人ニソノ事務ヲ引渡シタルモ之カタメニ訴訟手続ハ中断セサルモノトス」(大判大四・二・一六評論四民訴八六)。

破産財団に関係のある決議については、破産管財人もその取消の訴を提起しうるか。学説の多数はこれを肯定しているが（竹田・民商五巻一九頁、間・前掲二四二頁、西本・前掲一八五頁）、総会の決議が破産財団に影響を与えるときは、破産管財人は否認権をもつてその行為を否認すべく、決議取消権は有しないとする見解もある（松田・鈴木(忠)・条解二四五頁）。

(5)　会社

（イ）　訴の被告は会社であり、直接株主又は取締役を相手として決議取消の訴を提起することはできない。株主は決議取消の訴につき被告たる適格を有しないから、被告会社に対し民事訴訟法七五条による共同訴訟参加をなすことをえない（設立無効の訴について、大判昭一三・一二・二四民集一七・二七一三、斎藤・判民昭一三年度一六六事件、中田・商事法判例研究(3)二二八頁。決議取消の訴につき、同旨、東京地判昭七・七・一五評論二一民訴三九五、広島高岡山支判昭三三・一二・二六判時一八〇・四三。なお、馴合訴訟のおそれがあるときは、第三者は民訴七一条により独立当事者参加をなしうるとする【180】【181】の判旨参照）。

訴において会社を代表する者は代表取締役、清算中の会社においては代表清算人（商二六一・四三〇II、なお商三九八II）である。会社解散の決議に取消原因がある場合でも、その「株主総会ノ決議ハ当然無効ナルモノニアラス、裁判所ノ宣告ヲ待チテ始メテ無効トナルモノナレハ、現ニ解散ノ状態ニ在ル会社ニ対シテハ清算人ヲ会社ノ代表者トシテ右決議無効（取消）ノ請求ヲ為スヲ相当トス」る（大判明四二・三・二五民録一五・二五〇【83】）。なお、総会を招集した取締役の資格に瑕疵があることを理由として決議取消の訴が提起された場合につき、当該取締役を会社の代表者となしうることはもちろんである（大阪控判明三四年(ネ)第四〇五号・新聞八九・九）。

取締役が会社に対して訴を提起したときは、取締役会又は株主総会の定める者が会社を代表する（商二六一ノ二）。取締役が同時に株主である場合には、純理論上は取締役又は株主のいずれの資格において訴を提起するも妨げないはずであるが（取締役は株主中より選任すべきものとされていた昭和一三年の改正前の商法の下において、東京地判大一〇・一二・一六評論一〇商法六四一は、商法上取締役は常にその会社の株主たることが明らかであるにもかかわらず、商法がとくに提訴権者として株主のほかに取締役を定めたのは、取締役たる株主が訴を提起するときは常に取締役たる資格においてなすべしとする趣旨であるとしていた）、取締役に決議取消の訴権がみとめられる趣旨が会社ないし株主全体の利益の擁護にあることからみて、訴は常に取締役たる資格において提起することを要するものと解すべきであろう（反対、西本・前掲一八四頁）。いずれにしても、株主たる取締役が訴を提起した場合において、その訴につき取締役会又は株主総会の定める者が会社を代表すべきことはいうまでもない。

（ロ）　破産会社において破産前又は破産中の決議につき取消（又は無効確認）の訴が提起された場合に、破産管財人と代表取締役によつて代表される会社とのどちらが被告たる適格を有するか。一般的にいえば、当該決議の取消（又は無効）が破産財団に属する財産に影響を及ぼす性質のものであるときは破産管財人が、そうでないときは代表取締役によつて代表される会社が被告たる適格を有するものと解すべきである（大隅「破産会社の取締役」会社法の諸問題二五〇頁二五一頁、西本・前掲一八六頁。同旨、間・前掲二五八頁）。　判例もこの見解であつて、昭和六年の大審院判決は、増資無効確認の訴は「畢竟資本増加ハ法律上成立セサルモノニシテ、新株ノ引受ヲ為シタル上告人等ニ於テ之ニ因リ株主トシテ責任ヲ負ハサルコトノ確定ヲ求ムル趣旨ナリト解セサルヘカラサルヲ以テ、本件ハ右会社ノ破産財団ニ直接ノ関係アル訴ニシテ、破産管財人タル被上告人ハ其当事者タル適格ヲ有スルモノ」なりとしており（大判昭六・二・一四新聞三二三七・八）（なお【133】の判決の引用する大判大九・五・二九民録二六・八〇〇、大判昭一四・四・二〇民集一八・四九五も、破産会社の設立無効の訴ないし会社不成立の確認の訴は会社の法人格に関する訴であり、財産権上の訴ではないからとの理由で、取締役によつて代表される会社を訴の相手方とすべきものとしている。しかしながら、破産会社に対する設立無効の訴がみとめられるとするならば、その結論は正当といえるが、破産会社につき重ねて設立無効の訴を提起することは無益であつて、本来許されないものと解すべきである。詳細については、大隅・前掲会社法の諸問題二四五頁以下、田中（耕）・判民昭五年度五五事件、石井・判民昭一四年度三四事件参照）、　また最近の大阪地方裁判所の判決【133】も、取締役選任決議等の取消の訴は「別に被告会社の破産財団を構成する財産の処分決議の取消を求めるものでな」く、「破産財団に全く関係のないもの」であるから、「この訴の被告適格を有するものは、破産管財人ではなく被告会社というべきである」としている。

【133】「破産法第一六二条によると、破産財団に関する訴についての訴訟実施権は破産管財人に専属するものであるから、本件決議取消の訴がもし被告会社の破産財団に関するものということになれば勿論その破産管財人をもつて被告とすべきであるが、そうでない限り被告会社が破産宣告の有無にかかわらず訴訟実施権を有するものといわなければならない。そこで、この訴が右破産財団に関するものであるかどうかについて考えてみるのに、この訴の訴訟物は会社臨時株主総会における取締役及び監査役の選任決議等の取消請求であつて、別に被告会社の破産財団を構成する財産の処分決議の取消を求めるものでないことが原告の主張自体から明らかに認められるから、その破産財団に全く関係のないものというべく、従つて、この訴の被告適格を有するものは、右破産管財人ではなく被告会社というべきである（同趣旨会社設立無効の訴について大正九年五月二九日大審院判決、会社不成立確認の訴につき昭和十四年四月二十日大審院判決）」（大阪地判昭三二・一二・六、商事法務研究一一四・一一）。

（四）　訴提起の期間

(1)　決議取消の訴は、決議の日（ただし初日は算入しない、民一四〇。反対、平野・判民大一一年度一九事件七八頁）から、三月内に提起することを要し（商二四八I）、「此期間ヲ経過シタル後ハ、如何ナル理由ヲ以テスルモ其無効ヲ主張スルヲ得」ない（大判明三七・四・二九民録一〇・五七六）。「仮令被告カ何等異議ヲ述ヘストモ、裁判所ハ原告ノ訴ヲ却下スヘキ」である（法曹会決議大一四・四・二二商法判例総覧3一八五）。

(2)　右の三箇月の期間の経過前においては、訴訟の進行中に決議取消原因を追加主張することはさしつかえない（石井・前掲講座(三)九六二頁、西本・前掲一八八頁）。決議取消の訴は「総会招集ノ手続又ハ決議方法カ違法ナルコトヲ以テ訴ノ原因トナスモノ」であるから、右の期間内に決議取消の原因たる事実を追加することは、「訴ノ基礎ニ何等ノ変更ヲ加フルモノニ非サルノミナラス、被告ニ対シテハ附加シタル事実ニ付テモ応訴ノ準備ヲ為シ能ハサリシモノニ非サルヲ以テ、右原告ノ附加シタル主張ハ畢竟スルニ事実上ノ申述ヲ補充シタルモノニシテ、訴ノ原因ヲ変更シタルモノニ非スト認ム」べきである（長野地松本支判昭二・七・一三新聞二七三五・九）。また「決議ノ日ヨリ一ケ月（旧商一六三ノ二Ⅰ、現商二四八Ⅰ、三ケ月）内ニ訴ヲ提起シタル以上ハ、爾後其ノ訴訟カ長年月ニ亘リテ繋属スルモ、之カ為ニ無効タルヘキ決議ノ瑕疵カ補正セラルル」ものでないことは当然である（大判昭八・一二・五評論二三商法八七、新聞三六七〇・一五【110】）。

しかしながら、訴訟の進行中に決議取消の原因を追加主張しうるのは、右の三箇月の期間内に限り、それ以後においては取消原因の追加はなしえないものと解すべきである（石井・判民昭一〇年度八七事件、同・講座（三）九六二頁、田中（誠）・会社法二四七頁、間・前掲二五一頁、河村・前掲三二四頁、前掲ジュリスト選書二一五頁以下）。最近の下級審判決【134】【135】は明らかにこの見解に立っているが、昭和一〇年の大審院判決【136】が、提訴期間経過後において原告が招集通知の期間の不足を主張したのを決議取消原因についての従来の主張を釈明したものと解しうると述べているのも、この見解を前提としたものと推測される（石井・判民昭一〇年度八七事件）。なおそれ以前にも、決議取消の出訴期間を制限する規定の趣旨は、「既ニ期間経過後ハ斯ル事由ニヨル攻撃方法ハ一切之ヲ許ササルモノトスルニアル」から、右期間後に決議取消事由を主張して決議の無効確認を求めても、もはやその主張は法律上理由なきものとなさざるをえず、かかる主張による決議無効確認の訴は法律上失当なりとした下級審の判決がある（大阪地判昭八・四・一新聞三五四二・一六）。

【134】「原告は本件株主総会の招集通知には後任取締役選任なる事項を会議の目的として記載せられていないと主張するが、右事由は昭和二十四年九月七日の本件口頭弁論期日において追加主張したものであつて、本件株主総会の決議後一箇月以上を経過し、昭和二十五年法律第百六十七号による改正前の商法（畧）第二百四十八条により許されざるものである」（大阪地判昭二七・七・一　下級民集三・七・九〇九）。

【135】「職権によつて審査するに、原告主張の取締役解任決議の定足数を欠くとの主張は、本件総会の開催された昭和二十七年九月十六日から三月を経過した同年十二月十九日以後に当裁判所に提出された「請求の趣旨並に原因変更の申立」と題する書面によつてなされているものであることは、当裁判所に顕著の事実であるところ、商法第二百四十八条に規定する期間は、決議に対する特定の取消原因の主張に対するものと解されるから、右主張は、商法第二百四十八条第一項に規定する期間を遵守しなかつた理由により不適法として却下すべきである」（東京地判昭二八・六・一二　下級民集四・六・八六八）。

【136】「商法第百六十三条ノ二第一項ニ決議無効ノ訴ハ決議ノ日ヨリ一ケ月内ニ之ヲ提起スルコトヲ要ストアルモ本件訴状ハ一ケ月内ニ提起セラレアリテ其ノ中ニハ請求ノ趣旨トシテ昭和八年五月十五日第二十六回定期株主総会ニ於テ為シタル決議ハ無効トスル旨記載アリテ第一審第一回準備手続ニ於テハ被上告人ハ株主総会招集ノ通知ハ昭和八年五月一日附ニテ其ノ翌日発送シタリト主張シ更ニ昭和八年十月十二日ノ口頭弁論ニ於テ被上告人ハ招集通知ト会日トノ間二週間ノ期間ヲ存セサリシモノナリト主張シタルコト明ナレハ第一審ニ於テハ被上告人カ訴状ニ記載シタル決議無効ノ原因トスル所ハ単ニ会議ノ目的タル事項ヲ通知セサリシコトノミナラス被上告人ニ対スル招集ノ通知カ二週間ノ期間ヲ存セサリシコトヲモ包含スルモノト釈明シタルモノト解スルニ難カラス故ニ被上告人カ自己ニ対スル招集通知カ商法第百五十六条第一項ノ期間ヲ存セサル事由ヲ主張シタルハ同法第百六十三条ノ二第一項ノ規定ニ違背シタルモノニ非ス」（大判昭一〇・七・一五　民集一四・一四〇六）。

これに反して学説のうちには、三箇月の期間は決議取消の訴提起そのものを制限したものであつて、決議取消の事由の追加は訴訟進行中における攻撃防禦の方法の展開ということで解決すべき問題であり、決議取消の訴そのものの変更ではないから、右の期間の制限に服しないとする説がある（西原・前掲ジュリスト選書二一六頁以下。結果同説、伊沢・民商三巻三三〇頁）。右の【136】の原審判決も、「訴其ノモノカ一度法定ノ期間内ニ適法ニ提起セラレタル以上、其無効理由ヲ一ケ月（旧商一六三ノ二Ⅰ）ノ法定期間ヲ経過シタル後ニ追加主張スルモ、這ハ一個ノ訴ノ原因ヲ追完シタルモノトシテ適法ナリト解スヘ」きであると述べている。しかし、法が決議取消の訴につき三箇月の期間の制限を設けたのは、決議の成立過程における瑕疵は比較的軽微な瑕疵であり、かつ時の経過によつてその判定も困難となるにもかかわらず、かかる場合に「理論ニ一任シ何時ニテモ其無効ヲ主張シ得ルモノトセハ、其決議ヲ前提トセル会社取引ノ権利関係ニ意外ノ錯雑ヲ来シ、当事者ノ利害ニ重大ナ影響ヲ及ホス」おそれがあるが故にほかならない（大判大一〇・七・一八民録二七・一三四六【87】）のであつて、右の期間経過後は新たな取消原因を主張して決議の効力を争うこともできないものと解するのが妥当である。もつともこのように解しても、すでに主張されている取消原因と実質的に同一性のみとめられる範囲内においては、事実の追加主張をみとめてさしつかえない（前掲ジュリスト選書二一五頁、石井・講座（三）九六二頁）。例えば特定の株主に対する招集の通知洩れを理由に訴を提起したところ、後になつて他の株主に対しても招集の通知洩れがあつたことが発見されたというような場合には、提訴期間の経過後であつても、その事実を追加主張してさしつかえないものと考えられる。けだしかような場合には、たとい提訴期間の経過後になつて新事実を主張することになつても、それは当初の訴において主張された決議取消の原因（右の例では、総会招集の通知洩れがあつたという事実）についての釈明の範囲を出ないのであつて（【136】参照）、これにより従来の主張とは別個の決議取消の原因が追加されたものとはみとめられないからである。

しかしながら、最近の東京高等裁判所の判決【137】はこれに反対であつて、「最初期間内に或る特定の株主に対する招集通知のないことを理由として訴を提起しておきながら、その後訴の提起期間経過後になつて、更に他の株主に対しても招集通知がなかつたことを追加主張する場合」にも、その主張はやはり許さるべきではないと述べている。この点右の判決は、「決議の効力の安定」の要求を強調するのあまり、決議取消の主張に関し無用な拘束をみとめるものといわざるをえない。もつとも、判旨は上述のような意味での決議取消原因の追加主張をも不適法と解する立場に立つているが、しかし本件の事案では、実はかような意味での追加主張が問題となつたのではない。本件において、原告（控訴人）が他の株主にも招集の通知洩れがある旨を主張したのは、提訴期間の経過後において従来の主張とは別個の決議取消原因として追加したものであり、従つて本来不適法と解さるべき場合に当るのである。それゆえ、判旨は正当とはいえないにしても、判決がこの原告の主張を排斥したこと自体は、結論において正当とみとめなければならない。けだし本件の事案は、原告が自己に対する招集の通知洩れを理由に決議取消の訴を提起したところ、原審（東京地判昭三一・一二・二八下級民集七・一二・三九〇五【128】）では、原告が総会当時すでに株式を譲渡し株主でなくなつていたものと認定され、従つて原告に対し総会招集の通知をなさなかつたことは何ら違法でなく、決議取消の原因は存しないものとされたので、あらためて控訴審において、右の招集通知洩れの主張のほかに、自己以外の株主三名に対しても招集通知が欠けている旨を追加主張して決議の取消を求めたのである。すなわち、原告が控訴審において自己以外の株主に対して招集の通知洩れがあつたという事実を追加主張したのは、従来の決議取消の主張を釈明したものというよりは、むしろ従来の主張が理由なきものとされたために、それとは全然別個の主張として、他の株主に対する招集の通知洩れなる決議取消の原因を主張したものにほかならないのであつて、裁判所がこの追加主張を提訴期間の経過後になされた不適法な主張であるとして排斥したのは、結局正当であるといわなければならないのである。前述のように提訴期間の経過後において決議取消の原因たる事実を追加主張することが許されるのは、決議取消の原因に関する前後の主張が実質的に同一性を有するものとみとめられる場合（いいかえれば、後の主張によつてあらたな決議取消原因が追加されたとみとめられないような場合）にかぎられるのであつて、これを本件の事案についていえば、当初の招集通知洩れの主張において、原告が総会招集の通知を受くべき株主であることがみとめられ、従つて他の株主三名と同じく原告株主に対しても総会招集の通知洩れなる事実があり、決議取消の原因が存することがみとめられるのでなければならない。そのかぎりでは判旨のいうように、「さきの主張とあとの主張とが実質上招集手続における同種の瑕疵」に関するものであつても、いまだそのことだけでは提訴期間の経過後における追加主張が当然に許されるとはかぎらないのである。

【137】　「被控訴会社が控訴人に対し本件臨時株主総会招集の通知をしなかつたことは被控訴人の争わないところである。しかし、右総会当時控訴人が既に株主でなかつたことは、さきに認定したとおりであるから、控訴人に総会招集の通知をしなかつたことは何等違法ではなく、これを理由として本件決議の取消を求める控訴人の本訴は失当である。

控訴人は、当審に至り、昭和三二年五月一三日の口頭弁論期日において、本件決議の取消原因として、株主甲、乙、丙の三名に対しても総会招集の通知をしていない旨の主張を追加し、右三名が被控訴会社の株主であることは、当事者間に争のないところであるが、右主張は本件決議の日から三月以上を経過してなされたものであることは、弁論の全趣旨により明らかなところであるから、右主張は商法第二四八条第一項により許されないものといわなければならない。けだし、商法第二四八条が訴の提起期間を制限しているのは、短期間に総会の決議の効力を安定させることを目的としているものであるから、その期間経過後は決議に対する新たな取消事由を主張することを認めない趣旨であると解するを相当とする。もしそうでなければ、会社においては取消訴訟の結果につき見とおしがつかず、永く不安定な状態に置かれることとなつて不当である。このことは、本件の如く、最初期間内に或る特定の株主に対する招集通知のないことを理由として訴を提起しておきながら、その後訴の提起期間経過後になつて、更に他の株主に対しても招集通知がなかつたことを追加主張する場合にも全く同様であつて、さきの主張とあとの主張とが実質上招集手続における同種の瑕疵ではあつても期間経過後の右追加主張を許すべきではない。従つて前記三名の株主に対する招集通知がなされたか否かを判断するまでもなく、当審における追加の取消事由に基づく控訴人の本訴請求は失当である」（東京高判昭三三・七・三〇判時一六二・二八、民集一一・六・四〇〇）。

なお以上述べたことは、総会の決議の成立手続に瑕疵があることを主張して決議の取消を求める場合に関する。「決議の効力自体は争うことなく」、ただ総会の決議が違法な手続の下に成立せしめられたことについて取締役の責任を追及するために、「決議の成立手続に瑕疵が存したという事実を主張する」ような場合には、右の期限の制限は存しないものと解しなければならない（既出〔111〕）。

（五）　担保の提供

株主が決議取消の訴を提起したときは、裁判所は会社の請求により相当の担保を供すべきことを命ずることができる（商二四九Ⅰ）。会社が右の請求をなすには、株主の訴の提起が悪意に出たものなることを疎明しなければならない（商二四九Ⅱ・一〇六Ⅱ）。ここに悪意とは、訴の提起が株主としての正当な利益の擁護の目的に出ていないこと、例えば客観的にみて何ら理由のない訴をただ会社荒しの目的で提起しているような場合をいう（大隅・概説一二七頁、鈴木・会社法二二〇頁。同旨、大森・講義一六六頁）。昭和二八年の東京地方裁判所の決定（東京地決昭二八・二・一八経済法律時報一・一・三六）は、訴の提起が悪意に出ているというのは、被告に対する原告の害意、すなわち訴の成否に関係なく、ことさらに被告を困らせようとする原告の意思が訴の提起により客観的に実現されていることをいうとしているが（事実関係は明らかでないが、本件では結局その疎明なしとして申立を棄却したようである）、正当といえよう（ただし田中(誠)等・コンメンタール会社法四二頁四六八頁参照）。

担保提供の請求は、訴訟のいかなる審級においてもなすことができる【138】（石井・判民昭六年度七七事件、田中(誠)・会社法二四八頁、河村・前掲三二〇頁、西本・前掲一九四頁）。この請求により裁判所が担保の提供を命ずるときは、担保額及び担保を供すべき期間を定めることを要するが（民訴一一七・一一〇）、本条の担保は「会社に生じ又は生じようとする総ての損害を保証するもの」であるから、担保額は裁判所が会社の蒙るべき不利益を標準として自由裁量により定めうべく、必ずしも訴訟費用に限らない【139】（同旨、東京控決昭九・八・二五新聞三七五五・一五、松田・鈴木(忠)・条解二四八頁）。

【138】「商法第百六十三条〈現商二四七条〉ノ規定ニ依ル株主総会決議無効ノ訴ニ於テ被告ト為リタル会社ハ訴訟ノ如何ナル審級ニ於テモ相手方ニ対シ同法第百六十三条ノ三ノ規定ニ依リ担保ヲ供スヘキコトヲ請求シ得ヘキモノナルコト民事訴訟法第百十七条ニ於テ同法第百八条ノ規定ヲ準用セサル点ヨリ之ヲ見ルモ極メテ明ナルヲ以テ原審カ抗告人ニ対シテ担保ノ提供ヲ命シタルハ相当ナリ」（大決昭六・七・三一民集一〇・七六一）。

【139】「抗告人は担保によつて償わるべき損害は厳密に当該株主総会が本訴訟によつて影響せられたため必

然に生ずる実質的損害に限らるべきで所謂訴訟費用の点に及ぶものでなく訴訟費用の担保については民事訴訟法の当該規定によるべきである、仮に訴訟費用が包含されるとしても訴訟費用法に明記する本来の訴訟費用のみに限らるべきであると主張するが右担保は会社に生じ又は生じようとする総ての損害を保証するものであつて訴訟費用法に明記する本来の訴訟費用を包含するのは勿論被告会社が訴訟を遂行するにつき、特に事務員を使用する必要がある場合には右事務員に関する費用のようなものをも包含すると解すべきであつて、この点に関する抗告人の主張は採用するを得ない」(東京高決昭二四・三・三一商法判例総覧3二一六)。

なお、原告たる株主が取締役なるときは、担保の提供を請求することはできない(商二四九I但書)。これは、取締役が「必要ノ場合ニハ会社一般ノ為メニモ亦此訴ヲ提起スヘキ職責アルモノニシテ、一般株主ト同一ニ律スヘキモノニアラサルカ為メニ外ナラサルヲ以テ、仮令訴提起ノ当時取締役又ハ監査役ノ職ニ在リタル株主ト雖モ、其後其職ヲ喪ヒタル場合ニ於テハ、右ノ職責ナキニ至ルノ結果右担保免除ノ理由モ亦茲ニ消滅スルニ至ルヲ以テ」(東京控判大七・三・二五新聞一三九六・二〇)、会社は、その訴提起が悪意に出ていることを疎明しうるかぎり、裁判所に対し担保提供の命令を請求することができる。なお株主たる取締役が取締役たる自己を解任する旨の決議の取消を求める場合にも、決議取消の「判決ハ創設的ノモノニシテ、総会ノ決議ハ該決議後右判決確定迄ハ其ノ効力アルモノナレハ」「該判決カ原告(抗告人)等ノ勝訴ニ確定スル迄ハ、原告(抗告人)等ハ右会社ノ取締役タル事務ヲ執リ得サルモノ即該地位ニ在ラサルモノト謂ハサルヘカラス。而シテ商法第百六十三条ノ三(現商二四九)但書ノ規定ハ、会社ノ株主ニシテ且現ニ取締役タル者ニノミ担保義務ヲ免スル趣旨ト解スヘキモノ」であるから、すでに取締役たる資格を喪失した原告に対して担保の提供を命ずる決定は、違法とはいえない(東京控決昭六・二・七新聞三二四五・一六【127】)。

(六)　訴の手続

(1)　決議取消の訴は、会社の本店所在地の地方裁判所の管轄に専属する(商二四七Ⅱ・八八)。口頭弁論は訴の提起期間経過後において開始することを要し(商二四八Ⅱ)、数個の訴が同時に繋属するときは、弁論及び裁判は併合してなすことを要する(商二四七Ⅱ・一〇五Ⅲ)。ただし弁論及び裁判を併合すべしとする規定は、「裁判所ニ対シテ併合シテ審理裁判ヲ為スコトヲ訓示スル趣旨ノ規定ニ過キサルヲ以テ、之ニ反シテ為シタル裁判ノ効力ハ之ニ依リ影響ヲ受クルモノ」ではない(大判昭八・三・一〇民集一二・四六六、加藤・判民昭八年度三六事件、田中(誠)・会社法二四八頁、松田・鈴木(忠)・条解二四七頁)。併合された訴訟は、訴訟の目的が共同訴訟人の全員につき合一にのみ確定すべき場合に当り(民訴六二)、必要的共同訴訟である(朝鮮高判昭二・七・二二評論一六民訴六〇九。ただし学説においては議論がある。判決と同旨、松田・鈴木(忠)・条解二四七頁、間・前掲二六〇頁。反対、雉本「株主総会の決議無効の訴」民事訴訟法論文集一〇四四頁以下)。

訴の提起があつたときは、会社は遅滞なくその旨を公告しなければならない(商二四七Ⅱ・一〇五Ⅳ)。この公告は、訴の一当事者以外ノ他ノ株主其他ノ者ヲシテ訴訟ニ参加セシメ、其利益ヲ擁護スル機会ヲ与フル趣旨ニ出テタルニ過キスシテ、之ヲ怠リタル取締役ニ於テ因リテ生シタル責任ヲ負担スルハ格別」、「此ノ公告ノナカリシコトハ、以テ当該(決議取消)ノ判決カ法律所定ノ効力ヲ生スヘキコトニ何等ノ消長ヲ来タササルモノ」であることはいうまでもない(大津地判昭三・二・三新聞二八四八・一一、東京地判昭一〇・一一・三〇評論二五商法五〇)。

(2)　同一の総会においてなされた数個の決議のうち、共通の瑕疵を有するもの全部について、一個の取消の訴を提起しうることはいうまでもないが、逆にその一部の決議のみの取消を求めることも、少なくともその決議が他の決議と理論上不可分の関係に立つていないかぎり、許されると解せられる(片山・前掲六二九頁、西本・前掲一八二頁。従つて訴においては、取消の対象たる決議を明示すべきである。松田・鈴木(忠)・条解二四九頁参照)。最近の東京地方裁判所の判決【140】はこのことをみとめているが、この結論は、その数個の決議が一個の議案の形式をもつて同時に採決された場合でもかかわりはない。決議無効確認の訴に関する判例ではあるが、取締役及び監査役の選任決議が同時に採決された場合でも、取締役選任の部分と監査役選任の部分とは必ずしも不可分離の関係にあるものではないから、前者が定款に違反して当然に無効であつても、後者はこれがため当然に無効となるものではなく、後者の決議無効確認の請求を排斥したことは違法ではないとした大審院判決【141】がある。

【140】　「昭和二九年九月七日の本件株主総会においては、原告が取消を求める決議の外に被告主張のような決議のなされたことも当事者間に争がない。被告はこのような場合、数箇の決議のうち一部のみの取消を求めることは許されないと主張する。おもうに、役員解任とその後任者選任とが別箇の議案として提出せられ決議されたときのように一つの決議が他の決議の有効なことを必然の前提としその間密接不可分の関係があつて論理上別異の結論に到達することが許されないときにはその一部のみの取消を求めることのできないことは勿論である。しかし、本件においては、原告が取消を求める決議とそれ以外の決議との間には右の意味における関連性がなく、決議事項はそれぞれ別箇独立の意義と存在とを有するものであるから、原告はその選択に従い、取消につき利益を有するものにつき自由に決議事項を単位として一部の取消をも請求し得るものと解するのを相当とするから被告の右抗弁は採用しない」（東京地判昭三一・二・一三ジュリスト一〇四・八五）。

【141】　「取締役及監査役ノ選任決議カ同時ニ採決セラレテ成立シタリトスルモ取締役選任ノ部分ト監査役選任ノ部分トハ必スシモ不可分離ノ関係ニ在ルモノトハ解シ難キヲ以テ取締役選任ニ関スル部分カ取締役員数ニ関スル定款ノ規定ニ違反シタル為当然無効タルヲ免レサル場合ト雖モ之カ為監査役選任ニ関スル部分ニ付何等無効ヲ来タス事由ノ存セサル限リ其ノ無効ヲ招来スルモノト謂フヘカラサルカ故ニ本件株主総会ニ於ケル取締

役及監査役選任ニ関スル右決議ハ取締役選任ノ部分カ定款ノ規定ニ違反セル為当然無効ナルニ拘ラス監査役選任ノ部分ハ右無効ノ影響ヲ受クルコトナク有効ナリト解スルヲ妥当トス」（大判昭一五・一〇・九評論三〇商法一一三）。

なお出訴期間内であるかぎり、数回の総会における決議の全部につきまとめて取消の訴を提起することも可能である。しかし「各総会ノ決議ハ各箇独立ノモノナレハ、数回ノ総会ニ対シテ其無効（取消）ヲ請求スル場合ニハ、其各総会ヲ明示スルヲ要」し、当初の「申立ニ掲ケサル別箇ノ総会決議ノ無効ヲ追加スルハ、訴ノ拡張ニアラスシテ新ナル訴ノ提起ナルコト勿論」である（大判明三七・四・八民録一〇・三九六、同旨、雉本・前掲一〇一八頁）。

（七） 訴提起の効果

(1) 決議取消の訴が提起されても、決議の有効・無効は判決をまつてはじめて定まるのであるから、取締役はこれに拘束されることなく、その善良な管理者の注意をもつて決議の執行をなすか否かを決すべきである（通説）。

(2) 決議取消の訴が提起された場合においては、判決の結果をまつことなく直ちに総会を開いて決議をやりなおすことが、会社における法律関係を速かに確定する上において有利とされる場合が少なくない。この場合の決議にも、旧決議を廃棄（撤回）して改めて同一内容の決議をなす場合と、単に瑕疵ある旧決議を瑕疵のない新たな決議をもつて確認する場合とがありうる。この後の場合にも、瑕疵ある旧決議を初めに遡つて瑕疵のないものとすることはできないから、法律的には一たん旧決議を廃棄した上でそれと同一内容の決議をなすのとかわりはない（松本・前掲二七四頁以下、間・前掲三一一頁）。いずれにしても、株主総会の決議は同様の株主総会の決議をもつてすればこれを撤回しうるのが原則であつて、上述のように瑕疵ある旧決議を廃棄もしくは確認することによつて旧決議を将来に向つて消滅させることは、必ずしも許されないものではない【142】（後出【145】も結果同説。なお、盛岡地一関支判大一四・一一・一六新聞二四八一・四、同大一四・一二・七評論一五商法一八一は、取消原因ある決議の無効は訴をもつてのみ主張しうるものであるから、招集通知に議案の要領の記載を欠いてなされた定款変更決議を後の決議で取消しても、その取消は遡及効を有しないとしているが、将来に向つては効力を失わしめうるとするのかどうか、判旨は明らかでない）。

【142】「控訴人は株主総会の決議の取消は訴によつてのみこれをなしうるのであつて株主総会の決議をもつてしてはこれを取消しえない旨主張するについて按ずるに、商法第二百四十七条第一項には株主総会の招集の手続または決議の方法が法令もしくは定款に違反した等の場合は株主または取締役は訴をもつて決議の取消を請求することができる旨規定しているが、これは第三者が株主総会の決議の効力を遡及的に消滅させようとする場合の規定であつて後の株主総会が先の株主総会の招集手続に瑕疵があつたことを発見して先の株主総会の決議を将来に向つて消滅させることを禁止する趣旨をも包含しないものと解するのが相当である」（東京高判昭二七・二・一三民集五・九・三六〇）。

もつとも、決議の撤回をなすことが許されるとしても、その撤回によつて、会社と第三者との間に発生した法律関係を一方的に変更又は消滅せしめたり、すでに消滅した法律関係を復活せしめえないことはいうまでもないから、実際上決議の撤回をなしうるのは、いまだ決議によりかような法律関係が発生していない場合でなければならない。例えば、資本減少の決議は減資の手続が完了するまではこれを撤回することができるが【144】、これに反して、「取締役解任の決議は、当該取締役に対する告知によつて解任の効果を生ずるから、その後において株主総会の決議をもつてこれを取消乃至撤回することは許され」なく、たといかかる趣旨の決議をなしても、その決議は当然に無効と解しなければならない【143】（大隅・山口・前掲七四頁）。

【143】「株主総会の決議であつて相手方の受領を要する意思表示にあたるものはこれが相手方に到達した後は、株主総会において任意にこれを取消乃至撤回することができないと解すべきであるが、取締役を解任する決議は、当該取締役に対する告知によつて解任の効果を生ずるからその後において株主総会の決議をもつてこれを取消乃至撤回することは許されず、たとえかかる趣旨の決議がなされても、それによつて直に前の決議の存在乃至効果に消長を来すものではない」（東京地判昭二七・三・二八下級民集三・三・四二〇）。

なお、次の判決【144】は、会社が一たんなした資本減少決議を決議後一年余を経過した後に開いた臨時総会で任意的に撤回した事案に関するが、資本減少の決議は減資手続が完了するまで、すなわち減資が効力を生ずるまでは、何時でも株主総会の特別決議をもつて撤回することができるというのが大審院の見解であり、学説の多数もこれに賛成している（田中（誠）・会社法四七一頁、野津・概論二六九頁、石井・商法I四三四頁、松田・概論三〇一頁、高田・講座（四）一四四二頁。反対、鈴木判民昭五年度八二事件）。

【144】「株式会社ニ於テ資本減少ノ決議ヲ為ストキハ同時ニ資本減少ノ方法ヲ決議スルコトヲ要シ資本減少ノ方法ニハ或ハ株金ノ一部免除又ハ一部払戻若ハ切捨アリ或ハ株式ノ消却若ハ併合等アリ又此等ノ方法ヲ実行スルニ付種々ノ準備手続ヲ要スヘシト雖此等一切ノ手続ヲ完了スルニ非サレハ会社ノ資本ハ減少ヲ来ササルモノナレハ資本減少ノ決議ハ此等手続ノ完了ヲ待テ始メテ其ノ効力ヲ生スルモノト謂フヘシ故ニ此等ノ手続ノ完了スル迄即減資ノ決議カ効力ヲ生スル迄ハ何時ニテモ株主総会ノ特別決議ヲ以テ之ヲ取消スコトヲ得ヘキモノト解スルヲ相当トス」（大判昭五・七・一七民集九・八八二）。

ところで、前述のように後の決議をもつて瑕疵ある決議の撤回ないし確認をなすことが許されるとするならば、その前決議について提起された取消の訴はそのまま継続されうるか否か、また前の決議と同一内容についてなされた後の決議はいかなる効力を有するかが問題となる。まず瑕疵ある決議が後の決議をもつて適法に撤回された場合には、その決議について提起された取消の訴は通常の場合訴の利益を喪失するに至るものと考えられる(三問・前掲二頁)。一たんなされた決議は後の撤回決議により初めに遡つて消滅するものではないとしても、いまだ決議の実行がなされていないような段階においてその撤回がなされる以上、もはや判決をもつてこれを取消す実益は存しないからである。これに対して、決議の撤回と同時に前の決議と同一内容の決議がなされた場合には、前の決議について提起された取消の訴は、なお訴の利益を喪失することなくして継続されうるものと考えられる。けだしこの場合には、後の撤回ないし確認の決議は前の決議を確定的に消滅せしめる趣旨のものではなくして、かえつて前の決議がなおその効力をもつことを前提としながら、それが判決により取消された場合にそなえて予備的になされたにすぎないものと解されるからである。すなわちこの場合には、後の決議は、前の決議が判決により取消されたときはその時から効力を生ずるが、前の決議が適法なものとして取消されなかつたときは、その決議が依然として効力を有し、後の決議はその効力を生じないという趣旨のもとになされた一種の条件付決議にすぎないものと解されるからである。もつとも、条件付の決議であるにせよ、かようにして前の決議と同一内容の決議が適法になされている以上は、前の決議につき取消判決をなすべき利益は実際上乏しいものといわざるをえないが、それにしても、例えば決議取消の判決とともに後の決議がその効力を生じたか又は前の決議がその当初から効力を有していたかが問題となるような場合には、なお訴訟を継続すべき利益がないとはいえないであろう（間・前掲三一二頁参照）。

上述の結論は、決議を撤回することができない場合にも妥当する。すなわち、前述のように取締役の解任がその告知によつて効力を生じたような場合においては、もはやその解任決議を撤回することはできないが、しかし解任決議に取消原因があるために、その撤回をなすと同時に同一取締役の解任決議をくりかえしたような場合には、その後の決議は当然には無効でなく、前の決議が判決により取消されることを条件としてその効力を生ずるものと解してさしつかえない（大隅・山口・前掲七四頁、岩本・関西大学法学論集五巻一号一一九頁以下、上田・法学一七巻三号三六一頁以下）。かような決議である以上、「前決議に基く既存の法律関係との抵触を生じこれに混乱を与える」ことはないのみならず、実際にもかく解するのが、瑕疵ある決議を撤回ないし確認することによつて法律関係の安定を計ろうとする会社の意思にもつとも適合するものと思われる【148】。下級審の判決には、清算人の解任決議を撤回してさらに同一決議をくりかえしたときは、前の決議につき取消判決を求める利益は失われるものと解すべきであるとしたものもあるが【145】、昭和七年の台湾高等法院上告部の判決は、後の決議は前の決議の取消を条件として効力を生ずる予備的な決議にすぎないから、前の決議について提起された取消の訴はその利益を失わないものと解すべきであるとしており【146】、また最近の東京高等裁判所の判決【147】、東京地方裁判所の判決【148】も、取締役解任決議の取消の訴が提起されたため後の決議でこれを撤回するとともに同一取締役の解任決議をやりなおした事案において、これと同様の見解をとつている（もつともこの二判決は、前決議についての取消の訴の利益に関してはとくに論及していない）。

【145】「株主総会ハ会社最高ノ意思機関ナルコトニ徴スレハ其決議事項カ法令又ハ定款ノ規定ニ反セス且株

式会社ノ本質ニ矛盾スルコトナキ以上自由ニ如何ナル決議ヲモ為シ得ヘキモノナルコト多ク疑ヲ容レサルトコロニシテ曩ニ為シタル決議ヲ取消シ更ニ決議ヲ為スコトハ毫モ法令又ハ定款ニ反スルトコロナク又会社ノ本質ニモ矛盾スルモノニ非スト認ムルヲ以テ本件昭和九年二月九日ノ株主総会ニ於ケル清算人宮前初次郎解任ノ決議ハ右同月二十八日ノ取消ノ決議ニ依リ存在セサルニ至リタルモノニシテ原告ニ於テ之カ無効ノ宣言ヲ求ムヘキ利益ナキモノト認ムルヲ相当トス」（金沢地判昭九・五・一八新聞三七三二・一八）。

【146】「株主総会ノ決議無効ノ宣言ヲ求ムル訴ノ提起セラレタル後会社カ更ニ株主総会ヲ招集シ其ノ株主総会ニ於テ同一事項ニ付キ重ネテ同一ノ決議ヲ為シタルトキハ其ノ第二ノ決議ハ第一ノ決議カ無効ナリトノ宣言ヲ受クルコトアルヘキヲ予想シ其ノ場合ニ善処スル為予備的ニ為サレタルモノト解スヘキヲ以テ若第一ノ決議カ有効ナルニ於テハ同一事項ニ付同一ニ為サレタル第二ノ決議ハ其ノ効ナク若第一ノ決議カ無効ナルニ於テハ第二ノ決議ハ其ノ決議アリタル時ヨリ将来ニ向ツテノミ其効力ヲ有スルモノニシテ第一ノ決議ノ時ニ遡リテ其ノ効力ヲ生スルモノニ非サルハ言ヲ俟タス然ルニ株主総会ノ決議無効ノ宣言ヲ求ムル訴ハ其ノ決議無効ノ宣言アル迄ハ有効ナル株主総会ノ決議ヲ其ノ決議ノ時ニ遡リテ無効トスル形成判決ヲ求ムルモノナルヲ以テ先ツ第一ノ決議ニ付提起セラレタル決議無効ノ宣言ヲ求ムル訴ノ当否ヲ決スルニ非サレハ第二ノ決議ノ効力ハ之ヲ決定スルヲ得サルモノト謂ハサルヘカラス然レハ第二ノ予備的決議アリタルノ故ヲ以テ第一ノ決議ノ有効無効ヲ決スル法律上ノ利益ナシトノ上告人ノ抗弁ハ本末ヲ顛倒シタル議論ニシテ採用ノ価値ナキモノトス原判決ハ此ノ点ノ説明ヲ為スニ当リ本件第二ノ決議ハ第一ノ決議ニヨリテ取得シタル第三者ノ権利又ハ株主ノ債権者的権利ヲ害スルモノナルカ故ニ其ノ決議自体カ許容スヘカラサルモノナルカ如ク判示セルモ本件ノ決議ハ（中略）営業報告貸借対照表財産目録損益計算ノ承認並損益金ノ処分ニ関スルモノニシテ前後二回ニ亘リテ同一ノ決議ヲ為スモ第三者ノ権利又ハ株主ノ債権者的権利ニ影響ヲ及ホス謂ハレナキノミナラス第二ノ決議カ第一ノ決議ノ無効ナル場合ニ善処スル予備的決議ナルコト前段説明ノ如クナル以上ハ第二ノ決議ヲ許容スヘカラストナスヘキ理由ナク此ノ点ニ関スル原判決ノ説明ハ失当ナレトモ叙上説明シタル理由ニヨリ第二ノ決議アルノ故ヲ以

ハ結局正当ナリ」（台湾高判昭七・二・二七評論二一商法一二六）。

【147】「（【142】の判旨に続く）そして株主総会の決議取消の訴が提起せられた後に、取締役がさらに株主総会を招集し、その総会において先の株主総会の決議を取消して前と同一事項について重ねて同一の決議をしたときは、後の決議は前の決議取消の宣言を受けることあるを予想してその場合に善処するために予備的になされたものと解しえられるから、もし前の決議が適法なものとして取消されなかつた場合は、後の決議はその効力を生じないが、もし前の決議が違法のものとして取消された場合は後の決議はその決議のあつた時から将来に向つてその効力を生ずるものというべきである」（東京高判昭二七・二・一三民集五・九・三六〇）。

【148】「（【143】の判旨に続く）取締役解任の決議をした株主総会がその後、更にこれと同一事項について重ねて決議をした場合において前の決議に対しその成立手続上の瑕疵を原因とする取消の訴が繋属中であるときは、後の決議は当然に無効ではなく前の決議が右訴の確定判決により取り消されることを条件として効力を生ずると解すべきものであるが、既に認定したように前決議について原告から提起された取消の訴の繋属中為された本件決議は、まさに右認定の如く前決議が右訴の確定判決により取り消されることを条件として効力を生ずる決議であると云わなければならない。けだし株主総会の決議といえども一般意思表示の解釈同様可能な限り有効となるように解すべきものであるが、本件決議をかく解することは、前後の事情から容易に推測することができる本件総会がこれにより達しようとした会社における法律関係の安定を可及的速かにはかろうとの意図に最もよく適合するのみならずこのことによつて何ら前決議に基く既存の法律関係との牴触を生じこれに混乱を与えるものではないからである」（東京地判昭二七・三・二八下級民集三・三・四二〇）。

（八）判決確定の効果

(1) 原告勝訴の場合

（イ）　対世的効力　決議取消の判決が確定したときは、その判決は訴の当事者以外の株主・取締役その他の第三者に対しても効力を有し、これらの者もまた決議の無効を争うことができなくなる（商二四七Ⅱ・一〇九Ⅰ）（大判大一〇・七・一八民録二七・一三四八【150】。同昭六・六・五民集一〇・六九八【151】参照。この判決の第三者に及ぼす効力の性質については、学説上議論がある。雉本・前掲一〇六四頁、中田「確認訴訟の二つの類型」論叢六〇巻一・二号一九三頁以下、中村・早稲田法学三三巻一・二冊三二頁以下参照）。

株主総会の決議取消（又は無効確認）の判決が当事者以外の株主・取締役に対しても効力を有する以上、これを本案とする仮処分は、「本案判決執行保全ノ目的ヲ達スル必要上、被告タル会社ヲ除外シテ、単ニ其清算人タルニ過キサル者ノミヲ其債務者ト為スコトヲ妨ケサルモノ」（東京控判大一三・四・二二新聞二二七七・一六）と解される（問・前掲二二三頁。なお大判大一三・九・二六民集三・四七〇は、清算人選任決議の取消の訴を本案とする職務執行停止等の仮処分命令は権利関係につき仮の地位を定めるものであるという理由により、右の東京控訴院判決を支持している。菊井・判民大一三年度九五事件参照）。ただし「如何なる第三者をも被申請人となし得べきものと解することは誤」りであつて、清算人の解任・選任決議の取消の訴を本案とする仮処分の申請に当つては、「少くとも右決議の効力を現実に実行する地位に在る新清算人を被申請人とするを要し、然らずして何等斯る地位を保有せざる会社の単なる株主を被申請人とする仮処分の申請の如きは到底許すべき」ものではない（大阪区決昭一四・一二・一七新聞四四九八・一五）。株主総会の決議取消（又は無効確認）の判決が当事者以外の株主又は取締役に対しても効力を有する以上、「之が保全の為め為されたる仮処分も亦、処分申請人と被申請人間に止まらず、他の株主は勿論会社自身に対してもその効力を及ぼす」ものと解される（大阪区決昭一四・一二・一七新聞四四九八・一五）。

なお最近の下級審判決に、当事者が自白した事実は証拠を要しないとする民事訴訟法二五七条の規定は、「民事訴訟に於ては通常その対象が社会公益に関係なく、当事者の利害に関するだけで第三者に直接の影響がないことによるものであり、従つて株主総会決議無効確認訴訟の如く判決の既判力が第三者に及ぶ如き性質の訴訟には右原則は適用なく、当事者間に争いなき事実といえども立証を要する」としたものがある（大阪地判昭二八・六・二九下級民集四・六・九四五）。

（ロ）　決議にもとづいてなされた行為の効力　決議取消の判決が確定したときは、決議は初めに遡つて無効となる。このことは学説のほぼ一般にみとめるところであるが（反対、西本・前掲論文二一六頁以下）、判例も既述のように、明治四四年の商法改正以前から一貫して判決の効力が遡及的のものであることを承認している【81】【82】【83】【84】【86】【87】【140】【156】。

【149】　「仮令ヘハ株主総会招集ノ手続又ハ其決議ノ方法ニシテ法令又ハ定款ニ反シ一部ノ株主ヨリ其決議ノ無効ノ宣告ヲ裁判所ニ請求シ其請求ノ立チタルトキニ於テ会社ハ其以前既ニ決議ノ執行ニ着手シ其決議資本ノ増減会社ノ解散其他ノ会社トノ合併等ニアリテ既ニ執行シタル事項ヲ旧状ニ復スルコトノ極メテ困難ナル而已ナラス会社ノ株式ニ付キ利害ノ関係ヲ有スル善意ノ第三者ヲシテ之レカ為メ迷惑ヲ被ラシムルコトアル可キ場合ヲ想像セヨ此場合ト雖モ総会ノ決議ニシテ無効ノ宣告ヲ受ケタル以上ハ之レヲ旧状ニ回復セシメサルヲ得ス」（大判明三四・五・二三民録七・五・一〇六）。

このように判決の効果として決議が遡及的に無効となるものとすると、その無効な決議にもとづいてなされた行為の効力がいかなる影響を受けるかが、第三者の保護及び会社における法律関係の安定の要請との関連で重要な問題とならざるをえない。

もつとも、決議のうちでも、取締役の自己取引に関する責任の免除（商二六六Ⅴ・四三〇Ⅱ）、取締役等の報酬の決定（商二六九・二八〇・四三〇Ⅱ）、計算書類の承認（商二八三・四一九）などのように決議によつて完了的に一定の効果を生じ、その実行のために別個の法律関係を発生せしめられることのないものについては、判決の結果としてそれらの関係も遡及的に無効となることにつき別に問題はない（石井・前掲講座(三)九七六頁、大森・講義一六七頁）。また、売買・貸借（定款をもつて総会の決議事項とされている場合、商二三〇ノ二）などのように、総会の決議をその有効要件としない行為は、決議の無効により何らの影響を受けない（通説）。問題は、定款の変更・取締役の選任・利益配当・資本の減少・解散決議による解散などのように、決議をその成立又は効力発生の要件として一定の行為又は一定の法律関係が進展する場合である。この場合にも、決議が無効となれば、これらの行為又は法律関係も初めに遡つて無効とならざるをえない（ただし合併については、商四一六I・一一〇）。しかも、その無効は単に会社及び株主・取締役の内部関係においてのみならず、第三者との関係においてもひとしくみとめられなければならない（竹田「株主総会決議無効の判決の第三者に対する効力」民商四巻四七五頁以下、松本・判民昭六年度七二事件。ただし古くは、第三者の権利もしくは利益を害すべき範囲内に於ては、遡及効を否定すべしとする見解もあつた。例えば雉本・前掲一〇六七頁以下）。しかしその結果は、決議に信頼した第三者の利益を害し、また内部的にも決議を前提として進展せしめられた法律関係の安定を著しく害することとならざるをえない。そこで学説においては、決議をその内容に従つてそれ自体完了的意味を有する個別的な事項の決定に関するもの（例えば営業の譲渡等・取締役と会社との取引に関する責任免除・取締役等の報酬の決定・計算書類の承認並に利益配当など）と、株主総会の決議を前提として諸般の社団的或いは取引的行為が進展するような内容の決議（例えば役員の選任・定款の変更など）とに分け、前者の型の決議については判決の遡及効をみとむべきも、後者の型の決議についてはその遡及効を否定すべきであるとする見解も主張されている（石井・前掲講座(三)九七六頁九七七頁、同・商法I二九〇頁以下。なお松田・概論一八四頁参照）。しかし通説は、一般的に判決の遡及効を承認するとともに、ただ代表取締役又は代表清算人が無効となつた決議にもとづき会社を代表してなした行為の相手方は、合併無効に関する規定（商四一六I・一一〇）の類推適用により(大隅・概説一二八頁、野津・概論一五八頁)、又は代表取締役もしくは代表清算人の代表権に加えた制限をもつて善意の第三者に対抗しえないこと(商二六一Ⅲ・四三〇Ⅱ・七八、民五四)により保護され(竹田・前掲民商四巻四八〇頁、田中(誠)・会社法二五一頁、大隅・概説一二八頁、大森・講義一六七頁)、また取締役又は清算人の選任決議が無効となつたときは、その者が代表取締役又は代表清算人としてなした行為の相手方は、不実の登記の効力に関する規定(商一四)・表見代理に関する規定(民一〇九乃至一一二)などにより(竹田・民商四巻四七九頁四八六頁、田中(耕)・概論三八七頁、田中(誠)・会社法二五一頁、大隅・概説一二八頁、鈴木・会社法一二一頁、大森・講義一六八頁、松田・鈴木(忠)・条解二四九頁)保護されうるものと解している。

判例の立場も、基本的には通説と同様であつて、次に掲げる諸判決【150】【151】【152】を通じてみとめられる大審院の考え方は、決議にもとづき会社対株主の内部においてなされた行為は判決によつて遡及的に無効となるが【150】【151】、取締役がその決議の執行として第三者となした行為は、「決議ハ性質上会社内部ノ意思決定ニ過キ」ないから、その無効によつて何らの影響を蒙らない【151】。ただ、取締役又は清算人の選任決議が無効となつたとき、或いは清算人選任の前提たる会社解散の決議が無効となつたときには、その取締役又は清算人は初めから取締役又は清算人でなかつたこととなるから、その者が取締役又は清算人としてなした行為の相手方の保護が問題とならざるをえないが、この場合には第三者は民法一〇九条の表見代理の規定の準用によつて保護される【151】。しかしその保護は、民法一〇九条の準用をみとめうる限度においてのみ存するのであるから、取締役の選任が会社により適法に登記されているときは、民法一〇九条によりその登記を信頼した第三者の保護をみとめることができるとしても、取締役選任の登記が当該決議によつて選任された取締役自身によつてなされた場合のように、その登記が無権限者の申請によるものであるときは、特別の事情のないかぎり、会社をしてその者のなした行為について責任を負わしめることはできなく、第三者において損害を蒙ることがあつてもやむをえない（註二）【152】（同旨、大判昭七・一〇・一四法学二・六・九〇、取締役選任決議不存在の場合につき、東京地判昭一〇・四・二四評論二四商法四五七）、ということになる。

このうち【151】の判決は、清算人甲が会社解散後株金払込遅滞の株主につき失権処分（昭和二三年の改正前の商法二一四I）をなし、その株式の競落人から乙が株式を譲り受け、かつ株金の払込をなしたところ、その譲受前に会社解散決議の取消判決が確定したので、乙が清算人甲のなした失権処分・競落・乙の株式譲受はすべて無効であるとしてその払込金の返還を求めた事件に関する（【151】の判旨に賛成、松本・判民昭六年度七三事件）。第一審第二審はともに乙を敗訴せしめたが、その理由として第二審（長崎控判昭五・二・二七民集一〇・七一五）が、本件における清算人は非訟事件手続法にもとづいて裁判所が選任したものであり、裁判所の選任も一つの裁判であるから、適法な手続で取消されぬかぎり、単にその形式的前提要件たる会社解散決議の無効ということだけでは、右選任はいまだ無効とならないと判示しているのが注目される（この判旨に反対、松本・判民昭六年度七三事件）。

【150】「（【87】の判旨に続く）而シテ決議無効ノ判決カ訴訟ノ当事者ト為ラサル株主ニ対シテモ効力ヲ及ホスモノナルコトハ商法第百六十三条第三項〈現商二四七条二項〉ニ於テ準用セラルル同法第九十九条ノ四〈現商一〇九条一項〉ノ規定ニ徴シテ明カナルヲ以テ株主ハ総テ決議無効ノ判決ニヨリ羈束セラルルモノト謂フヘク其結果トシテ株主ハ決議ノ無効ヲ否定スルコトヲ得サルハ勿論其決議ヲ前提トシテ株式会社対株主間ニ行ハレタル法律行為ノ無効ヲモ否定スルコトヲ得ス」（大判大一〇・七・一八民録二七・一三四八）。

【151】「商法第百六十三条〈現商二四七条〉ノ規定ニ依ル株主総会決議無効ノ判決ハ決議カ当初ヨリ無効ナルコトヲ確定スルモノナルコト疑ヲ容レスト雖モ決議無効ノ判決カ該決議ニ基キ既ニ為サレタル会社ノ行為

ニ対シ如何ナル効果ヲ及ホスモノナリヤハ必スシモ一概ニ之ヲ論定スルコトヲ得ス決議無効ノ判決カ訴訟ノ当事者ト為ラサル株主ニ対シ効力ヲ及ホスモノナルコトハ商法第百六十三条第三項ニ依リ準用セラルル同法第九十九条ノ四ノ規定ニ徴シテ明ナルヲ以テ株主ハ総テ判決ニ覊束セラレ従テ該決議ニ基キ会社対株主ノ内部関係ニ於テ行ハレタル行為カ無効トナルモノナルコト論ヲ俟タス而シテ商法第九十九条ノ六第二項ニハ設立ヲ無効トスル判決ハ会社ト第三者トノ間ニ成立シタル行為ノ効力ニ影響ヲ及ホサスト規定シ商法第百六十三条第三項ニ於テ同法第九十九条ノ三及第九十九条ノ四ノ規定ヲ準用スルニ拘ラス前示第九十九条ノ六第二項ノ規定ヲ準用セサル点ヨリ見ルトキハ決議無効ノ判決ハ一見会社ト第三者トノ間ニ成立シタル行為ヲモ無効トスルモノニ非サルヤノ観アリト雖株主総会ノ決議シタル事項ニ付会社取締役カ其ノ決議ノ執行トシテ第三者ト為シタル行為ハ仮令後日決議無効ノ判決ニ依リ其ノ決議カ当初ヨリ無効ト確定シタリトスルモ株主総会ノ決議ハ性質上会社内部ノ意思決定ニ過キサルヲ以テ決議無効ノ判決ニ依リ其ノ効力ニ何等ノ影響ヲ受クルモノニ非ス又株主総会ノ決議ニ依リ又ハ之ヲ前提トシテ選任セラレタル清算人カ其ノ権限ノ範囲内ニ於テ第三者ト法律行為ヲ為シタル後其ノ決議カ決議無効ノ判決ニ依リ当初ヨリ無効ト確定セラレタルトキハ清算人タル資格ハ当初ヨリ消滅シ無権代理人ト為ルコト明ナリト雖右ノ如キ場合ニ於テハ民法第百九条ノ規定ノ準用ニ依リ会社ハ清算人カ第三者トノ間ニ為シタル行為ニ付其ノ責ニ任スルモノト解スルヲ相当トスルヲ以テ清算人カ第三者ト為シタル行為モ亦決議無効ノ判決ニ依リ其ノ効力ニ影響ヲ受クルモノニ非スト謂ハサルヘカラス」（大判昭六・六・五民集一〇・六九八）。

【152】「株主総会ノ決議ヲ無効トスル確定判決アリタルトキハ当該決議ハ始ヨリ無カリシト同一ニ帰スヘキコト勿論ナレハ前掲柳六郎ヲ取締役トシテ選任シタル株主総会ノ決議ヲ無効トスル確定判決アリタルコト右認定ノ如クナル以上同人ハ未タ曽テ被上告会社ノ取締役タリシコト無キコトトナリ従テ同人ノ為シタル前掲承認ハ無権代理行為ト認ムヘキコトハ寔ニ原判決説明スル所ノ如シ然レトモ如上決議ニ基キテ為サレタル選任登記ノ現存スル間ハ世人ハ該登記ニ取締役トシテ示サレ居ル者ヲ以テ正当ナル取締役即チ代理人ナリト信シ之ト取引ヲ為スヘキコトハ当然ノ数ナリト謂フヘク但タ若シ当該登記ニシテ例ヘハ如上問題トナレル取締役ソノ人ノ

申請ニ依リテ為サレタル場合ノ如キ其申請ヲ為スヘキ権限無キ者ノ申請ニ依リテ為サレタル者ナルトキハ特別ノ事情無キ限リ会社ヲシテ右取引ニ付責ヲ負ハシムヘキニ非ス縦令該取引ヲ為シタル第三者ニ於テ損害ヲ被ムルコトアルモ亦如何トモスヘカラスト雖之ニ反シ当該登記ニシテ其申請ヲ為スヘキ権限アル会社機関ノ申請ニ基キテ為サレタルモノニ係ルトキハ則チ会社ヲシテ如上取引ニ付負責セシムヘク累ヲ第三者ニ及ホスヘキニ非ス蓋此場合ニ於テハ会社ハ自ラ甲某ヲ取締役トシテ選任シタル旨則チ之ニ自己ヲ代表スヘキ権限ヲ与ヘタル旨ヲ世人ニ表示シタルモノト看ルヲ得ヘク夫ノ他人ニ代理権ヲ与ヘタル旨ヲ特定ノ第三者ニ表示シタル場合ト何等撰ム所無キカ故ニ民法第百九条ハ斯カル場合ヲモ包含規定シタルモノト解スルヲ相当トスレハナリ然レハ原審ニ於テ前掲柳六郎ノ為シタル承認ニ付民法第百九条ノ適用アリヤ否ヤヲ判定セムニハ先以テ前掲柳六郎選任登記カ前叙二場合ノ中何レニ該当スルヤヲ審理シ其前者ニ該当スルコトヲ確定シタル後ニ非サレハ右規定ノ適用ヲ否定シ得ヘキニ非ス」（大判昭六・六・二四裁判例五民事一二一）。

しかしながら、無効な決議によつて選任された取締役又は清算人の行為の相手方は表見代理の規定をもつてこれを保護することができるとしても、それは会社がその取締役又は清算人の行為について責に任ずるというにとどまるのであつて、相手方が無権代理を理由として契約を取消すことを妨げるものではないから、取締役又は清算人の行為はいまだこの規定の準用により確定的に有効となるわけではない（その意味で【151】の判旨はなお説明不十分といういうほかない。松本・判民昭六年度七三事件）。

また【150】【151】の判決は、会社の内部関係において判決が遡及効を有することにつき、別に問題はないかのような態度をとつているが（当時の学説も、決議取消判決の遡及効をめぐる議論は主として会社と第三者との関係に関するものであつた。松本・判民昭六年度七三事件、竹田・前掲民商四巻四七二頁、なお、石井・株主総会の研究一五七頁参照）、しかし会社の内部関係においても、既述のように、決議が実行に移され、別個の法律関係が発生せしめられている場合には、これらの法律関係が判決によつていかなる影響を受けるかの問題を生ぜざるをえない。そのうちでも実際上しばしば問題となるのは、取締役の選任決議が取消された場合、判決前にその取締役によつて招集された株主総会は、適法な招集権者によつて招集された株主総会といいうるか否かの問題である（その他の問題については、竹田・前掲民商四巻四七二頁以下参照）。これについては二、三の下級審判例があるにすぎないが、これらの判例の見解は、取締役選任の決議が判決によつて無効となつたときは、その取締役は最初から取締役でなかつたことになるから、その者が取締役として招集した株主総会は招集権なき者の招集した株主総会となる。従つてその総会の決議は、法律上当然に無効な決議によつて選任された取締役が総会を招集した場合【153】（東京地判大一一・一二・一一新聞二〇八八・一九は、招集権なき取締役の招集した総会における取締役選任決議を当然に無効とするとともに、その無効な決議により選任された取締役の招集した次の総会における取締役選任決議に端を発して、その後数回開かれた総会での取締役選任決議を連鎖的にすべて当然無効としている）又は無効な定款変更（定員増加）決議にもとづいて選任された取締役（監査役）が総会を招集した場合【154】における総会の決議と同様に、法律上当然に無効であるとしているのである【155】（これらの判決と同説、河村・前掲三四一頁）。

【153】　「昭和二八年六月五日当時道田幸太郎は、被告会社の代表取締役であつたが、右の六月五日の株主総会を招集する旨の取締役会の決議を為したことも、各株主に対し右株主総会を開催する旨の通知も為さず、夏井武と相談の上、右の如き株主総会が実際には被告会社に於いて開催された事実がないにも拘らず、開催され、前記の如き株主総会の決議があつたものの如くにして、弁護士森本正雄に依頼して、議事録を作成し、之に基ずき、前記の取締役、監査役等が就任した旨の登記を為したことを認めることができる。右事実からすると、右株主総会の決議は、形式的に為された如くなされたものであつて、当然無効であることは明白である。そうすると、右株主総会の決議に依つては、夏井武、同夏井久雄は、何れも被告会社の取

締役に就任することを得ず、松木熊吉、三井実は何れも被告会社の監査役に就任することを得ないものである。（中略）しかるに、右昭和二八年六月一五日の株主総会及び同年一一月二日開催の株主総会は、何れも適法に選任されて居らぬ夏井武及び夏井久雄が主となり、従来からの取締役道田幸太郎を加えた取締役会と称するものの決議に依つて招集を決せられ、夏井武が被告会社の代表取締役なりとして招集した（同年六月一五日の株主総会は、実際上招集されたことはなく、招集されたこととした）のであつて、右株主総会は、適法に招集されたものでないことは、前記認定事実に依つて明白である。そうすると、同年六月一五日及び同年一一月二日の被告会社の株主総会の決議は、何れも当然無効であると謂わなければならない」（大阪地判昭二九・一一・一七下級民集五・一一・一八六八）。

【154】「無効ノ決議ニ基キ変更シタル定款ニ従ヒ選任セラレタル監査役増田功蔵及基太村肇ハ監査役ニアラサルモノトス故ヲ以テ同人カ監査役トシテ招集シタル被控訴会社ノ係争株主総会ハ監査役ニ非サル者ノ招集シタル株主総会タルヲ免レス従テ其総会ノ決議ハ無効ト云ハサルヲ得ス」（東京控判大四・三・一五新聞一〇〇九・二二）。

【155】「右昭和七年六月二日ノ株主総会ハ石原青峯カ取締役トシテ招集シタルモノナルトコロ同人ヲ取締役ニ選任シタル被控訴会社ノ昭和七年三月十六日ノ株主総会ノ決議ニ付キ控訴人等ヨリ曩キニ商法第百六十三条ニ基キ東京地方裁判所ニ決議無効ノ訴ヲ提起シ同地方裁判所ハ控訴人等ノ請求ヲ容認シ右決議ヲ無効トスル旨ノ判決ヲ言渡シ該判決カ確定シタル事実モ亦当事者間ニ争ナキヲ以テ前掲石原青峯ハ当初ヨリ被控訴会社ノ取締役タラサリシコトト為リ其ノ結果同人カ取締役トシテ招集シタル本件六月二日ノ株主総会ハ総会招集ノ権限ナキ者カ招集ヲ為シタルコトニ帰着スヘキニヨリ右総会ノ決議ナルモノハ当然無効ニシテ商法第百六十三条ノ無効ノ訴ヲ俟チテ始メテ無効トナルモノニ非サルコト明白ナリ」（東京控判昭八・一二・一五新聞三六六三・八）。

しかし、この結論が実際上不適当であることはいうまでもない。取締役選任決議が不存在であるか又はその内容が法令もしくは定款に反して当然に無効である場合（例えば、定款所定の員数を超えて取締役を選任した場合）ならばともか

(註二)く、その決議が判決によつて取消された場合においてなお右の結論をみとめるならば、判決があるまでは一応有効に招集された総会の決議の効力が一挙に否定されることとなり、会社における法律関係の安定は著しく阻害されざるをえない。ここにおいて学説は、ほとんど一致して、この場合の総会の決議は後になされた取締役選任決議の取消判決によつて何ら影響を受けないことをみとめている(ただし野津・概論一五八頁、河村・前掲三四一頁)。しかし、取締役選任決議の取消判決につき遡及効を肯定する立場に立つ以上、その理論的説明に多少の困難を生ずることもまた否定しがたいところであつて、或いは総会の招集は決議に対しては経過的な手続にすぎないから、招集の当時において適正であるならば、後に無効となつてもすでに成立した決議の効力には影響がないと解すべきであるとし(竹田「株主総会の招集」民商四巻九頁一〇頁)、或いは対外的取引に対して表見代理の一般原則により第三者が保護されるのと同様の趣旨及び設立無効の制度の精神からして、既往の関係における取締役の活動を有効とみとめ以て法的安全をはかるべきであるとし(田中(耕)・概論三八七頁)、或いはその取締役が代表取締役として登記されているかぎり、商法一四条の類推適用により、対外的取引における第三者保護と同様に、その者のなした総会招集手続は影響を蒙らないと解すべきである(松田・鈴木(忠)・条解一八五頁以下。同旨、朝山・前掲二四頁)とするなど、学説がその理由として説明するところは必ずしも一致していない。

註(一)　この【152】の判決は、昭和一三年の改正により不実の登記の効力に関する現行商法一四条の規定が設けられる以前のものである。判決はもつぱら民法一〇九条の適用の問題として論じているが、現行法の下では、この判決の結論は民法一〇九条の表見代理の規定より先に商法一四条の適用によつて導かれるであろう。それとともに、選任登記の有無にかかわらず、表見代理に関する民法の一般原則によつて第三者が保護される

場合も存しうる。竹田博士は、昭和一三年の改正前から、商業登記に関する法則として現行商法一四条と同一の結論をみとめられるとともに(同・商法総則二〇一頁以下)、この法則の結果取締役選任決議が無効とされても、その抹消登記なき間は会社は善意の第三者に対抗しえないが、その選任登記が当該取締役の申請によつてなされたものであるときは、登記申請が実は取締役でない者のなした申請であつたということになり、右の商業登記の法則は適用されぬこととなるものとされていた(竹田・前掲民商四巻四八六頁、なお大隅・商法総則二九三頁—二九四頁)。しかしそれと同時に、取締役選任決議が無効とされた場合における取引の相手方の保護は、右の商業登記に関する法則のほかに表見代理の法則からも導きうるものとされ、従つて選任登記がなかつたとしても民法一一二条を類推すべき場合と見るべきだとされていた(竹田・前掲民商四巻四八六頁)。

註(二)　取締役選任決議が法律上当然に無効な場合に、その者のなした総会の招集を適法と解すべきかどうかは、学説上議論のあるところであつて(議論の詳細につき、竹田・民商四巻八頁以下参照)、或いは選任決議無効の取締役が代表取締役として登記されているときは、株主は事実上第三者的地位に接近しているから、登記簿上代表取締役として登記されている者が第三者と行為した場合と同じく、商法一四条を類推適用すべきであるとする見解(松田・鈴木(忠)・一八五頁以下。同旨、朝山・株主総会の法律実務二五頁)もある。しかし、総会招集の関係を会社対第三者の関係とみて商法一四条を類推適用することは無理であるばかりでなく(同旨、竹田・民商四巻九頁)、同条の類推では会社がその者の代表取締役でないことを善意の第三者に対抗しえないのにとどまり、株主がその取締役の無資格を理由に招集手続の瑕疵を主張することを否定する根拠とはなりえない(西原・前掲講座(三)八四八頁)。従つて、取締役選任決議の無効確認判決の遡及効を否定する立場(石井・前掲講座(三)九七六頁以下、同・株主総会の研究一五〇頁以下、西原・前掲講座(三)八四五頁)に立たない以上、当然に無効な決議によつて選任された取締役による総会の招集は不適法なものと解せざるをえないであろう(同説、竹田・前掲民商四巻八頁以下、間・前掲一九四頁)。

(2)　原告敗訴の場合

原告が敗訴し決議を取消さずとの判決が確定したときは、決議の有効が確定する。判決の時にはすでに出訴期間が経過しているから（商二四八Ⅱ参照）、もはや再び取消の訴を提起することは許されない（敗訴判決の効力は第三者に及ばぬとするのが通説であるが、原告の主張する形成権の不存在を確定する点で他の適格者にも既判力を及ぼすとする見解もある、中田・論叢六〇巻一・二号二〇五頁）。

原告が敗訴した場合においてその原告に悪意又は重大な過失があつたときは、会社に対し連帯して損害賠償の責に任ずる（商二四七Ⅱ・一〇九Ⅱ）。この規定も株主の濫訴を防止する趣旨のものであるから、例えば「訴訟提起前右総会ノ決議カ無効ナリヤ否ヤニ付法律専門家タル弁護士（略）ノ鑑定ヲ乞ヒタルトコロ、同人モ亦被控訴人等ノ前掲各見解ト其ノ軌ヲ一ニシタル結果、被控訴人等ニ於テ右申請等ヲ為スニ至リタルモノニシテ、通常人トシテ訴訟行為ヲ為スニ付周到ナル注意ヲ怠ラサリシコトヲ認ムルニ十分」なるときは、右規定にいわゆる「故意若クハ悪意ナキハ勿論重大ナル過失アリタルモノト謂フヘカラサル」もの（大阪控判昭一四・九・一三新聞四四七七・一二、同昭一四・一二・一六新聞四五二四・一〇）と解しうる。なお、本案訴訟たる決議取消の訴に敗訴した原告に対し損害賠償を請求する場合において、原告に悪意又は重過失あることを要する以上、その本案訴訟の保全方法としてなした仮処分申請に関し申請者に損害賠償の請求をなすためにも、仮処分と本案訴訟との牽連関係上当然に申請人には悪意又は重過失あることを要する、とした判例（大判昭一五・五・一法学九・一一五三）がある。

（九）　決議取消の登記

株主総会の決議した事項の登記があつた場合において決議取消の判決が確定したときは、本店及び支店の所在地においてその登記をなすことを要する（商二五〇）。この登記についても商法一二条の適用があり、従つて善意の第三者に対しては登記及び公告の後でなければこれを対抗することをえない（東京地判大八・三・

二七評論八、商法九三）。

決議取消の登記は受訴裁判所の嘱託によつてなされる（非訟一九五ノ四・一三五ノ六、商登規六二Ⅰ）。この場合抹消さるべき登記は、取消判決によつて無効となつた事項に限る。従つて例えば取締役選任決議が取消されたときは、その取締役選任の登記のみを抹消すべきであつて、その取締役が判決確定前にその職務としてなした他の登記は、右の規定によつて抹消さるべきものではない。しかし取締役選任決議の取消判決が確定したときは、その取締役は最初から取締役たる資格を有しなかつたこととなるから、その者が判決確定前に取締役としての職務上なした登記は、すべて権限なき者の申請によりなされた不適法な登記となる。従つて右の規定とは別に、非訟事件手続法一四八条の二・一五一条の二にいわゆる商法又は非訟事件手続法の規定により許すべからざる登記として、会社はその抹消を申請しうべく（非訟一四八ノ二）、登記所もその職権抹消の手続（非訟一五一ノ二乃至一五一ノ四）をとるべきではないかという疑問を生ずる。大審院は、最初大正一〇年の決定においては、これを肯定した。

【156】「商法第百六十三条〈現商二四七条〉ノ規定スル決議無効ノ判決ハ決議カ当初ヨリ無効ナルコトヲ確定スルモノナレハ（大正十年（オ）第百一号事件判決同年七月十八日言渡【87】参照）株主総会ノ決議ニ付之ヲ無効トスル判決アリタル以上ハ其決議ニ依リ取締役ニ選任セラレタル者ハ当初ヨリ取締役タル資格ヲ取得セサリシ者ト謂フヘク従テ其者カ取締役トシテ為シタル商業登記ハ不適法ナリト謂フヘシ」（大決大一〇・一〇・二七民録二七・一八三〇）。

しかし昭和一三年に至つてこの見解を改め、その取締役のなした登記が事実に符合しないか又は不適法な場合には非訟事件手続法一四八条の二によりその抹消手続をなすべきではあるが、そうでないかぎり、取締役としての職務上なした登記は、後日その取締役の選任決議が確定判決によって無効となつても、これがために法律上許すべからざるものとして職権抹消の手続をなすべきものではないとした。

【157】「株主総会ノ決議ニ依リ選任セラレタル株式会社ノ取締役カ取締役トシテ其ノ職務上為シタル登記ハ後日当該取締役選任ノ決議カ確定判決ニ依リ無効トナルモ之カ為ニ法律上許スヘカラサルモノトシテ職権抹消ノ手続ヲ為スヘキモノニアラス惟フニ株主総会ノ決議ニ基ク事項ノ登記ハ当該決議ヲ無効トスル確定判決アリタル場合ニハ之カ抹消登記手続ヲ為スヘキコトハ法令ノ規定ニ徴シ明カナルヲ以テ株主総会ノ決議ニ依リ選任セラレタル取締役ノ就任登記ハ其ノ決議無効ノ確定判決ニ基キ之カ抹消登記ヲ為スヘキハ当然ナルモ右取締役カ其ノ選任後該選任決議無効ノ確定判決前ニ其ノ職務トシテ為シタル右就任登記以外ノ登記ハ事実ニ符合スル正当ノモノナル以上之ヲ抹消スヘキ法律上ノ理由存在セサルモノト謂ハサルヘカラス若シ該登記カ確定判決ニ依リ取締役ノ資格ヲ喪失シタル取締役ノ為シタル登記ナルノ故ヲ以テ抹消スヘキモノトスルトキハ右ノ正当ニ為サレタル登記ヲ信シテ行ハレタル取引ニ影響ヲ及ホシ第三者ハ不測ノ損害ヲ蒙ル虞レアルノミナラス又改メテ抹消セラレタルト同一ノ登記ヲ他ノ取締役ノ申請ニ依リ為ササルヘカラサルニ至リ登記ノ信用力ヲ没却スルノ結果ヲ招来スルヲ以テナリ故ニ右ノ登記ハ非訟事件手続法第百五十一条ノ二ニ所謂法律上許スヘカラサルモノト解スヘキモノニアラス之ニ反スル当院判例（大正十年（ク）第二百三十三号同年十月二十七日決定【156】）ハ変更スルヲ相当トス而シテ右ノ登記カ抹消セラルヘキ取締役ノ就任登記ト同一取締役ノ申請ニ依リ同時ニ為サレタルカ為ニ右ノ解釈ヲ異ニスヘキ理ナキモノトス若シ夫レ決議無効ノ確定判決ニ依リ遡及的ニ取締役タル資格ヲ喪ヒタル取締役カ其就任中為シタル登記カ事実ニ符合セサルカ又ハ不適法ノモノニシテ商法若クハ非訟事件手続法ノ規定ニ依リ許スヘカラサルニ於テハ同法第百四十八条ノ二ニ依リ当事者ノ申請ヲ俟テ之カ抹消手続ヲ為スヘキモノトス」（大決昭一三・三・一六民集一七・四一九）。

取締役選任決議の取消により、その取締役が取消判決確定までの間に申請した登記をすべて不適法とすることの不当なことは明らかであつて、結論において右の昭和一三年の判例を正当と解すべきことはいうまでもないであろう（竹田・民商八巻三〇六頁以下、烏賀陽・商事法判例研究(3)一六五頁以下、豊崎・判民昭一三年度二六事件）。ただ、取締役選任決議の取消判決につき遡及効を否定する立場に立てば別であるが、判旨のようにその遡及効を肯定する立場に立つて右の結論をみとめるためには、多少の理論構成を必要とする。

その方向としては、取締役選任決議の取消判決により取締役は遡つてその資格を失うが、しかしその取締役が判決確定前になした登記の申請は権限者による正当な登記申請たる効力を失わないものと解するか、又は決議の取消とともにその取締役が判決確定前になした登記の申請はやはり無権限者による不適法な申請となるけれども、このように後日になつて登記申請者の無権限なることが確定した場合には、非訟事件手続法一五一条の二の職権抹消をなすべき事由とはならないものと解するか、すなわち同条の規定は、登記された事項そのものが不適法であるか、又は不真実であることが発見された場合においてこれを抹消すべきものとするのであつて（竹田・民商八巻三〇六頁、なお、大隅・商法総則二六九頁参照。ただし不実の登記は職権抹消の事由にあらずとする見解として、烏賀陽・前掲一六五頁以下、豊崎・判民昭一三年度二六事件）、登記の申請者が無権限者であつたというような手続的違法は職権抹消をなすべき事由とならない（竹田・民商八巻三〇九頁以下。追認により瑕疵の補正をみとめうるような権限欠缺を理由としては職権抹消をなしえずとして、同説、豊崎・判民昭一三年度二六事件。ただし竹田博士は、確認的登記についてのみこの結論をみとめ、創設的登記については手続的違法も抹消登記の原因となるとしていられる）と解するかの二つが考えられる。このうち、取締役選任決議が取消されても当該取締役が判決確定前になした登記申請は権限者による正当な登記申請たる効力を失わないものと解することは、決議取消判決の遡及効をみとめる通説の立場においては困難であつて（竹田・民商八巻三一一頁。もつとも前述のように通説は、株主総会の招集については、後に取締役選任決議が判決によって取消されても、その取締役が取消判決確定前になした総会の招集は無権限者による招集とはならないものと解しているから、登記の申請についても、これを権限者による適法な申請と解することは、必ずしも不可能ではないであろうが）、本問題の解釈としては結局後の方向を妥当とすべきであろう（ただし当該取締役の選任登記は、その登記申請が当該取締役によってなされたと否とを問わず、選任決議の取消判決とともに常に抹消されなければならないことはもちろんである、商二五〇）。実質的にも、商業登記の制度は真実の公示を目的とするものであるから、単なる申請手続の違法を理由に「事実ニ符合スル正当」な登記を抹消することは、無用のことといわなければならない。右の昭和一三年の判例の見解も、この後の立場に立つものと思われる。

なお以上は、決議した事項の登記があつた後にその決議が判決により取消された場合に関する。これに対して決議がいまだ取消されない場合には、たとい登記所において当該決議の成立手続に瑕疵があることを知り、決議取消の疑いがあることを知つている場合でも、その登記の抹消をなすことをえないことはいうまでもない。決議事項の登記の申請に当つてその決議に取消原因があることを知つている場合も同様であつて、登記所はそれを理由に登記申請を却下することはできない。けだし決議取消の原因がある場合でも、判決によつて取消されるまでは決議はなお有効に存在するから、登記所としては登記の申請を真正なものとして取り扱わなければならないのであつて、その決議が取消しうべきものであるか否かというような決議の法律上の効力に関する問題は、登記所の審査権の範囲に属する事項ではないからである（大隅「登記所の審査権」会社法の諸問題七七頁以下）。従つて、決議の内容が法令・定款に違反する場合又は決議が法律上の意味において不存在な場合においても、当該決議を無効とし又は不存在と解することにつき解釈上疑義があり、その判定につき法律上の判断が要求されるような場合には、決議の取消の場合と同様に、登記所はその登記申請を却下することをえないものといわなければならない。もつとも、決議取消の場合と異つて、決議の内容が法令・定款に違反する場合又は決議が法律上不存在な場合には、後述のようにその決議は初めから当然に無効ないし不存在なのであるから、その決議の無効ないし不存在なことが客観的に明白であるかぎり、登記所は決議が事実上存在しない場合におけると同様、その登記申請を却下することを要し、また登記申請を受理して登記をなした後において決議の無効を知つた場合には、職権抹消の手続（非訟一五一条ノ二乃至一五一条ノ四）をとるべきものといわなければならない（大隅・前掲七八頁参照）。例えば、取締役選任の登記申請において、その選任決議が招集権者の招集によらないで開かれた一部の株主の会合においてなされたものであることを知つたような場合には、その決議に関し株主総会を開催した事実がなく決議が事実上存在しない場合（大判昭九・一二・一八新聞三七九六・一七【91】は、総会の決議が事実上不存在であるにもかかわらず議事録に虚偽の記載をなして登記の申請をなし、登記官吏をして不実の登記をなさしめた者の行為は、刑法第一五七条一項（同項は昭和一六年法六一号により改正された）に該当するとしている）についてと同様に、登記所はその登記申請を却下することを要するものと解すべきである（大隅・前掲七八頁）。既述のように招集権者の招集によらない総会の決議が法律上不存在であることについては、学説及び判例上異論がないのであつて、かかる場合と総会の決議が事実上存在しない場合とを区別する理由は存しないからである。この点において、大正七年の大審院決定【158】が、決議した事項の登記申請に当つては、「苟モ其決議録カ添付セラレアリテ形式上適式ナルトキハ、登記所ハ進テ之ニ記載セラレタル決議ノ実質ニ付キ調査ヲ為シ其有効ナルヤ否ヤヲ判断スルノ職権ヲ有セ」ず、「縦令決議録ニ記載セラレタル決議カ招集ノ権限ヲ有セサルモノノ招集シタル株主総会ノ決議ナル為メ法律上当然無効ニシテ、商法第百六十三条（現商二四七）ノ規定ニ依ル訴ヲ俟ツヲ要セサル場合ト雖モ、登記官吏ニ於テ其無効ヲ判断スルコトヲ得サルモノトス」としているのは、行きすぎであるとの批判を免れないであろう（大隅・前掲七九頁）。

なお、決議した事項が登記された後において、会社が当該決議の無効であり又は不存在であることを知つた場合には、会社はその登記の抹消を申請することができる（非訟一四八ノ二）。この場合、株主が会社に対して登記の抹消手続の申請をなすべきことを請求することをうるか否かが問題となるが、株主は会社に対して決議の無効を主張する利益を有するのと同様に、無効な決議の登記の抹消を請求するについても株主として重要な利益を有するものと解せられるから、決議が無効又は不存在であることが明らかであるかぎり、会社に対しその旨を主張して登記抹消の申請をなすべきことを請求しうるものと解してさしつかえないであろう。この点につき明治三七年の大審院判決【159】は、新株の一部につき引受及び払込が欠けているにもかかわらず虚偽の引受書を作成して登記がなされている場合には、増資は未成立であるから、株主がその登記の抹消を請求しうべきことは当然の事理であり、会社に対して登記抹消手続の請求をなすことは、株主の権利の一部を行使するものであつて不当ではないと主張された事件において、株主が会社の内部の行為に関与できるのは商法に規定された場合に限り、増資未成立の確認とその登記の抹消手続の申請を請求するような権利は株主の権利としてはみとめられない旨を判示している（なお本判決は株主が会社に対し増資決議の無効確認の訴を提起することをも否認するかのようである。この点については、後述の決議無効確認の訴の性質（一）の項を参照）。しかし昭和七年の東京控訴院の判決【160】は、会社解散・取締役監査役の解任・清算人選任の決議が不存在である場合につき、株主は「会社ノ株主トシテ右登記ノ存否ニ付キ重大ナル利害関係アリ」、「従ツテ会社ニ対シ之カ抹消手続ヲ請求スル」権利を有することをみとめている（辞任取締役が会社に対して辞任による変更登記をなすべきことを請求しうるか否かについても、判例の見解が分れている。昭和三十年の東京高等裁判所の判決（昭三〇・二・二八民集八・二・一四二）は、辞任した監査役につきこれを肯定しているが、この立場を正当と解すべきである。詳細については、大隅・山口・前掲六六頁、竹内・商事判例研究ジュリスト一七一号六三頁参照）。もっとも以上のように解しても、決議の有効無効について疑義があり、関係者の間で争いがあるようなときは、登記所において決議の有効無効を判断する権限のないこと前述のとおりであるから、登記の変更手続は、まず関係者において決議の無効確認又は不存在確認の訴を提起し、その無効又は不存在確認の判決をえた後においてなされることとならざるをえない。商法二五二条は、かかる場合における登記変更の手続として、決議取消に関する前述の商法二五〇条の規定は決議無効確認の判決が確定した場合にも準用されるものとしている（決議不存在確認の訴についても商法二五〇条の準用をみとむべきことは、後述のとおりである）。

【158】「非訟事件手続法第百五十一条ニ依レハ登記所ハ登記申請カ同法第三編第三章ノ規定又ハ商法ノ規定ニ適セサルトキニ限リ決定ヲ以テ之ヲ却下スルコトヲ得ヘキモノトス而シテ非訟事件手続法第百八十八条第一、二項ニ依レハ変更登記ノ申請書ニハ登記事項ニ付キ株主総会ノ決議ヲ要スル場合ニ於テハ其決議録ヲ添付スルコトヲ要スルモノニシテ取締役ノ解任選任ハ株主総会ノ決議ヲ経ヘキモノナレハ解任改選ニ基ク取締役変更ノ登記ヲ申請スルニ当リ申請書ニ株主総会ノ決議録ヲ添付セサルトキハ登記所ハ其申請ヲ却下スヘキモノナルコト寔ニ明カナリト雖モ苟モ其決議録カ添付セラレアリテ形式上適式ナルトキハ登記所ハ進テ之ニ記載セラレタル決議ノ実質ニ付キ調査ヲ為シ其有効ナルヤ否ヤヲ判断スルノ職権ヲ有セサルモノナレハ其決議カ実質上無効ナリトノ理由ヲ以テ登記ヲ拒ムコトヲ得サルモノトス何トナレハ株主総会ノ決議カ有効ナルヤ否ヤハ困難ナル実体法上並ニ事実上ノ問題ヲ解決スルニアラサレハ容易ニ決スルコトヲ得サルコト尠カラスシテ登記所ニ於テ之ヲ決スルニ適セサレハナリ故ニ非訟事件手続法第百五十一条ハ登記官吏ニ形式的審査権ヲ与ヘタルニ過キスシテ斯カル実質的審査権ヲ与ヘタルモノニアラスト解スルヲ相当トス是ヲ以テ登記官吏ハ登記申請書及ヒ添付書類カ形式上適式ニ成立シタルヤ否ヤヲ審査スルコトヲ得ルニ過キスシテ一旦其適式ナルコトヲ判断シタ

ル以上ハ縦令決議録ニ記載セラレタル決議カ招集ノ権限ヲ有セサルモノノ招集シタル株主総会ノ決議ナル為メ法律上当然無効ニシテ商法第百六十三条ノ規定ニ依ル訴ヲ竢ツヲ要セサル場合ト雖モ登記官吏ニ於テ其無効ヲ判断スルコトヲ得サルモノトス然ルニ原裁判所カ登記官吏ハ変更登記申請書ニ添付セル決議録ニ掲ケタル決議ノ実質上無効ナルヤ否ヤヲ審査スル職権アリト為シ豊橋区裁判所登記官吏カ仮処分命令ニ依リ職務執行ヲ停止セラレ其後取締役ヲ解任セラレタル西岡忍竜ノ招集開会シタル株主総会ノ為シタル決議ハ無効ナリト判断シ登記申請ヲ却下シタルハ相当ナリト裁判シタルハ不法ニシテ抗告論旨ハ理由アリ」（大決大七・一一・一五民録二四・二一八六）。

【159】「株主カ会社内部ノ行為ニ関与スルコトハ商法ニ規定シタル場合ノ外法律ノ認許セサル所ナリ然ルニ上告人ノ訴旨ハ同法第百六十三条ノ規定ニ依リ被上告会社ニ於ケル増資決議ノ無効宣言ヲ請求スルニ在ラス増資未成立ノ確認ト其登記ノ抹消ノ手続ヲ請求スルニ在リ而シテ斯ノ如キ請求権ハ会社ニ対スル株主ノ権利トシテ法律ノ認許セサル処ナルカ故ニ此主旨ヲ以テ上告人ノ請求ヲ排斥シタル原判決ハ不法ニアラス」（大判明三七・二・一七民録一〇・一五七）。

【160】「本件株主総会ハ招集ノ権限ナキ者ノ招集ニカカリ此ノ如キハ株主総会トシテ成立スルヲ得サルモノ従テカカル総会ニ於テ為サレタル決議ハ法律上株主総会ノ決議トシテハ成立スルヲ得サルモノト謂フヘク右決議ノ法律上無効ナルヘキハ論ヲ竢タス（中略）次ニ控訴会社カ右決議ニ基キ同会社ノ解散取締役監査役ノ解任並清算人ノ選任ノ各商業登記ヲ経由シタルコトハ本件ニ於テ当事者間ニ争ナク右登記カ法律上許スヘカラサルモノナルコトハ前叙ニ因リ明カニシテ控訴会社ニ於テ之カ抹消登記ヲ為ス可キモノトス而シテ被控訴人カ控訴会社ノ株主ナルコトハ本件ニ於テ争ナク被控訴人ハ同会社ノ株主トシテ右登記ノ存否ニ付キ重大ナル利害関係アリ従テ控訴会社ニ対シ之カ抹消手続ヲ請求スルノ権アリト謂フヘシ」（東京控判昭七・一二・二七民集一一・二三五八）。

（一〇）　決議取消の訴と合併無効又は減資無効の訴との関係

合併承認決議又は資本減少の決議の成立過程に瑕疵があるときは、決議は取消の訴に服するが、その結果決議が無効となれば合併又は資本減少もその効力を失うこととなる。しかるに商法は合併又は減資の無効については特別の訴をみとめており（商四一五・四一六・一〇五・三八〇）、しかも決議取消の訴と合併又は減資の無効の訴とはその提訴権者・提訴期間等を異にしているため、合併無効又は減資無効の訴と合併承認決議又は減資決議の取消の訴との関係が問題とならざるをえない。もちろん合併無効又は減資無効の訴は合併の日又は減資の効力発生後においてのみ提起しうるのであるから、これが問題となるのはもっぱら合併の日又は減資の効力発生後においてである。この場合に、決議の成立手続の瑕疵の主張は決議取消の訴をもってのみなしうるのか、又はもっぱら合併若くは減資無効の訴をもってのみ主張することを要し、決議取消の訴は独立には提起しえなくなるのか、又は決議取消の訴と合併若くは減資無効の訴とは併存しうるのかが問題となるわけである（詳細については、前掲ジュリスト選書二一九頁、石井・前掲講座（三）九六三頁参照）。立法論とを明確にすることが望ましいが（大隅「商法改正要綱における会社合併の問題」論叢二六巻九二六頁）、現行法の解釈としては、決議してはこの点取消の訴に関する規定と合併無効又は減資無効の訴に関する規定とは並立的に適用されるものと解してさしつかえないであろう。ただしその場合でも、例えば合併承認決議の取消の訴を提起し（註二）、その取消判決が確定したときは、別に合併無効の訴を提起することを要せずして合併は当然に無効となるとともに、他方合併承認決議の成立手続の瑕疵を理由として合併無効の訴を提起するときは、その提訴期間は三箇月（商二四八I）に限られるものと解すべきである（大隅・大森・前掲ジュリスト選書二二二頁以下。田中（誠）・会社法二二五頁もこの立場であるが、決議取消判決の確定により合併無効の効果を生ずると解することには反対される）。もっともこの見解に対しては、合併の日又は減資の効力発生後においても、決議の手続上の瑕疵を理由とするかぎり常に決議取消の訴によることを要するとともに、この訴を提起して決議が取消された以上は合併や資本減少自体も無効となるとする見解(西原・会社法二四八頁、同・前掲ジュリスト選書二二〇頁以下。同説、西本・前掲一七八頁)、或いは、合併決議の瑕疵は当然に合併無効を招来するものであり、かつ合併決議は合併手続の一要素にすぎないから、合併の日以後において決議の瑕疵を主張する訴は合併無効の訴に吸収され、独立してはこれを提起しえなくなるとする見解(田中(耕)・概論五六一頁、鈴木・前掲ジュリスト選書二一九頁以下、石井・前掲講座(三)九六四頁以下、松田・概論一七九頁)もあり、最近の東京地方裁判所の判決【161】は、この最後の立場に立つて合併承認決議の無効確認の訴を確認の利益なきものとして棄却している。

【161】「会社合併は、他の各種の手続と同様に、多数の行為の連鎖から成る一の手続である。而して、合併については、合併無効の訴が認められているから、合併契約書を承認する決議に瑕疵がある場合においても、たんに手続の一環にすぎない右決議の取消又は無効確認のみを独立して訴求することが許されないのであつてこれを争おうとする者は、必ず、合併無効の訴を提起すべきである。

よつて、合併承認決議の無効確認を求める本訴請求は、確認の利益を欠くものというべきであるから、その余の点につき判断するまでもなく、失当として棄却すべきものである」(東京地判昭三〇・二・二八下級民集六・二・三六一)。

註(一) 合併登記の後において消滅会社の合併承認決議の取消の訴を提起する場合には、訴の被告は存続会社又は新設会社とすべきか(大隅・前掲論叢二六巻九二七頁)、又は決議取消の訴に関するかぎり消滅「会社カ今尚依然トシテ存続スルモノトシテ」消滅会社とすべきか(長崎控判大一一・一〇・二一新聞二〇六三・二〇【171】)の困難な問題を生ずるが、いずれにしても、合併の効力発生により消滅会社はもはや存在しないのであるから、かかる決議取消の訴を提起するに由ないものと解することはできないであろう。

三 決議の無効

(一) 決議無効確認の訴の性質

株主総会の決議の成立手続に瑕疵があるときは、その決議は単に取消の訴に服するにとどまるが、これに反して決議の内容が法令又は定款に違反するときは、その決議は当然かつ絶対的に無効であつて、何人から何人に対し、いかなる方法により、いかなる時期においてもその無効を主張することができ、必要があれば決議無効確認の訴を提起することも妨げなく、その訴は通常の確認の訴であり、確認の利益を有する者は何人でもこれを提起しうるのであつて、決議取消の訴に関する商法の規定は適用されない。これが昭和一三年の改正前における商法の基本的な立場であつたことは、すでに述べたとおりである。判例もまたかような立場に立つて、決議の内容が違法であることを理由とする決議無効確認の訴をみとめていた（後掲【168】参照）。もつとも、昭和一三年の改正前の商法は決議取消（旧法にいわゆる決議無効宣言）の訴についてのみ規定を設け、決議の内容が違法なことを理由とする決議無効確認の訴については何ら規定を設けていなかつたから、古い判例のうちには、株主は総会の決議の無効確認の訴を提起することによつて直接会社の運営に干渉しうるような権利を有するものではないかのように解したものもないではなかつた【162】（前掲大判明三七・二・一七民録一〇・一五七【159】も同旨のようである）。しかしかような見解はその後の判例にはみられない。明治四五年の東京控訴院の判決（東京控判明四五・四・一九新聞七九九・二二）は被告会社側のかような主張を明白に排斥しており、大審院も、大正二年の判決【86】【168】では、総会の「決議カ法令又ハ定款ニ違背シ其内容ニ於テ当然無効ナルトキ、各株主ニ於テ其無効ヲ主張スル訴権アリヤ否ヤハ、一般ノ原則ニ依リテ解決セ」らるべきものであつて、決議により株主権が危害を受ける場合には、株主として当然に決議無効確認の訴を提起する利益を有するものであることをみとめている。

【162】「上告人カ本訴請求ノ原因及ヒ目的トシテ主張スル所ハ要スルニ品川馬車鉄道株式会社ノ取締役タル被上告人後藤猛太郎ニ於テ無効ナル株主総会ノ決議ヲ実行シ同会社ノ権利ヲ一切東京馬車鉄道株式会社ニ移付シ且同会社ノ解散及ヒ清算人ノ登記ヲ完了シ清算人ニ於テ清算ニ従事シ以テ株主タル上告人ノ権利ヲ侵害スルニ因リ同会社ノ取締役タル被上告人三名及ヒ清算人ト称スル被上告人二名ニ対シ右株主総会ノ無効ヲ確認シテ同会社ノ解散及ヒ其清算人ノ登記ヲ抹消スルノ手続其他同会社ヲ原状ニ回復スルノ手続ヲ為スヘシトノ判決ヲ求ムト云フニ在ル（中略）然レトモ株主カ会社内部ノ関係ニ於テ会社ニ対シ請求スルニ非スシテ直接ニ其取締役若クハ清算人ニ対シ訴訟ヲ為スコトヲ許シタル法令存スルコトナシ商法ノ規定ヲ按スルニ株主カ其資格ニ於テ直接ニ訴訟ヲ為スコトヲ得ル場合ニ付テハ第百六十三条〈現商二四七条〉ニ依リ又清算ノ場合ニハ第二百三十四条〈現商四三〇条〉ニ依リ第百六十三条〈現商二四七条〉ノ規定ヲ準用シ会社ニ対シ総会決議無効ノ宣言ヲ請求スルコトヲ得ル旨ノ規定アルニ過キス取締役若クハ清算人ニ対シテハ第百七十八条ニ依リ又清算ノ場合ニ於テハ第二百三十四条ニ依リ第百七十八条ノ規定ヲ準用シ同条ノ定ムル条件ヲ具備スルトキニ限リ会社ヲシテ訴ヲ提起セシムルコトヲ得ル場合アルモ株主ニ於テ直接ニ訴訟ヲ為スコトヲ得ル旨ノ規定アルヲ見ス故ニ株主ハ其資格ニ於テ直接ニ取締役若クハ清算人ニ対シ訴訟ヲ為スノ権利ナシト謂ハサル可カラス蓋シ株式会社ハ多数ノ株主ヨリ成リ其株主ノ権利ハ直接ニ会社ニ対シ有スルモノニシテ取締役若クハ清算人ニ対シテハ直接ニ権利ヲ有スルモノニアラス而シテ取締役若クハ清算人ハ直接ニ会社ニ対シ其職務執行ノ義務ヲ負担スルモ株主ニ対シテ直接ニ之ヲ負担スルモノニアラス且取締役若クハ清算人カ株主総会ノ決議ヲ執行シタルトキハ当然会社ニ対シ其効力ヲ生シ其結果ハ其会社ヲ組織スル総株主全体ニ及ホスモノナルヤ論ヲ俟タス故ニ若シ其株主中ノ一、二人カ総会ノ決議ヲ無効ナリト認メ其執行前ノ原状ニ回復センコトヲ欲スル場合ニ於テ直接ニ取締役又ハ清算人ニ対スル訴訟ニ因リ其目的ヲ達スルコトヲ得ルモノトセンカ会社及多数ノ株主ノ利害ハ往々僅少ノ株主ノ意見及ヒ行為ノ為メニ左右セラルルノ弊ヲ生シ従テ株式会社ノ性質ニ反スルカ如キ結果ヲ来ス虞ナシトセス是レ法律ニテ株主ニ斯ノ如キ訴訟ヲ為スノ権利ヲ与ヘサル所以ニシテ上告人ニ本訴提起ノ権利ナキヤ亦明ナ

リ」(大判明三八・四・一四民録一一・四九九)。

昭和一三年の改正法により現在の二五二条の規定が設けられて、決議の内容が法令又は定款に違反することを理由とする決議無効確認の訴についても、判決の効力や訴訟手続について決議取消の訴に準ずる取扱がなされることとなつた。しかしこの改正によつても、決議無効確認の訴が当然かつ絶対的に無効な決議の無効確認の訴たることにつき基本的な変更はないものと解せられるのであつて、ただ決議無効判決の効力を劃一的に確定せしめる必要上、「適当の確認訴訟に付て特定の場合に特別の手続規定を定め、且其確認判決に特別の効力を附したるものと称して妨げないのである」(松本「会社法上の訴」商法解釈の諸問題二五六頁)。それゆえ現行法の下でも、訴以外の方法で決議の無効を主張することが排除されるものでないことは、当然のことといわなければならない(小町谷・講義巻一・二八三頁、田中(誠)・会社法二四三頁、大隅・概説一二九頁、大森・講義一六八頁、野津・概論一五九頁、佐々木等・前掲一六〇頁、実方・会社法学四二〇頁、野間・民商九巻三八〇頁、河村・前掲二九八頁以下、西本・前掲二〇八頁以下、上田・前掲実務株式会社法六講四七頁。なお前掲ジュリスト選書二三二頁参照)。

しかしながら学説には、団体法上の法律関係としての決議につき各人が勝手にその有効又は無効を主張しうるということは不合理であり、かつ無効確認の訴につき商法一〇九条一項(判決の第三者に対する効力)を準用した趣旨とも調和しないから、決議無効の主張は必ず商法二五二条の訴によることを要するものと解すべきである、とする見解が少なくないことは周知の通りである(例えば、松本・増補註釈株式会社法一三二頁、田中(耕)・概論三八〇頁、西原・会社法二四八頁、鈴木・会社法一二三頁、松田・概論一八四頁等)。最近の下級審判例のうちにもこの立場に立つたものがある【163】【164】(同旨、東京地判昭三四・一一・二六判時一七六・二九)。このうち【163】の判決は、会社に対する債権の譲渡につき、会社が、右債権譲渡の通知は任期満了により改選された前任取締役に対するものであるから、その譲渡は会社に対抗しえないと主張したのに対して、債権の譲受人が右の選任決議は当然無効であると抗弁した事件に関し、また【164】の判決は、会社が清算のためと称してなした労働者の解雇が不当労働行為を構成すると主張された事件において、株主が真に会社を解散せしめる意図の下に会社解散を決議するかぎり、たといそれが組合結成の阻害のためであつても解散は無効でないとするとともに、かりにこの見解が容れられないとしても、会社解散決議の無効確認を本案としない本訴において会社解散決議の無効を攻撃又は防禦の方法として主張することは、それ自体不適法であると判示したものである（本判決と同種の事案に関するものとして、大阪地判昭三一・一二・一労民集七・六・九八六があるが、この判決は会社解散決議の無効は抗弁としても主張しうるという立場をとつている。なおこの判決については、石川・ジュリスト一二六号四二頁参照）。

【163】「もしそれ控訴人の右抗弁が前記株主総会の決議がその内容において法令又は定款に違反するがため無効であるとの趣旨であるならば、かかる主張は決議無効確認の訴のみによるべきものであつて、抗弁としてこれを主張することができないものと解すべきであるから、いずれにしても右抗弁は理由がない」（東京高判昭二八・一〇・二〇・下級民集四・一〇・一四九九）。

【164】「株主総会における決議の無効を確認する判決は、ただ訴訟当事者間のみならず、広く第三者に対しても、絶対的、対世的効力を及ぼすものである故に、決議の無効は決議無効確認の訴によつてのみ主張し得べく、従つてこれを本案としない別訴において決議無効を攻撃又は防禦方法として主張することは許されないと解さねばならぬ。それで本訴において被申請人が申請会社における臨時株主総会の決議の無効を主張して解散の効力を争うことはそれ自体不適法といわねばならぬ」（福岡地判昭二七・五・二労民集三・三・一二五）。

しかし、決議の内容が法令又は定款に違反するときは決議は当然に無効であると解する以上、その無効は一般原則により何人がいかなる方法によつても主張しうべきはずであつて、決議の当然無効をみとめながら、その無効の主張は訴の方法に限られると解することは、理論の一貫を欠くものといわざるをえない（大隅・大森・前掲ジュリスト選書二三三頁以下、中田・前掲論叢六〇巻一・二号一九〇頁、中野「株主総会決議無効確認の訴」経済新法令二巻一一号六九頁）。決議の無効の主張は必ず訴の方法によることを要するとする見解をとる以上は、決議の内容が違法な場合にも決議は当然には無効でなく、判決によつてはじめて無効となるのであり、従つて商法二五二条のいわゆる無効確認の訴も実は決議取消の訴と同様形成の訴であると解するほかない（松田・概論一八四頁、同・前掲「訴訟と裁判」二〇三頁―二〇四頁、兼子・体系一四六頁、中野・前掲経済新法令二巻一一号六九頁などはこの見解であり、西原・会社法二四八頁も実質上形成訴訟に属するとされる）。しかしかような解釈の下に、明白な公序良俗違反の決議や違法配当の決議、或いは株主に対し追加出資義務を課するような決議等についても、それが当然には無効でなく、無効判決がないかぎりなお有効な決議として存続するという結果をみとめることは、何としても無理である。かりにこの場合において、取締役は決議無効の訴提起の権限と職責を有し、この訴を提起しなければ取締役の任務懈怠となりうる（松田・私法一八号六頁）と解するとしても、取締役が現に訴を提起して決議無効の判決をえないかぎり、決議はなお有効と解されるのであるから、その不当なことにかわりはない。そこで学説においては、社団内部における無効決議の劃一的確定の要請に鑑み、決議無効の主張は必ず訴によるべきものとする立場が原則的には正当であるが、公序良俗に違反する決議や株式会社の本質的な要請に違反する決議（例えば、株主有限責任の原則に反する決議・株券の最低金額の定めに違反する定款変更の決議・株式の自由譲渡性を制限する定款変更の決議・商法二三〇条ノ二や二九〇条に違反する決議）については、実質的には「法律的に無意味なもの」として、無効の訴をまつまでもなく、いつでもまた何人によつても、そのことを主張しうると解すべきであるとする見解（石井・前掲講座(三)九六八頁以下）、或いは逆に、原則として決議の無効は必ずしも訴によることを要しないが、会社的法律関係の劃一的取扱が要請される限りにおいては例外として訴によることを要するとし、その区別の基準を決議の内容の客観的性質が行為法的のものであるか組織法的のものであるかに求める見解（鴻・判例評論六号六頁以下）もみられる。しかしこれらの見解によれば、その決議無効の主張方法に関してみとめられる区別の基準が必ずしも明確でないから、かえつて会社に関する法律関係の不安定をきたすのみならず、かように決議の内容上の瑕疵を理由とする決議無効の主張方法をさらに各個の決議の内容に従つて区別することが、既述のように決議の取消又は無効の主張を決議の瑕疵が手続上のものであるか内容上のものであるかによつて劃一的・形式的に区別しようとする商法の基本的な立場（立法論としての当否は別として）とはたして調和しうるものであるかどうかについても、疑問の余地があるように思われる。先の【163】【164】の判決は別として、判例の多数は、昭和一三年の商法改正後においても、決議の内容が法令又は定款に違反するときは決議は当然に無効であり（大判昭一五・一〇・九評論三〇商法一一三【141】、東京地判昭二六・四・二八下級民集二・四・五六九、同昭二七・三・二八下級民集三・三・四二八、同昭二九・一一・一判タ四三・五八、同昭三〇・七・八下級民集六・七・一三八二【188】）、その無効の主張は必ずしも訴によることを要しない【165】【166】（後出【170】【177】、奈良地判昭二六・一・一三下級民集二・一・二五）とする見解をとつている。このうち【166】の判決は、更生会社の株主甲が配当金支払請求権を更生債権として届出たところ、右更生会社管財人たる被告乙が異議を述べたので、甲が更生債権の確定を請求する本訴を提起したのに対し、乙が右利益配当決議は商法二九〇条一項に違反し当然無効であると抗弁した事件に関する（結論において判決に賛成、鴻・判例評論六号六頁、福岡・企業会計八巻七号一一五六頁）。

【165】　「商法二百五十二条（中略）の規定する訴の性質については、一種の形成の訴であると為す見解もないではない。然し乍ら、法文にも明かに「無効の確認を請求する訴」として居るのみならず、本条の訴には出訴期間の

定めもなく、又「訴によつてのみ主張すべき」旨の規定もないこと、その他同法第二百四十七条以下の株主総会決議の取消の訴を本条の訴と区別して規定していることなどの点から考えると、本条は「株主総会の決議の内容が法令又は定款に違反し、その為に決議が当然無効であること」を理由として、その無効の確認を求める訴について規定したものであり、従つて同条の規定する訴の性質は確認の訴に外ならないものと解するのが相当である。

もともと株主総会の決議無効は何時如何なる方法でも、即ち、他の訴を理由づける事由として、又は抗弁としてでも主張し得べき筈であり、必ずしも訴を以て無効の確認を求むる必要はないわけである。(「無効であるが、訴以外の方法ではその主張が許されない」と云うことは、夫れ自体に矛盾がある。かような場合は、実は「無効確認」と云うような形式の判決によつて始めて効力が――概ね遡及的に――消滅させられる場合を指すものと見るべきである)」(福岡高判昭三〇・一〇・一二民集八・七・五三五)。

【166】「先ず新法が決議取消の原因として法定している事由と決議無効の原因として制限的に挙げていると解される事由とを対比して考えてみるに、(中略)前者のごとき決議の成立態様に関する瑕疵は、後者のそれに対して比較的重要性が少なく、且つ時の経過と共にその判別が困難となるばかりでなく、外部から容易に認識され難いうらみがあるに反し、後者のごとき決議の内容に関する瑕疵は、決議の実体を形成する部分であり、何人からも何時にても容易に認識せられ得るところのものであつて、その比重において且つまたその性質において両者に格段の差異あることを知り得る。しかも、(中略)同法第二百五十二条の決議無効確認の訴について新法はその提訴権者を法定しておらず、また訴の提起期間についても別段の制限規定を設けなかつた。即ち何人でもまた何時でも、その利益の存する限り、決議無効確認の訴を提起することを許容している。かようにみてくると、両者は等しく決議の瑕疵とはいいながら、その比重性質に差異あるに従い、その間取扱いにおいておのずから逕庭あるべきであるとの法意を知るに足りる。即ち、その内容に瑕疵ある決議は何人の意思をも問わず当然効力を認むべきではないとするに反し、決議の成立態様に関する瑕疵はその効力を否定すべきか否かを単に特定の者の意思に係らしめ、提訴期間を経過することによつてその瑕疵の治癒を認めていることを明か

に看取し得るに足りるというのである。従つて、決議の無効といい取消というのはひつきよう一般原則である民法上でいうそれと同一に理解されてしかるべきであり、かく解するのがまた前述の立法趣旨にも忠実なる所以であると信ずる。（中略）従つてその訴の性質はあくまで一般原則にいう無効確認の訴であり、その訴を認容する判決は即ち一般原則にいう無効確認の判決である。（中略）してみれば、右のごとき決議無効原因が存在し、且つそれを主張する一般原則上の利益の存する限り、何人でも何時にても主張しうるものであつて、決議無効を主張する方法は、一般原則に従い、必ずしも訴によることを要せず、訴訟上の抗弁その他いかなる方法で主張するかは全く主張者の自由であるといわなければならない。この限りにおいて、決議無効についてはこれを一般原則に委ねていた旧法の制度が変更せられたものとは考えられない。

株式会社における法律関係の劃一的確定の要請と法的確実の要請はまことに尊重せらるべきものではあるけれども、新法二百五十二条にいう決議無効確認の訴の訴訟上の請求を一般にいう取消権（形成権）と同様に解し、その訴の性質は一般にいう形成の訴であり、決議無効は訴以外の方法で主張することは許されないものと解することは、第一には成法上の根拠にも乏しいし、第二には株式会社における前述の理想を追求するの余り第二百五十二条の規定の解釈をいささか逸脱するきらいもあつてにわかに左袒し難い見解である。（中略）決議無効の主張を訴の形で主張した場合には、その訴を認容する判決は対世的効力を有するものであることすでに前述したとおりであり、訴以外の方法で主張した場合には、それがため法律関係の劃一性が保持せられない場合が仮に生ずることがあるものと想定してみても、それは右の要請に著しく背反する不当なものとは考えられない。けだし、ここに法律関係の劃一的確定の要請というのは、主として株式会社の社団的特質に由来して立論せられているものなるところ、決議無効が訴以外の方法で主張される場合、直接に論議の対象とせられるところのものは、社団生活そのものに属する事項ではないのが通常であるからである」（東京地判昭三〇・一一・一一下級民集六・一一・二三五六）。

（二）決議無効の原因

決議の当然無効の事例をあげつくすことはもちろんできないが、判例にしばしば現われる事例としては、株主有限責任の原則に違反する決議（大判明三二・一二・三一民録五・一一・六七、同明三二・一二・二五民録五・一〇・八五、同明三二・一二・一五民録五・一一・六六、同明三四・五・二二民録七・五・一二等）、株主平等の原則に違反する決議（大判大一一・一〇・一二民集一・五八五田中(誠)・判民大一一年度八七事件、大判昭二・一〇・七新聞二七七一・一二、同昭四・九・二四民集八・八四〇鈴木・判民昭四年度九四事件、大判昭六・七・二民集一〇・五四八石井・判民昭六年度五七事件、大判昭六・九・一〇法学一・上一二五、同昭七・二・二六法学一・下一一六、同昭七・四・三〇新聞三四一〇・一二等）、違法な貸借対照表を承認する決議（大判昭四・七・八民集八・七一二鈴木・判民昭四年度六五事件、東京地判昭二九・一一・一判タ四三・五八。これに反し大決昭四・一二・一六新聞三〇八二・九は、重役がその不法行為を糊塗するため虚偽の計算書類を作成した場合でも、その計算書類の承認決議は当然に無効ではないとしている）、株主総会の専属的決議事項の決定を取締役に一任する決議（大判大一五・三・二七民集五・二二七伊沢・判民大一五年度二九事件、大阪控判大一四・四・一四新聞二四〇七・四、東京地判昭二六・四・二八下級民集二・四・五六九等）、定款所定の定員を超える取締役選任の決議（大判昭一五・一〇・九評論三〇商法一一三【141】、東京控判昭一五・三・二六新聞四五七六・九）などがある。

「決議の内容が公序良俗に反する場合は右商法第二五二条の適用がある一場合であると解すべきである」（東京高判昭二八・一〇・五東京高時報四・四民一三八【109】）が、多数株主がその議決権を濫用し、会社及び少数者の犠牲において自己又は第三者の利益を追求する決議を、良俗違反の決議として当然に無効と解することには疑いがある（大森・前掲講座(三)八八四頁註一一、石井・前掲講座(三)九六〇頁以下。なお大隅「株式会社の決議の良俗違反に就て」京大訣別記念論文集一九七頁以下参照。反対、松田・概論一八三頁、田中(誠)・会社法二四二頁）。むしろこの場合は、特別利害関係人（商二三九V）が決議に加わつた場合との権衡からみて、決議取消の訴に服するものと解するのが妥当であろう（大隅・概説一二九頁、大森・講義一六八頁）。

なお、株主総会の議事を制限する仮処分命令に違反してなされた決議は、その議事については当然に無効と解すべきである（大判昭八・六・三〇民集一二・一七二一、東京控判昭一一・一〇・一九新報四五七・一四、東京控判昭七・一一・一五評論二二民訴八五）。商法二七〇条一項により取締役の職務執行の停止並びに職務代行者の選任がなされた場合において、総会がその職務代行者を解任したときも、仮処分命令に違反するものとしてその決議は当然に無効と解すべきであるが、右仮処分により職務の執行を停止されている取締役を解任し、新たに取締役を選任する総会の決議は、「該仮処分ト何等背馳スル所ナキノミカ却テ帰趣ヲ同シクスルモノト謂フヲ得ヘク、又其ノ新ニ取締役並監査役ヲ選任シタルハ叙上ノ解任決議ニ因リ欠缺スルニ至リタル会社ノ重要機関ヲ整備スルノ必要ニ出テタルモノナルコトハ自明ノコトニ属シ、所論仮処分ノ禁止スル所ニアラサルハ固ヨリ言ヲ俟タ」ない（大判昭八・六・三〇民集一二・一七二一、石井・判民昭八年度一一九事件、大隅・山口・前掲四〇頁四一頁、東京地判昭二八・一二・一一下級民集四・一二・一八六二）。

(二)　訴の当事者

決議無効確認の訴を通常の確認訴訟と解するかぎり、確認の利益を有する者はすべて原告たる適格を有しうるわけであり、決議取消の訴と異なり提訴権者は必ずしも株主又は取締役に限らない。しかし、株主又は取締役のみならず一般の第三者もこの訴を提起しうるとしても、会社に対して決議の無効を主張するについて有する利益は、その会社の株主又は取締役と会社外の第三者とではおのずからその性質を異にせざるをえない。従って決議無効確認の訴の提訴権者についても、決議取消の訴と同様株主又は取締役とそれ以外の第三者とに分けて考察するのが適当である。

(1)　株主　決議の無効を確認するにつき正当な利益を有する株主は、すべてこの訴を提起することができる【168】（東京控判明四五・五・二〇新聞七九四・二〇、東京地判明四四・(ワ)第一〇五八号新聞七六三・一八、東京控判明四五・四・一九新聞七九九・二三）。株主総会の決議が有効に成立すれば、原則として「各株主ハ其決議ニ拘束セラルル法律上ノ関係ヲ生ス」るから【168】、株主は実際上決議の無効確認の訴を提起する法律上の利益を有するのが通常である（東京控判大二・二・一四新聞八六八・二三【169】参照。なお、中田・前掲論叢六〇巻二〇二頁は、株主又は取締役がこの訴を提起したときは、実際問題として確認の利益は常に備わるものと想定すべきであるとされる）。例えば、会社の営業譲渡及び解散の決議が法令又は定款に違反して当然に無効な場合のように、「会社ニ於テ右決議ヲ有効ナリト主張スルコトニ因リ原告(上告人)ノ株主権カ危害ヲ受クルモノ」である場合【168】はもとより、「株主総会ノ決議カ会社ト第三者トノ間ノ契約ヲ承認シタルモノニシテ、直接株主ト会社トノ間ノ権利関係ヲ創設又ハ確定シタルモノニアラ」ざる場合でも、「該決議ハ株主ヲ拘束シ之ニ服従セシメ之ヲ無視スルコトヲ得サル法律上ノ効力ヲ生スヘキハ勿論ナレハ、株主ハ該決議ニ付何等権利上利害関係ナシ」とすることはできない(大阪控判大七・二・二一新聞一三八八・一七。同旨、大阪地判大五・八・一〇新聞一一六〇・二六、東京地判昭四・二・六評論一九商法三八。違法配当決議は株主の権利を直接侵害せずとして、反対、東京地判判決月日不詳新聞七五七・一七)。

さらに、決議が法律上無意味な場合、例えば「取締役に対する責任追及訴訟提起に関する株主の請求の採否を否決し、工場閉鎖の報告を承認する決議」のように、法令又は定款による株主総会の決議事項以外の事項に関する決議であって、「それが決議の際株主全員の間に法律上の効力のないものとの了解があってなされた場合であっても、後日役員がその決議を有効であるとして自己の行為の免責を主張する等の余地があるときは、その無効を確認する利益がないとはいえない」【167】(同旨、田中(誠)・会社法二四二頁。反対、間・前掲二九四頁。そのほか、取締役選任決議の無効確認の訴の利益を認めた事例として、横浜地判昭三三・一二・一六商事法務研究一三六附録18参照)。

もっとも、無効な決議によって選任された取締役がすでに辞任し、選任登記も抹消され、しかも後任者の就任登記もなされているような場合には、当該取締役選任決議の無効確認の利益は存しないものというべきであろう(大隅・山口・前掲四七頁)。東京地方裁判所の判決【170】は、この場合、当該取締役が取締役兼代表取締役として登記されていた間に会社を代表してなした各種法律行為の効力を争うためにも、その前提たる取締役選任決議の無効(決議不存在の事案である)であることは確定判決をまつまでもなく他の訴訟における攻撃防禦の方法としても主張しうるのであるから、この関係においても訴の利益は存しないと述べている（甲の代表取締役選任及び原告たる取締役の代表取締役解任に関する取締役会決議の不存在確認の訴は、その後の取締役会の決議により甲が代表取締役を解任され、原告が代表取締役に選任された以上、確認の利益を欠き、棄却さるべきであるとして、同旨、東京地判昭三〇・一〇・二四下級民集六・一〇・二二一七西山・商事法判例研究ジュリスト一六三号六一頁）。そのほか確認の利益を否定したものとしては、財産譲渡契約の承認決議が無効な場合でも、その契約の実現に必要な相手方会社の承認・監督官庁の承認がない現状では、決議の無効を確定する即時の利益はないとした大正五年の大阪地方裁判所の判決（大阪地判大五・八・一〇新聞一一六〇・二六）、会社監査役を会計事務担当者に選任する有限会社の社員総会の決議は、会計事務担当者の業務内容が会社の会計監査を指称するものであるとすれば、社員総会の決議をまつまでもなく監査役の法律上の職務であり、それが会社の常務に属するものであるとすれば法律の規定に違反し（旧有三四、旧商二七四・二七六ⅠⅢ、現有三四）、右決議は無効であり、しかも登記事項に該当しないから、敢て判決をまつまでもなくいかなる方法によつてもその無効を主張しうるものと解されるから、役員選任決議等と内容可分な本決議につき併せてその無効確認を求める即時確定の法律上の利益はないとした昭和二六年の奈良地方裁判所の判決（奈良地判昭二六・一・一三下級民集二・一・二五）などがある。

【167】　「原告主張㈡の役員に対する責任追及訴訟提起に関する株主の請求の採択を否決する決議及び㈢の工場を閉鎖することの報告を承認する決議につき按ずるに、被告は、株主総会がはじめから法律上の効果を有しないものと了解して決議を行つたときは、これに対し裁判上その無効を確認する利益がないという前提に立つて、本件決議が会社経営政策上から右のようなものとして成立した事情を説明する（註――その説明の要旨は、会社が取締役に対して責任追及訴訟を提起するか否かは取締役会の権限において決しうる事項であるとしても、事はあまりに重大であるし、訴訟を起すにしても商法二六一条の二により会社の代表者を定めなければならな

いので、右法条の趣旨にかんがみて一応株主総会の議に付した結果上述の㈡の決議が成立したものであり、また㈢の決議は、会社の唯一の工場を閉鎖することの重要性は商法二四五条の定める営業全部の譲渡等に匹適するので、その実行前に一応総会にはかつた結果成立したものであつて、いずれも取締役会の業務執行を拘束し又はその責任を減免する等の法律上の効果を期待したものではない、というのである）。しかし、株主総会の決議は、それが決議の際株主全員の間に法律上の効力のないものとの了解があつてなされた場合であつても、後日役員がその決議を有効であるとして自己の行為の免責を主張する等の余地があるときは、その無効を確認する利益がないとはいえない。而して本件決議はいずれも取締役の職務の執行に関し直接具体的に賛否を表明したものに他ならないから、右に述べたような危険の余地が存するものである。故にこれにつき確認の利益を争う被告の主張は、事実上の判断をまつまでもなく理由がない。よつて進んで請求の当否を考えるに、被告会社の前記株主総会が原告主張のような㈡及び㈢の決議をしたことは当事者間に争がない。而して右決議は、株主総会が商法第二百三十条の二に反し、その許された決議事項を逸脱してこれをなしたものという他ないから、それは内容が法令に違反するものとして無効である」（東京地判昭二七・三・二八下級民集三・三・四二八）。

【168】「商法第百六十三条ハ株主総会ノ決議ハ裁判所ノ無効宣言アル迄ハ有効ニ存在スルモ株主ノ利益ヲ保護スル目的ヨリ総会招集ノ手続又ハ決議ノ方法カ法令又ハ定款ニ違背シタルカ為メ株主ヨリ一ケ月内ニ其無効宣言ヲ請求スルコトヲ許シタル規定ナレハ総会決議カ法令又ハ定款ニ違背シ其内容ニ於テ当然無効ナルトキ各株主ニ於テ其無効ヲ主張スル訴権アリヤ否ヤハ一般ノ原則ニ依リテ解決セサルヘカラス抑モ株主総会ハ株式会社ノ最高機関ニシテ其決議ハ会社ノ意思ノ表現ナルヲ以テ会社ノ他ノ機関及ヒ各株主ハ其決議ニ拘束セラルル法律上ノ関係ヲ生スヘク其関係タルヤ即チ私法的法律関係ニ外ナラス而シテ法律関係ノ成立若クハ不成立ノ確定ヲ求ムル訴ハ即時ニ之ヲ確定スルニ付権利上利益アルトキニ限リ許スモノニシテ法律関係不成立ノ確定ヲ求ムル訴ハ原告ノ私権カ被告ニ於テ本来成立セサル法律関係ヲ成立セリト主張スルコトニ因リ危害ニ瀕シ其危害カ判決ヲ為ス当時ニ於テモ尚存続シ判決ニ依リテ其不成立ヲ確定スルニ非サレハ権利上ノ危害ヲ避クルコトヲ

得サル場合ニ於テ之ヲ許スモノナリ本件ニ於テ上告人カ被上告会社ノ株主ナルコトハ争ナキ事実トシテ原院ノ確定セル所ニシテ上告人ハ（中略）被上告会社ノ株主総会ニ於ケル「一明治四十四年七月三十一日限リ当会社ヲ解散ス一明治四十四年七月五日東京市参事会東京市長尾崎行雄ト当会社社長千家尊福トノ間ニ締結シタル当会社ノ営業及ヒ会社ノ現ニ有スル物権並ニ営業用設備ノ全部ヲ東京市ニ売却スル仮契約ヲ承認ス」トノ決議ハ法律上当然無効ナリト主張シ被上告会社ハ之ヲ有効ナリト抗争スルコトハ原院ニ於テ確定セル事実ナレハ若シ右決議ヲ実行スルニ至ルトキハ上告人ハ株主権ヲ喪失スル結果ヲ生スヘシ故ニ被上告会社ニ於テ右決議ヲ有効ナリト主張スルコトニ因リ上告人ノ株主権ハ危害ヲ受クルモノナレハ上告人ハ株主権ニ基キ右決議ニ拘束セラルヘキ私法的法律関係ノ存セサルコト即チ右決議ノ無効ヲ判決ニ依リ即時ニ確定スルニ付直接ニ権利上ノ利益ヲ有スルヲ以テ本件ノ如キ株主総会決議ノ無効ノ確定ヲ求ムル訴ハ法律上之ヲ許スモノト為スヘキナリ」（大判大二・六・二八民録一九・五三四）。

【169】「株式会社ノ株主総会ニ於テ法律上有効ナル決議ヲ為シタル以上ハ会社モ株主モ凡テ此決議ニ拘束セラルヘキ法律関係ヲ生ス従ヒテ若シ決議ノ法令定款等ニ違背シ当然無効ナルニ於テハ法律上前記ノ如ク拘束力ヲ生セサルコト明白ナルヲ以テ此際株主ハ確認判決ヲ以テ其拘束関係ナキコトヲ明ラカニスルコトニ付キ利益ヲ有スルハ多言ヲ要セス」（東京控判大二・一二・一四新聞八六八・二三）。

【170】「被告会社株主総会の昭和二九年一〇月一〇日の決議（役員選任の決議）の無効確認を求める原告の請求については、先ず果して右請求が法律上の利益を有するや否やを考えるに、原告が右無効確認を求める株主総会の決議により取締役に選任せられ（且つ同日の取締役会の決議で代表取締役に選任せられ）た中村繁子及び高橋繁雄は、その後昭和三一年六月二四日いずれも取締役（兼代表取締役）を辞任して、同日右選任の登記は抹消され、しかも即日後任者が選任せられてその旨の登記が為されていることは当事者間に争がない。してみれば、現在、右両名は、最早取締役でないのみならず、商法二五八条一項による一時的な取締役としての権利義務すら有していないのであるから、右両名が取締役に選任せられたときの株主総会決議の無効確認を求

める原告の請求はその法律上の利益を欠くものといわなければならない。しかるに、原告は、現在においても、右両名が取締役兼代表取締役として登記されていた間同会社の代表者として為した各種法律行為の効力を争うために、その前提として右両名の取締役選任決議の無効を確認する判決を得る必要があり、これが本訴における法律上の利益を成すものであると主張するが、そもそも株主総会の決議が存在しないことを理由にその無効の確認を求める訴訟（実務上しばしば決議不存在確認とよばれる訴訟）は、その勝訴の判決が確定することによつてのみ決議の失効の効果が形成されるいわゆる形成訴訟とは解し難いから、その決議の無効なること、したがつてこれを本件についていえば、上記両名が取締役に選任せられた株主総会の決議が無効であるということは、あえてその旨の確定判決を俟つまでもなく、他の訴訟における攻撃防禦の方法としても主張し得るところと解せられるので、原告の右主張は結局採用し難い」（東京地判昭三二・一一・一判時一三九・五五）。

なお、決議無効確認の訴に関し商法二五二条の規定が設けられている現在では、後述のように、決議自体を対象とする無効確認の訴は当然に適法なものと解せられるが、かかる規定のなかつた昭和一三年の改正前の商法の下では、決議自体を対象とする無効確認の訴が許されるか否かの点につき訴訟法上疑問の余地があつた。右の【168】の判決はこの問題に関する大審院の見解を示すものであつて、これによると、決議無効確認の訴は、会社及び各株主が「決議ニ拘束セラルヘキ私法的法律関係ノ存セサルコト、即チ決議ノ無効」の確定を求める訴であると解している。下級審の判例には、それ以前からも、或いは「株主ノ法律上ノ地位ハ株式会社ノ無効タルヘキ決議ニ因リテ危害ヲ被」るから、決議無効確認の訴を提起する法律上の利益ありとし（東京控判明四五・五・二〇新聞七九四・二〇、同旨、東京地判明四四（ワ）第一〇五八号新聞七六三・一八、東京控判大二・二・一四新聞八六八・二三【169】）、或いは会社が無効な決議を有効な決議なりとみとめて株主に臨むときは、株主において「右服従関係ノ不存在ノ確認ヲ求ムルハ正当ナリ」と述べるものがあつた（東京控判明四五・四・一九新聞七九九・二一）。またその後においても、大正一〇年七月（大判大一〇・七・二七民録二七・一四三二）、昭和四年四月（大判昭四・四・八民集八・二六九【18】）等の大審院判決は、株主総会決議無効確認請求事件において決議の無効を判示した原審判決を正当として支持している。しかしその訴訟の対象が何であるかに関してとくに論及したものはみられないのであつて、株主の決議無効確認の訴をみとめるとともにその訴訟の対象についても言及した大審院判例としては、右の【168】の判決が唯一のものとおもわれる。

ところでこの【168】の判決は、決議自体の無効を確認することと会社の機関及び株主が決議に拘束せらるべき法律関係の不存在を確認することとをあたかも同一のものと解する立場に立つて決議の無効確認の訴をみとめているのであるが、しかし決議自体の無効を確認することと決議によつて生ずべき法律関係の存否を確認することとは本来別個のことがらに属する。後者の訴が適法であることはいうまでもないが、そのかわり判決の効力は当該法律関係の存否に関して生ずるにとどまり、決議自体の無効を確定する効力を生ずるものではない（雉本「株主総会決議無効の訴」民事訴訟法論文集九九五頁。なお後出【182】の判決は、会社が総会決議の執行を阻害する者に対し決議により定まつた現在の権利関係の確認の訴を提起した事案に関する）。学説には、判例のかようなあいまいさを批難するとともに、株主総会の決議自体は法律関係ではないから、総会の決議の有効又は無効の確認の訴なるものは不適法であり却下を免れない、と解する見解があつた（雉本・前掲論文集一〇〇〇頁以下。同旨、野間・民商九巻五七二頁。これに対し松本・前掲二七〇頁、田中（耕）・会社法概論四八七頁等は、民事訴訟法の通則に従い決議無効確認の訴を提起しうるものとし、また間・前掲二九六頁、河村・前掲三〇六頁は【168】の判決と同趣旨の見解をとつていた）。しかし、判例の見解の当否はともかくとして、株主総会の決議は会社の意思決定として会社の機関及び株主の全部にかかわるものであるから、決議が無効なときは、会社を相手に決議自体の無効確認の訴を提起することによつて、会社における法律関係を劃一的に確定すべき必要が存することは否定できない。その意味では、株主総会の決議自体は法律関係ではないにしても、「会社の法律関係を形成する基礎となるものとして、とくに訴訟の対象となりうるもの」（中田・前掲論叢六〇巻一・二号二〇二頁。同旨、中村・前掲早稲田法学三三巻一・二冊四四頁、野間「瑕疵ある株主総会決議の処理」民商三九巻一・二・三号三三一頁参照）と解すべき十分な理由があるのであつて、上述の【168】の判決はその結論において正当なものといわなければならない。その後の下級審判決には、総会の決議自体は法律関係でないから確認訴訟の目的となりえないが、決議が無効であつて該決議に拘束せらるべき法律関係の存在しないことの確認を求める訴ならば適法であるとするもの（大阪控判大七・二・二一新聞一三八八・一七評論七商法一〇三）、取締役選任決議の無効確認の訴は、決議により取締役に選任されたと称する取締役が有効に取締役となつたものではないとの理由によりその無効確認を求めるものであるから、当該取締役に対し個人たる資格で訴求するのは当然であるとするもの（東京控判昭一二・一二・二七新聞四二四七・一八）もあつたが、判例の多数は、学説の批判にかかわらず、【168】の判決以後においても依然として決議自体の無効確認の訴をみとめていたものといいうる（大判昭四・四・八民集八・二六九【18】、同昭四・七・八民集八・七一二、定足数不足の特別決議につき、大判大一〇・七・二七民録二七・一四二二等。なお、決議自体が当然無効なときは民事訴訟法の通則により決議無効確認の訴を提起しうる旨を述べた下級審判決としては、長崎控判大一一・一〇・二一新聞二〇六三・二〇【171】、長崎控決昭七・八・一五新聞三四五一・五【186】、東京控判昭一二・一二・一七評論二七商法一五八などがある。なお決議の有効確認の訴をみとめたものとしては、後出【183】参照。）。いずれにしても、昭和一三年の商法改正により現行二五二条の規定が設けられ、決議取消の訴に関する商法の規定、わけても判決の対世的効力に関する商法一〇九条の規定が、「決議の無効の確認を請求する訴」に準用されることが明定されるに至つたから、現行法の下では、決議の内容が法令又は定款に違反することを理由に決議自体の無効確認の訴を提起しうべきことは法の規定の上でも明らかになつたといえるわけであつて、決議無効確認の訴の訴訟物に関する上述の議論は、もはや決議の内容が違法であることを理由とする決議無効確認の訴に関するかぎり、解消するに至つたものと解してさしつかえないであろう（中村・前掲早稲田法学三三巻一・二冊四四頁、坂井・判タ七〇号三一頁、野間・前掲民商三九巻一・二・三号三二九頁三三一頁、決議不存在確認の訴に関する後掲【188】【189】の判決参照。これに反し松田「いわゆる株主総会決議無効確認の訴について」（訴訟と裁判）岩松裁判官還暦記念論文集二〇六頁以下、同・私法一八号七頁は、決議自体の無効確認の訴は民事訴訟法上みとめられないから、いわゆる決議無効確認の訴も、民事訴訟法的に表現すれば、決議と称するものに基いて発生変更又は消滅したものとして取り扱われているところの権利又は法律関係の存否の確認を求める訴というべきであるとして、商法二五二条の訴を決議に関する通常の無効確認の訴と解する見解を批判していられる）。

(2)　取締役　総会の決議の内容が法令又は定款に違反し当然に無効である場合には、取締役はかかる決議に従う必要はなく、これを遵守しなくともその責任を生じないのみならず（東京地決大二・七・一〇評論二商法一七八）、故意又は過失により無効な総会の決議を執行するときは、かえつて取締役が任務懈怠の責任を負わなければならないこととなるが（大隅・園部・前掲二三八頁、間・前掲二九四頁以下、野間・民商九巻五七四頁）、逆に有効な決議は会社意思の表現として当然に取締役を拘束するから（前掲【168】）、決議の有効・無効につき疑いがあるか又はこれにつき争いがあるときは、取締役（代表取締役に限らない。ただし松田・私法一八号七頁参照）は当然に決議無効確認の訴を提起する法律上の利益を有するものとしなければならない（間・前掲二九五頁、野間・民商九巻五七四頁、なお中田・前掲論叢六〇巻一・二号二〇二頁）。もつとも、例えば取締役解任の決議が当然に無効（決議不存在）な場合には、「取締役たる自分達を解任した本件決議の不存在を確定すれば、結局自己が依然取締役の地位にあることとなり、ここに確認の利益がある」ものといえるが、その後会社が適法に解散を決議し、かつ清算人を選任して、「被告会社においては法律上取締役の地位が消滅したからには、原告等のうち取締役の地位にもとずいて本訴を提起している者については、勝訴しても依然取締役の地位にあるとは認めがたく、結局本訴において決議不存在を確定するも、なんの利益もないといわなければならない」（東京地判昭二九・五・七下級民集五・五・六三二）。ただこの場合でも、清算会社においては解散前の会社の取締役が清算人となるのが原則であるから（商四一七Ⅰ）、定款に別段の定めがあるか又は株主総会が別に清算人を選任した場合でないかぎり、なお取締役解任決議の不存在を主張する利益がないとはいえないであろう。

(3)　第三者　決議無効確認の訴を通常の確認訴訟と解するかぎり、確認の利益を有する者はすべて原告たる適格を有することとなるわけであり、決議取消の訴と異なり、提訴権者は必ずしも株主又は取締役に限らない。しかし、株主総会の決議は会社内部において株主又は取締役を拘束するにとどまり、直接会社外の第三者に対して法律関係を発生せしめるものではないから、第三者は事実上決議無効確認の訴を提起すべき法律上の利益を有しないのが通常である。ことに例えば、決議の内容が定款に違反する場合・株主平等の原則に違反する場合又は株主の固有権を侵害する場合などのように、その無効の主張が株主又は取締役の利益の範囲を出ないものについては、会社外の第三者が決議の無効確認の訴を提起してこれに介入することをみとむべき余地は、ほとんど存しないものといえる（石井・前掲講座(三)九六九頁以下九七九頁参照）。

次の【171】の判決は、合併における消滅会社の株主であつた者が消滅会社の合併承認決議の不存在確認の訴を提起した事件に関するものであり、【172】の決定は、同じく合併における消滅会社の債務者が同会社の合併による株金追加払込決議の無効を主張した事件に関するものである。

【171】　「株主総会ノ決議ガ当然無効ナル場合ニハ商法第百六十三条ノ訴ト異リ株主タルト否トヲ問ハズ会社

ニ対シ何時ニテモ民事訴訟法上其無効確認ノ訴ヲ提起スルコトヲ得ベシト雖モ同確認ノ訴ハ原告ニ於テ即時確定ニ付法律上ノ利益ヲ有シ其利益ハ判決当時ニ至ル迄尚存続スルコトヲ要スルモノトス」「既ニ株主タラザルニ至リタル以上ハ爾後特別事由ナキ限リ総会決議ノ時期如何ヲ問ハズ単ニ被控訴会社ヲ他会社ニ合併セラルル旨ノ決議ハ通常控訴人ノ法律上ノ利害ニ影響ナキモノト認ムルヲ妥当トスルノミナラズ、控訴代理人ハ控訴人カ被控訴会社ノ株主トシテ確認訴訟ニ付法律上ノ利益ヲ有スルコトヲ主張スルニ止マリ非株主トシテ何等其利益ヲ有スルコトヲ主張スルモノニアラザルガ故ニ控訴人ハ本件合併決議ノ無効ヲ即時ニ確定スルニ付法律上ノ利益ヲ有セザルモノト認メザルベカラズ」(長崎控判大一一・一〇・二〇新聞二〇六三・二〇)。

【172】「株主カ自己ノ引受ケタル株券面ノ金額以上ニ払込ヲ強要セラルル義務ナキコト及株主総会ノ決議カ当然無効ナル場合ニハ何人ト雖モ其無効ヲ主張シ得ヘク仮令株主総会ノ決議ノ当時総株主ノ同意ナカリシニセヨ爾後各株主ニ於テ該決議ヲ承認シ任意ニ過重ノ払込ヲ為スニ於テハ毫モ決議ノ効力ヲ妨クルモノニアラサルハ勿論ナリ果シテ然ラハ斯ル決議ノ効力ノ消長ハ全ク株主ノ意思如何ニ存シ絶対ニ無効ノモノト言フヘカラサルヲ以テ株主ニ非サル者ニ於テ之ヲ当然無効ナリト主張スルハ其理由ナキコト勿論ナリ」(長崎地決大一二・二・七新聞二一一二・二二)。

しかし、例えば株主総会の決議が会社と第三者との間の法律関係の成立又は効力発生の要件をなしている場合、或いは総会の決議の法令違反が第三者の権利ないし利益に重要な影響をもたらす場合(例えば、商法二九〇条一項違反の決議)などにおいては、その第三者に対しても決議の無効確認の利益をみとむべき場合を生ずる。この点につき、株金の分割払込の制度をとつていた旧法の下での判例であるが、株式を譲渡しその名義書換もなされてすでに株主でなくなつた者でも、総会の決議の如何により未払込株金の払込の必要を生じたときは、譲渡人として株金不足額を弁済すべき義務を負担することがありうるから(旧二一九・二一四Ⅲ、昭和一三年改正前商法一五四・一五三Ⅲ参照)、その者は決議無効の確定を求める法律上の利害関係を有するとした判決(名古屋地判大一二・二

・一九新聞二一二七・一九）がある（判決に反対、河村・前掲三〇〇頁）。

いずれにしても、決議無効確認の訴を通常の確認訴訟と解するときは、一般理論として「決議無効原因が存在し、且つそれを主張する一般原則上の利益の存する限り、何人でも何時にても」【166】、その無効確認の訴を提起しうるものと解すべきこととなるのが当然である（なお後出【179】、中村・前掲早稲田法学三三巻一・二冊三九頁四〇頁五二頁以下参照）。しかし、この訴を決議取消の訴と同様形成の訴と解する学説も、訴の提起権者は原則として株主・取締役であるが、総会の決議が第三者の権利又は利益を害するとともに会社内部の法律関係にも影響を及ぼすときは（例えば、商法二九〇条一項違反の決議）、第三者もこの訴を提起しうるものと解している（松田・前掲訴訟と裁判二一〇頁、同・私法一八号七頁以下）。もつとも学説においては、決議無効確認の訴は一種の無効確認の訴ではあるが、その判決の既判力が関係者全員に拡張される点では特殊の確認訴訟というべきであり、かつこの種の確認訴訟ではこれによつてその原告に当該社団関係自体に介入しこれに対して一種の支配干渉をなす権能を認めることに帰するから、いわゆる確認の利益としても単に原告個人の一面的な利益では足らず、むしろ彼の所属する社団関係の適正な運営を維持することについての全面的利害たることを要し、従つてこの訴の原告たりうる者も、決議取消の訴に準じその会社の株主又は取締役に限るべきであるとする見解（中田・前掲論叢六〇巻一・二号一九一頁以下一九七頁）がある（昭和一三年の改正前の商法の下において、野間・前掲民商九巻五七三頁、河村・前掲三〇〇頁以下も、第三者は通常の給付請求又は権利確認の訴を提起すれば足り、決議無効を直接の目的として訴を提起すべき利益を有しないという理由により、第三者の訴提起を否定していた。なお現行法の下において、野間・前掲民商三九巻一・二・三号三二七頁三二八頁は、一定の内容の決議については第三者もその無効確認の訴を提起しうることを認めていられる。）。

なお、第三者も株主と並んで決議無効確認の訴権を有しうるものと解するならば、株主の担保提供義務に関する商法二五二条・二四九条の規定は第三者の訴提起の場合にも準用さるべきであろう【173】

（同説、松田・鈴木(忠)・条解二五六頁、朝山・株主総会の法律実務一五六頁）。

【173】「まず第三者が決議無効確認の訴を提起した場合担保供与の義務があるかどうかを按ずるに第三者は株式会社株主総会決議につき法律上の利害関係を有している場合のみに決議無効確認の利益ありと解せられる。そして第三者が右決議につき法律上の利害関係を有しているかどうかは訴訟に於て審理した上始めて判明することであつて、訴を提起し、審理を受けるには右決議につき法律上の利害関係を有すると主張しさえすれば、それで足りるのである。そうだとすれば第三者といえども濫に右の訴を提起して被告会社に損害を蒙らせる惧がないとは云えず、この点につき株主と第三者とを区別して考えることは出来難い。それ故商法第二五二条、第二四九条によつて取締役又は監査役以外の株主ばかりでなく第三者も担保供与の義務を負うものと解すべく、抗告人の主張はこれを採用することが出来ない」（東京高決昭二四・三・三商一法判例総覧3二一六）。

(4)　会社　決議無効確認の訴も、取消の訴と同様、会社の決議の効力の否認を目的とする訴であるから、訴の被告たる適格を有する者は常に会社である（中田・前掲論叢六〇巻一・二号二〇二頁、松田・鈴木(忠)・条解二五五頁）。次の判決【174】はこれに反して、会社が商法二五二条の訴の一方の当事者たるべきことは当然であるにしても、会社が原告となつて訴える必要のある場合が考えられないわけではなく、この場合の訴につき商法二五二条の適用を排除すべき理由は発見しがたいとしているが（同旨、河本・神戸法学雑誌五巻四号七一〇頁）、正当とはいえないであろう。実質的にいっても、決議無効の確認判決に対世的効力がみとめられる現行法の下では、決議の無効につき争いがあれば取締役が会社を被告として訴えればよいわけであつて、会社自身が直接紛争の当事者を被告として訴を提起する必要は存しないと思う（旧法の下で、役員改選等の決議が存在しないにもかかわらず、みずから役員に選任されたものとしてその就任等の登記をなした者があるため、会社がその不実の登記の抹消申請手続の必要上、当該登記申請名義人を被告として決議不存在確認の訴を提起した事件において、仙台地古川支判昭二・六・二〇新聞二七三九・八は、会社の原告適格をみとめている）。

【174】「右商法二百五十二条の訴につき如何なる者がその当事者たるべきかの点に関しては、判然した明文はないのであるが、右の様に原告勝訴の判決の効力が第三者にも及ぶものとする以上は、会社自身をその訴訟の一方の当事者とすべきことはむしろ当然であつて、会社以外の者の間（例えば、株主相互間又は株主と第三者との間）における総会決議無効確認の訴についてまで原告勝訴の判決が第三者に効力を及ぼすものとすることは、不必要であり且つ不適当である。

商法二百五十二条の準用する同法第百九条第二項その他の諸規定を通覧すると、立法者としては、第二百五十二条の訴についても会社が被告たるべきことを当然のことと予定したものの様にも解せられるが、会社が原告となつて訴える必要のある場合も考えられないわけではなく、会社が原告となつた場合の同種の訴につき右第二百五十二条の適用を排除すべき理由も発見し難い」（福岡高判昭三〇・一〇・一二民集八・七・五三五）。

また上述のように、会社を被告として決議無効確認の訴を提起するときは、原告勝訴の判決の効力は当然に社員の全員に及ぶのであるから、たとい社員の一部において決議の有効を主張し取締役の業務の執行を妨げる者があつても、それらの者に対し被告会社と共同して決議の無効確認を求める利益は存しないものというべきである。つぎの奈良地方裁判所の判決【175】は、有限会社の社員総会決議につきこの旨を述べている（株主総会決議不存在確認の訴につき、同旨、福岡高判昭三〇・一〇・一二民集八・七・五三五【174】【189】）。

【175】「原告両名が被告会社の各取締役の地位において被告会社に対し社員総会の決議の無効確認の請求訴訟を提起し、勝訴の判決がなされるときは其の無効原因の如何にかかわらず其の既判力は当然社員の全員に及び、取締役監査役である被告両名において該判決の効力を争うことができないことは有限会社法第四十一条商法第二百五十二条第百九条第一項の規定に徴し明かであつて、たとい被告両名が右決議の有効を主張し被告中

村において代表取締役の業務を専行し、これがために取締役たる原告両名が業務の執行を妨げられ且つ社員としての共益権を侵害され損害を被りつつある現在の危害あるときでも一般の保全処分若しくは有限会社法第三十四条商法第二百七十条に準じ仮処分を求めるは格別、被告会社と共同して取締役たる被告中村及び監査役たる被告太田垣に対し前示各決議の無効確認を求めるにつきいずれも即時確定の法律上の利益を有しないこと疑を容れないから、原告両名の右被告両名に対する本訴請求は爾余の点の判断を俟つまでもなくいずれも理由がない」（奈良地判昭二六・一一・二五三下級民集二・一一・二五）。

被告たる会社を代表する者は代表取締役、清算中の会社にあつては代表清算人であるが、その取締役又は清算人の選任決議の無効確認の訴（決議不存在確認の訴の場合も同じ）においては誰が会社を代表すべきか。取締役の選任決議が法令又は定款に違反し当然に無効（又は不存在）であれば、その取締役ははじめから取締役としての資格を有しないのであるから、理論上はその者を会社代表者として表示することはできないから、他に代表取締役があればこれに対して、もしその者以外に代表取締役がなければ特別代理人（民訴五八・五六）の選任を求めた上で訴を提起すべきこととなるであろう（これに反し、解散決議取消の訴においては、決議は当然に無効ではないから清算人を会社代表者とするのが相当である、大判明四二・三・二五民録一五・二五〇【83】）。しかし、決議の無効（又は不存在）ということは法律上の意味においてであつて、外形上は一応総会の決議と称せられるものが存し、そこで選任された取締役の登記もなされ、現に取締役としてその職務を行うという事態を生じうるのである（大隅・判例評論三号四頁参照）。しかも、「該決議カ当然無効ナリヤ否ヤハ争アル場合多々アルヘク、判決ノ確定ヲ俟ツテ黒白ノ決定セラルルコト稀有ナラサル」ものであるから【177】、取締役選任決議の無効（又は不存在）確認の訴においても、事実上取締役としての地位にある当該取締役を会社代表者としてさしつかえないものというべきであろう（【177】参照。反対、東京控決昭九・八・二五新聞三七五五・一五）。明治三八年の大審院判決【176】は、会社解散決議の無効確認の訴につき、会社の解散決議の有効無効を確定するのは清算人の職務であり、会社が解散を議決し清算人を選任した以上は、決議無効の確定判決のあるまでは会社は依然清算中に在るものであるから、訴においては清算人を会社代表者となすべく、解散前の取締役を代表者とすることは不適法であるとしている（判決に反対、西本・前掲二四一頁）。

【176】「清算中ニ在ル会社ニ対シ訴訟ニ依リ其解散ニ関スル議決ノ無効ナルコトヲ確認セシメントスルニハ清算人ヲ以テ会社ノ代表者トスヘク清算人ハ其職務権限ヲ以テ会社ヲ代表シテ之ニ応訴スヘキ職責アルハ多言ヲ要セサル所ナリ何トナレハ此場合ニ於テハ清算人先ツ解散議決ノ有効無効ヲ確定セシムルハ清算ノ職務ヲ行フニ付キ最モ必要ナル事項ニシテ之ヲ確定セシムルニアラサレハ其職務ヲ行フコト能ハサレハナリ然ルニ上告人ハ本訴株式会社相楽銀行ノ総会ニ於テ為シタル解散ニ関スル議決ヲ全然無効ナリトシ清算中ニ在ル該会社ニ対シ解散前ノ取締役大崎官次郎外二名ヲ該会社ノ代表者トシ本訴請求ヲ為シ第一、第二審ニ於テ敗訴ノ判決ヲ受ケ尚ホ右大崎官次郎外二名ヲ該会社ノ代表者トシ本訴上告ヲ為スモノナレハ法律上代理権ナキ者ヲ以テ其代理権アルモノトシタルモノニシテ即チ不適法ノ上告タルコト洵ニ明白ナリ何トナレハ本訴会社カ既ニ其総会ニ於テ解散ヲ議決シ清算人ヲ選任シタル以上ハ該議決ニ対シ無効確認ノ確定判決アルマテ本訴会社ハ依然清算中ニ在ルモノナルカ故ニ解散前ノ取締役ヲ以テ該会社ノ代表者即チ法律上代理人ト為スヲ得サレハナリ」（大判明三八・四・一九民録一一・五二八）。

右と反対に、取締役解任決議の無効（不存在）確認の訴においては、一応現時の代表取締役を会社代表者となすべく、無効な決議によって解任された当該取締役を代表者となすべきではない。次の判決【177】は、この場合確認訴訟の法理に照しても、解任という自己に不利益な決議を受けた者を会社代表者として訴え、ほとんど認諾によってその目的を遂げんとすることは到底許されないとしている。

【177】「凡ソ株主総会ノ決議カ当然無効ナル場合ニ於テハ敢テ其ノ旨ノ判決ノ確定ヲ俟ツ要ナキコト勿論ナレトモ該決議カ当然無効ナリヤ否ヤハ争アル場合多々アルヘク判決ノ確定ヲ俟ツテ黒白ノ決定セラルルコト稀有ナラサルカ故ニ名称ノ変更代表取締役ノ解任決議ノ当然無効ヲ主張スル訴訟ニ於テモ訴状ニハ一応商業登記簿ノ記載ニ依拠シ其ノ現時ノ名称及代表者ヲ以テ被告及其代表者ヲ表示スルヲ適切妥当ノ処置ト認ムヘキモノトス之ヲ確認訴訟ノ法理ニ照スモ右決議ノ有効ヲ主張スル登記簿上ノ代表者ヲ除外シ解任テウ自己ニ不利益ナル決議ヲ受ケタル者ヲ以テ会社ヲ代表セシメテ右決議無効確認ノ訴訟ヲ提起シ殆ント認諾ニ依リテ其目的ヲ遂ケントスルカ如キコトハ到底許容シ得ヘキ限リニ非ス」(大阪地判昭一四・一〇・二評論二八民訴四〇一)。

取締役が会社に対し決議無効確認の訴を提起するときは、取締役会又は株主総会の定める者が会社を代表するが(商二六一ノ二)、無効な決議によつて選任された取締役がその決議の無効確認の訴を提起する場合においても、右の規定により、取締役会又は株主総会の定める者が会社を代表することを要するか否か多少問題である。次の判決【178】は、昭和二五年の改正前の商法二七七条一項(現商二六一ノ二)につき、総会の決議があつた以上、決議が取締役の資格に関する定款の定めに違反し無効を主張しうる場合でも、形式上決議とともに取締役の資格を取得したものといいうるとしてこれを肯定しているが、たといその訴が取締役たる資格において提起されたものであつても、この場合のように取締役が自己の地位を否定しようとして提起する訴においては、右の規定の適用は、ないものと解するのが妥当であろう(大隅・山口・前掲一五三頁、従つて取締役が自己の取締役選任決議の取消の訴を提起する場合も同様に解すべきであろう)。これに反して、取締役解任決議の無効(不存在)確認の訴を当該取締役が提起する場合には、その訴は「原告等が該決議が法律上無効であり依然取締役たる地位を有する旨主張し、その資格において」提起するものであるから、常に商法二六一条の二の適用があり、取締役会又は株主総会の定める者が会社を代表することを要するものと解すべきである【179】。

【178】「いやしくも株主総会の決議があつた以上仮令その総会の決議が定款の規定に違反して無効を主張することが出来る場合であつても、その株主総会において取締役に選任せられたものは形式上決議とともに取締役の資格を取得したものと謂うことが出来る。そしてかかる取締役といえども会社に対して訴を提起する場合は原則としてその訴に付いては監査役が会社を代表すべきことは商法二百七十七条の規定するところである。今本件についてみると原告等の主張は被告会社の定款によると株主でなければ被告会社の取締役監査役に選任せられないのにその定款に違反して何等株主でもない原告等を臨時株主総会において被告会社の取締役に選任する旨の決議をしたが右の決議は定款に違背する無効のものであるからその確認を求めるというのであつて、かかる訴の提起は一応原告等は被告会社の取締役の資格においてなすべきものであり、事実その資格において提起したものとみられるから前記商法の規定からみれば会社を代表すべきものとしては被告会社の監査役を表示しなければならない」（京都地判昭二六・一・二五下級民集二・一・七二）。

【179】「有限会社法第四十一条商法第二百五十二条に依れば有限会社法の社員総会の決議無効確認の訴は、有限会社法第四十一条商法第二百四十七条所定の決議取消の訴の場合と異り出訴者の資格を限定しないから、社員、取締役のみならず決議につき法律上利害関係を有する第三者も右訴を提起できること勿論であつて、本訴のように取締役原告両名の解任及び社員たる地位の喪失せしめる社員総会の決議が無効確認訴訟の目的である場合、原告等が該決議が法律上無効であり依然取締役たる地位を有する旨主張し、其の資格において右決議無効確認の訴訟を提起するとき一応原告等の訴において主張するところに従い訴訟の公正を担保する有限会社法第三十四条商法第二百七十七条が適用され監査役が取締役に代り被告会社を代表するものと解すべきである」（奈良地判昭二六・一・一三下級民集二・一・二五）。

（四）　訴の手続・判決の効力

(1)　決議無効確認の訴は単なる確認の訴であるが、法は法律関係の劃一性をはかるために無効判決は第三者に対しても効力を有するものとし（この効力の性質については、中田・前掲論叢六〇巻一・二号二〇四頁、中村・前掲早稲田法学三三巻一・二冊二四頁以下参照）、かつ、その訴の手続については、決議取消の訴における専属管轄（商八八）・弁論及び裁判の併合（商一〇五Ⅲ）・訴の公告（商一〇五Ⅳ）・担保の提供（商二四九）・原告敗訴の場合における賠償義務（商一〇九Ⅱ）及び登記（商二五〇）の諸規定を準用している（商二五二）。

(2)　訴の「当事者双方が、いわゆる馴合訴訟をし、その判決の効力が第三者に及ぶ結果、第三者が権利を害される場合」には、第三者は民事訴訟法七一条により当事者としてその訴訟に参加することができる【180】【181】。ただし【181】の判決では、代表取締役職務代行者が被告会社を代表しているが、裁判所の選任した右職務代行者はなかば公の機関として職務を執行するものであり、その執行は公平妥当と認めるのが相当であるから馴合訴訟は認められぬとして、当事者参加の申立を却下している。

【180】　「株式会社における株主総会の決議にして、殊にその旨の登記を終了している場合には該決議は無効判決（中略）の確定しない限りは一応有効と看做されるのは当然であるから、故らにその有効の確認を求めることは所謂屋上更に屋を重ねるに過ぎず、利益のない訴であると謂わなければならない憾はあるけれども、単に被告として反訴を以て有効確認を求める場合とは異り、第三者が他人間の訴訟而も本件の如く被告において原告の主張を争わないためそのまま放置すれば、無効確認の判決は確定する公算が大きい場合には（而もその判決が確定すれば所謂対世的効力によつて第三者も爾後該判決と矛盾する主張は出来なくなる）第三者に対しては一般民事訴訟法の立場から参加の道を認める必要がある。

而してその場合に民事訴訟法第六十四条の補助参加によつたのでは、本件の如く被告が原告主張を争わない場合には何等の効果なく、又決議の絶対無効の訴においてもその被告適格者は会社に限られると解する一般説に依れば株主、取締役その他第三者は被告として参加する適格はないものと謂うの外はない。そこでかような場合にこそ第三者は本訴訟の原被告を相手方とし自ら原告として該決議の有効なことの確認を求めうるものと解することは、民事訴訟法第七十一条その他の一般論に牴触するものではないと解する」(松山地判昭二六・七・九、下級民集二・七・八六二)。

【181】「当事者双方が、いわゆる馴合訴訟をし、その判決の効力が、第三者に及ぶ結果、第三者が権利を害される場合には、第三者として之を甘受することができないところであつて、民事訴訟法第七一条前段が、第三者に当事者参加を認めた所以であり、同条前段にいわゆる「訴訟の結果に因り権利を害せられる第三者」とは、かかる場合の第三者を指称するものである」(大阪地判昭二九・一一・一七、下級民集五・一一・一八八六)。

なお右の【180】の判決は、会社側から決議の有効確認の訴を起す利益がないことの理由として、決議の内容が法令又は定款に違反し当然に無効な場合でも、決議の登記を終了している場合には一応有効とみなされ、決議無効の確定判決によつてはじめて無効となるかのように述べているが、正当とはいえない。ただ決議が有効な場合はもとより、決議の内容が法令又は定款に違反し当然に無効な場合においても、すでにその決議が実行に移され、その登記も終了しているような場合には、決議の無効確認を求める利益はあつても、さらにその決議の有効確認を求める利益は通常存しないものというべきであつて、その意味では判旨を正当としてよいであろう。しかし、決議無効の疑いが存する場合に会社が決議の有効確認の訴を提起した事案ではなく、資本減少・株式消却に関する決議の執行を阻害する者に対して会社が決議によつて生じた現在の権利関係の確認の訴を提起した事案ではあるが、大審院判決【182】はその訴の利益をみとめている(判決に賛成、野間・民商九巻五七四頁。河村・前掲三〇二頁は、この判例を決議有効確認の訴の利益を肯定したものとみて反対している)。また昭和三三年九月の東京高等裁判所の判決【183】は、会社の解散を争つてその登記申請に協力しない取締役があるときは、他の取締役においてその取締役に対し会社解散決議の有効確認の訴を提起しうるものとしている。そのほか昭和一六年の東京区裁判所の決定(東京区決昭一六(八)第一三一八号評論三〇商法二二三)も、「株主総会ノ決議カ有効ニ為サレタルコトノ確認ヲ求メ、更ニ之ニ基キ附帯シテ決議書ニ取締役トシテ署名捺印並ニ登記申請手続ニ協力スヘキコトヲ求ムル」訴をみとめるとともに、「商法第二百五十二条カ決議ノ無効確認ノ訴ヲ地方裁判所ノ専属管轄トシタル以上、本件ノ如ク株主総会ノ決議ノ有効ナルコトヲ争ヒ或ハ決議ノ存否ヲ争フ場合(中略)モ亦、地方裁判所ノ専属管轄ニ属スルモノト解スルヲ相当トス」と述べている。

【182】「被上告人ノ請求ハ(中略)被上告会社ノ臨時株主総会ニ於テ為シタル決議ニ基キ被告ノ持株ハ改メテ三株ト為リ其余ノ端数二株分ハ換価代金ヲ領収スヘキコトトナリタルニ上告人ハ臨時株主総会ニ出席セサルヲ名トシテ自己ノ持株ヲ減額セラルルコトナシト主張シ被上告会社ノ整理ヲ妨害スルニヨリ本訴ヲ提起シタリト云フニ在リ換言スレハ上告人ハ謂ハレナク被上告会社ノ整理シツツアル総会決議ノ執行ヲ阻害スルヲ以テ該決議ニヨリ現在定マリタル権利関係ヲ確認スヘシト云フニ在ルヲ以テ起訴者タル被上告人ニ利益ナシト謂フヘカラス何トナレハ此等現在ノ権利関係ヲ確定スルニ非サレハ被上告会社ノ資本減少株式消却ノ方法完結スル能ハス従テ利益ノ配当其他ノ処置ニ多大ノ支障ヲ来タスヘケレハナリ」(大判明四四・六・二一民録一七・四一五)。

【183】「(会社の)解散のことを争つてその登記申請に協力しない控訴人等に対し右登記申請手続を求める被控訴人の本訴請求は正当であり、また株主総会において解散の決議があれば、その議事録に署名をしてこのことを確認証明すべき立場にある議長及び出席取締役において右決議のことを争いこれを否定するにおいては、他の会社取締役において右否定者に対し、右決議の有効に存することの確認を求め得べきこともまた明らかで

あるから、被控訴人の控訴人等に対する確認請求また正当としてこれを認容すべきである」（東京高判昭三三・九・二九判時一六九・二五、下級民集九・九・一九四九）。

（五）決議不存在確認の訴

(1) 訴の性質　株主総会の決議の内容が法令又は定款に違反するときは決議は当然に無効であるが、総会招集の手続又は決議の方法に関する法令違反がとくに著しく、法律上の意味における株主総会の成立をみとめることができない場合にも、その決議は当然かつ絶対的に無効であつて、何人から何人に対し、いつでもいかなる方法によつても、決議の無効ないし不存在を主張することができることは、すでに述べたとおりである（一二二頁以下）。しかるに商法は、決議の内容が法令又は定款に違反することを理由とする決議無効確認の訴については規定を設けているが（商二五二）、決議不存在の確認の訴については何ら規定するところがない。このため決議不存在確認の訴を商法上いかに取り扱うべきかが問題とならざるをえない。

およそ株主総会の決議不存在確認の訴なるものは許されるであろうか（この問題を詳細に論じたものとしては、坂井「株主総会決議不存在確認の訴は許されるか」判タ七〇号二五頁以下七二号三六頁以下参照）。後述のように判例及び通説はこの訴を適法とみとめているが、学説にはこれを不適法と解する見解がないではない。否定説の理由とするところは、株主総会の決議はそれ自体法律関係ではないが（決議の法律的性質に関しては、松本・商法解釈の諸問題一六六頁以下、石井・株主総会の研究八三頁以下参照）、民事訴訟法の原則によれば、一般に確認訴訟の対象となりうるのは現在の法律状態、すなわち権利又は法律関係の現在における存否たることを要するから（ただし証書の真否確認の訴に関する民訴二二五条）、過去における決議の不存在確認の訴なるものはそれ自体不適法である、というにある（雉本・前掲論文集一〇〇七頁以下。松田・前掲論文集二〇六頁、同・概論一八五頁、中野「株主総会決議無効確認の訴」経済新法令二巻一一号六四頁も同旨と思われる）。しかし、すでに決議の内容が違法なことを理由とする決議無効確認の訴について述べたように、株主総会の決議は会社の意思決定として会社の機関及び株主の全部を拘束するものであるから、成立したと称せられる決議が不存在であるときは、会社を相手に決議不存在の確認の訴を提起することによつて決議の無効を劃一的に確定する必要が存するのであつて、この場合に基本たる決議の効力自体を争うことなく、単に決議により発生した個々の現在の法律関係についてのみ訴えうるものとすることは、会社における法律関係の安定をはかるゆえんではない（最判昭三二・一一・一民集一一・一二・一八一九に関する判例批評・宮崎・民商三七巻五号六八八頁以下、坂井・経済法律時報一九号二三頁以下参照。なお同判決は、漁業協同組合の総会で理事に選挙されその後辞任した者につき、過去において理事でなかつたことの確認を求める趣旨の理事選挙無効確認の訴は、確認の訴として許されない旨を判示している）。ことに決議の内容が違法なことを理由とする決議自体の無効確認の訴を否定するのであればともかく、これを適法とみとめるのである以上、同じ株主総会の決議を対象とする決議の不存在確認の訴も、これを適法と解するのが当然でなければならない。決議の存否は過去の事実であるにしても、その判断が現在の民事的紛争の解決に必要である以上、これを確認訴訟の対象たりえないとすることはあまりに概念的な考え方である。現に民事訴訟法は証書の真否に関しては確認訴訟をみとめているのである（民訴二二五）。それゆえ、学説の多数はかような趣旨のもとに決議不存在確認の訴をみとめており（松本・日本会社法論二七〇頁、田中（誠）・会社法二四〇頁、大隅・概説一二六頁、石井・商法Ｉ二五七頁、同・株主総会の研究一八三頁一八四頁二〇九頁、西原・会社法二四九頁、大森・講義一六五頁等、なお、中村・前掲早稲田法学三三巻一・二冊四〇頁四三頁以下、野間・前掲民商三九巻一・二・三号三二三頁以下参照）、判例も従来から、決議不存在を理由とする決議無効ないし不存在確認の訴は確認の訴として適法であるとする立場に立つているものといいうる。すなわち、商法二五二条の規定が設けられた昭和一三年の商法改正前から、判例は既述のように決議の内容が違法なことを理由とする決議無効確認の訴を適法なものと解していたが【168】、同様に決議が不存在な場合にも、それを理由に決議自体の無効確認の訴を提起しうることをみとめていたのであり、決議無効確認の訴としては、決議の内容が違法なことを理由とする場合も決議の不存在を理由とする場合も、全く同一に取り扱つていたのである（定足数を欠く特別決議の無効確認請求事件につき、大判大一〇・七・二七民録二七・一四二二、無権限者の招集した総会なることを理由とする決議無効確認請求事件につき、大判昭四・四・八民集八・二六九【18】。これらはいずれも直接に決議無効確認の判決をなしたものではないが、これを判決した原審の見解を支持しているから、結局決議無効確認の訴を適法とする前提に立つものといいうる。決議無効確認請求事件ではないが、全員出席総会に関する前掲【7】、株金払込請求事件に関する【90】の判旨参照。なお決議が無効なる旨を判示した下級審判決は多いが、古い判例としては、大阪控判明三四(ネ)第四〇五号新聞八九・八、東京地判明四〇・二・四新聞四一〇・二一、広島地判明四五・二・六新聞七七六・二四、長崎控判大一〇・二・二四新聞一八二一・一九、東京控判大四・三・一五新聞一〇〇九・二三【154】、東京地判大一一・一二・一一新聞二〇八八・一九、東京控判大一二・七・三新聞二一九三・一二、東京地判大一四・一一・一八新聞二五二〇・一〇などがある。なお東京地判大五・五・三〇判例一民四四五は、招集通知がないのに株主が任意に会合してなした決議は法律上当然無効であり、民事訴訟法の規定に従い決議無効確認の訴を提起しうべきはもちろんであるとする）。

もつとも当時の判例は、決議の不存在を理由に決議無効確認の請求ないし決議無効の主張がなされた事件において決議が無効なる旨を判示するにとどまるのが大多数であつて、とくに決議の不存在を確認する旨の主文をもつて判決した事例は少ない。しかしこれも、「決議不存在確認の訴」をとくに不適法と解するがゆえではないのであつて、むしろ決議不存在確認の訴を決議無効確認の訴の一場合と解しているがゆえにほかならない。つぎの【184】の判決は、決議不存在を主張して一たん決議無効確認の訴を提起した原告が、後になつて、申立中「決議の無効なることを確認云々」とあるのを「決議の不存在を確認云々」と更正したのに対し、被告側が、決議の無効確認は決議の存在を前提として決議の効力の発生しないことの確認を求めるものであり、決議が全然存在しないことの確認を求めるものではないから、右の変更は請求の目的物及び申立を変更するものであつて、訴は却下さるべきであると主張した事件に関する。裁判所は原告の申立どおり決議の不存在を確認する旨の主文を掲げて判決したが、それと同時に、決議の無効なる語は決議不存在の意味においても使用されうるものであるから、訴の申立における無効の語を不存在と更正しても、それは単なる語辞の変更にとどまり、訴自体の変更となるものではないと述べて、被告側の主張を排斥しているのが注目される。なお【185】の判決も、決議不存在の意味においてその無効確認の訴を提起しうる旨を述べており、また【186】の決定は、決議禁止の仮処分命令に違反してなされたことを理由にその決議の無効確認が請求された事件に関するが、判旨は、決議が当然無効又は不存在な場合には、何人もまたいつでも民事訴訟法の通則に従い決議の無効又は不存在の確認訴訟を提起しうることをみとめている（同旨、東京地判昭四・一〇・四評論一九商法四三、東京控決昭九・八・二五新聞三七五五・一五）。

【184】　「本訴において原告が株主総会の決議の無効確認を求むと為したることは前段事実摘示に掲げたる所の如し然れども無効の語は法律効果の原因たるべき事項が事実上其存在を有すれども法律上の効力を生ぜざる場合のみならず斯る事実が実際存在せず従て法律上の効力なきも其存在したるが如き外観形式の存する場合を指称することなきに非ざるを以て其如何なる意義に使用せられたるやは各場合の事情より之を考察するの外なく決議の無効確認を求むと云へる無効の語辞其もののみを捉へて決議の存在を前提し其効力を生ぜざることの確認を求めたるものなりと論断するを得ず而して原告が訴状に記載したる請求の原因たる事実は前掲摘示の如く被告等が株主総会において商号の変更役員更任の決議ありたりと冒唱し登記を為したるは不法なるを以て其無効確認を求むと云ふに在り所謂無効とは決議の存在を前提し其の効力なきことを称したるものには非ずして却て決議の虚無にして法律上の効力なきことを指称し訴の申立に於ける無効の語は此の意義に於て使用せら

れたるものなること明なれば之を不存在と更正するも単に申立を表示する語辞を変更したるに止まり内容を異にする他の申立を以て曩きの訴の申立に代へたるものに非ざれば訴の変更と為ることなきものとす」（仙台地古川支判昭二・六・二〇新聞二七三九・八）。

【185】「株主総会ニ於テ総会招集ノ手続又ハ其決議ノ方法カ法令又ハ定款ノ規定ニ反シタルトキハ株主ハ訴ヲ以テ其決議ヲ無効トスル宣言ヲ求ムルヲ得ヘキ事ハ商法第百六十三条第一項〈現商二四七条〉ノ規定スル所ニシテ又総会ノ決議自体カ法律上当然無効ナル場合ニハ右規定ニ準拠スルコトナク其無効確認ノ訴ヲ提起シ得ヘキコト一般ノ場合ト異ナルコトナシ而シテ如何ナル場合ニ同条ニ所謂招集ノ手続又ハ其決議ノ方法カ法令又ハ定款ニ反スルモノト看做スヘキカ又如何ナル決議ヲ目シテ法律上当然無効ナリト看做スヘキヤハ特ニ別段ノ規定ナキヲ以テ当該決議ヲ審査シ一般原則ニ依ツテ之ヲ定ムルノ外ナシ然ラハ決議無効確認ノ訴ヲ提起シ得ヘキ場合ハ決議カ実際ニ於テハ存在セサルニ不拘決議アリトシテ取扱ハルル場合（例之決議録ニ一定ノ決議アリタル旨ノ記載アリ取締役カ之ニ従ヒテ職務ノ執行ヲ為サントスル場合ノ如キ）ニ於テ決議不存在ノ意味ニテ之カ無効確認ノ訴ヲ提起スルカ或ハ存在セル決議ニ付キ意思ノ欠缺内容ノ不法等其他一般法律行為無効ノ原因存在スルカ若クハ決議ノ内容カ定款ノ規定ニ反スル等決議カ決議トシテ有効ニ存在スルコトヲ法律上許スヘカラサル場合ニ限ルモノト謂ハサルヘカラス」（東京地判大一〇・二・一二評論一〇商法八三）。

【186】「商法第百六十三条の二及三〈現商二四八条二四九条〉は同法第百六十三条〈現商二四七条〉の訴に対する制限若くは条件を規定したるものにして従て株主が総会招集の手続又は決議の方法に瑕疵あることを原因として決議無効の訴を提起したる場合会社より担保の請求を為し得可きこと勿論なりと雖も本件の如く総会の決議自体が法律上当然無効なるか若くは当初より総会の決議全然存在せずとなすが如き場合は何人も亦何時に於ても民事訴訟法の通則に従ひ決議の無効若くは不存在の確認訴訟を提起し得可きものにして斯る訴訟に付ては商法第百六十三条の二及三の適用又は準用（中略）なしと解するを以て抗告人の主張は採用するを得ず」（長崎控決昭七・八・一五新聞三四五一・五）。

上述の判例の立場は昭和一三年の商法改正後においてもかわりはなく、決議不存在の場合には、何人でもまたいつでも、決議の無効確認の訴ないし決議不存在確認の訴を提起しうることをみとめている。ただ昭和一三年の改正法は、決議の内容が法令又は定款に違反することを理由とする決議無効確認の訴についてとくに商法二五二条の規定を設けたから、この訴と区別する必要上、決議不存在を理由とする訴は明白に決議不存在の確認の請求なる訴名をもつて提起されることが多く、また裁判所でも、「云々の決議は存在しないことを確認する」旨の主文をもつて判決する例が比較的多くなつているのが注目される（例えば、東京地判昭二六・五・一四判タ一五・六三、同昭二九・二・一九下級民集五・二・一九三、同昭二九・六・二五判タ四三・六七、同昭三〇・七・八下級民集六・七・一三五三【99】。昭和三三年一〇月三日の最高裁判所の判決【98】は、決議不存在確認の請求を認容した原判決を支持している。決議不存在確認の請求事件ではないが、決議は不存在というべきであると判示したものとしては、東京地判昭三三・五・九経済法律時報一九号四二頁）。

しかし現在でも、従来と同じく、決議の不存在を理由に決議の無効確認が訴求され、これに対して決議は無効なることを確認する旨の主文をもつて判決した事例がないわけではない（例えば、大阪地判昭二九・一一・一七下級民集五・一一・一八八六、東京地判昭三二・一二・一判時一三九・五五【170】（ただし訴名は決議不存在確認の請求となつている）、東京地判昭三三・六・二七経済法律時報一九・四三。なお大橋・経済法律時報一九号四二頁は、総会決議の不存在確認の訴はその主文を維持しようとするかぎり却下を免れないとし、この立場をとるのは東京高等裁判所の各部及びわが国の多くの地方裁判所であるとされるが、必ずしもそうとはいえないであろう。後掲東京高決昭三〇・三・一〇民集八・二・一四七【187】は決議不存在の確認の訴を適法とする前提に立つており、また前掲東京高判昭二八・一〇・五東京高時報四・四民一三八【109】は、傍論としてではあるが、決議自体が不存在のときは「なんぴともその決議の不存在を主張し得べく、その意味において決議無効確認を求め得る」と述べている）。

なお後掲【188】【189】の判決は、いずれも決議不存在の確認請求事件に関するが、このうち【188】の判決は、決議不存在確認の訴は決議無効確認の訴と同じく総会決議そのものが「法律上有効な決議として存在しないことの確認を求める訴である」と述べ、また【189】の判決は、「株主総会決議不存在確認の訴と云つても、株主総会の決議が存在しなかつたと云う過去の事実の確認を求める訴ではなく、結局は、株主総会決議の効力の発生しなかつたことの確認を求める訴に外ならない」と述べて、それぞれ決議不存在確認の訴が確認の訴として適法であることをみとめている。ただ【188】【189】の判旨からみると、決議の不存在確認の訴は決議によつて発生したと称せられる権利又は法律関係の不存在の確認の訴であり、またそれが同時に決議自体の不存在確認の訴であると解しているように思われる。このことは、【188】の判決と同一事件に関する同じ東京地方裁判所の判決【99】が、取締役選任等の決議の不存在を確認する旨の主文を掲げており、とくに当該取締役につきその無資格なることを確認する旨の主文を掲げていないことからもうかがうことができるが、もし判決がかような見解の下に決議不存在確認の訴を適法とみとめているのであるとすれば、決議無効確認の訴に関する【168】の大審院判決につきすでに述べたと同様の批判を免れないであろう（なおこの二判決については、坂井・前掲判タ七〇号三五頁以下参照）。

(2)　決議不存在確認の訴と商法二五二条の類推適用　決議の不存在確認の訴が許されるとして、この訴につき商法二五二条の規定の類推適用ないし準用をみとめることはできないであろうか。最近にこの問題に触れた下級審判決が数件みられる。このうち【187】の決定は、取締役選任決議の不存在確認判決により、その取締役が右判決前に第三者との間で締結した抵当権設定契約の無効も確定し、裁判所のなした競売開始決定も違法となるか否かが争われた事件に関するが、決議不存在確認の訴は通常の確認の訴にすぎないとして判決の第三者に対する効力を否定している。このような意味において決議不存在確認の訴に第三者に対する効力をみとめえないのは当然であるが、つぎの【188】の判決は、既述の白木屋事件において、決議不存在確認の訴を本案として、当該決議により選任された取締役・

監査役の職務執行停止及び職務代行者選任の仮処分をなしうるか否かが争われた事件に関し、また【189】の判決は、資本増加決議の不存在及び株主の現物出資引受契約等の無効確認の訴が会社と当該株主を共同被告として提起された事件に関するが、いずれも、決議無効確認の訴に関する商法二五二条の規定は会社を被告とする決議不存在確認の訴にも類推適用又は準用さるべきものであるとしている。

【187】「確定判決は、その当事者間においてのみ効力を有し、第三者に対してその効力の及ばないのを原則とするところ、前述の株主総会における取締役選任等の決議の存在しないことを確認する訴については、商法上会社合併無効の訴、設立無効の訴、設立取消の訴、総会の決議取消の訴、決議変更の訴及び決議の内容が法令又は定款に違反することを理由とする決議無効確認の訴等のように、判決が第三者に対してもその効力を有することを特に定めた規定が存在しないばかりでなく、右本件確認の訴がその性質上、判決の効力を、前述の訴訟法上の原則に反し、当然に第三者にまで及ぼさなければならないものとは解されない」（東京高決昭三〇・三・一〇民集八・二・一四七）。

【188】「株主総会決議不存在確認の訴の性質は、申立人等が主張するように、通常の確認の訴である。しかしながら、株式会社の株主、取締役または監査役等、会社機関あるいは機関の構成員より会社を被告として提起された株主総会決議不存在確認の訴を認容する確定判決には商法第二百五十二条、第百九条第一項の類推適用あり、その判決は当事者間のみならず第三者に対しても効力を有するものと解するを相当とする。

　株主総会決議取消の訴、無効確認の訴、および不存在の訴は、一は形成の訴であつて、一応総会ならびに総会決議は有効に存在するが、商法第二百四十七条に規定するような瑕疵が存在するためにその決議取消の判決を求めたものであり、一は、総会そのものは存在するが、決議としてはその内容が法令、定款に違反するために法律上有効な決議として存在しないことの確認を求める訴であり、一は、総会そのものの成立が形式上一応は存在するもののように見えても、その成立過程における瑕疵があまりにも甚しいため社会観念上総会そのものが存在せず、したがつてまた総会決議が存在するとは見られないような場合において、その法律上有効な決議として存在しないことの確認を求める訴である、という点において、おのおのその類型的差異が存するけれども、これらの訴は結局いずれも総会決議そのものが「法律上有効な決議としては存在しない」ことの確定を求めることを窮極の目的とするものであるという点において共通の性質を有し、ただ一は判決によつて法律上有効な決議としては存在しないものと「なる」のであり、他は法律上有効な決議としては存在しないことが「確認される」だけの差異があるにすぎない。そうであるから、決議取消の訴ならびに決議無効確認の訴を認容する確定判決が、当事者のみならず第三者に対してもその効力を有す（第二百四十七条、第二百五十二条、第百九条）べきであるならば、これと同じ理由を以て、決議不存在確認の訴を認容する確定判決もまた単に当事者間のみに止まらず、第三者に対しても効力を有すべきである。何となれば右不存在確認の訴を認容する確定判決が、単に当事者間にのみ効力を有するにすぎないとすれば、訴訟の対象となつた株主総会の決議、例えば、取締役または監査役を選任または解任する決議、定款変更の決議、提出貸借対照表、利益配当に関する議案等を承認する旨の決議等々は、原告となつた一名もしくは数名の取締役、監査役または株主等と会社との関係では存在せず、それ以外の取締役、監査役または株主等と会社との間では有効な決議として存在するものとして取り扱われることとなり、元来取締役、監査役および株主等に対して一体として取り扱われるべき総会決議が、訴訟に関与したか否かでその取扱を異にすることとなる結果無用の混乱を惹起し、また株式会社法の大原則である株主平等の原則にも反する結果となるに至るであろう。決議取消の訴、無効確認の訴を認容する確定判決に法が明文を以て第三者に対する効力を認めたのも実はかかる混乱と不平等を避ける趣旨に出たものというべきである。

而して、同じく総会成立の過程において瑕疵が存する場合に、決議取消の訴の外に、決議不存在確認の訴を認めざるを得ない所以は、前者については出訴期間の制限があり（商法第二百四十八条第一項）、この制限を設けた所以は、この場合においては、総会成立過程においてある程度の瑕疵が存するけれども、その瑕疵は比較的軽微であるが故に、社会観念上総会そのものは一応成立したものと認められ、株主および取締役がその瑕疵を追及しない限り、そこで成立した決議の効力を長く不安定のままに放置しておくことは妥当を欠くと認められるからであるが、総会成立過程における瑕疵があまりにも甚しいために、社会観念上総会そのものの成立さえないと認められる場合に、しかも決議取消の訴に準拠して、成立したと称する決議の日から三ケ月以内に訴を提起しなければ、その元来存在しない決議さえ有効な決議として存在するものとして取り扱われることは、決議無効確認の訴（出訴期間の制限はない）との関連においても甚だ適当でないという理由に基くのである。しかしながら、総会が存在しないと認められる場合においても、それは総会成立過程に瑕疵があるのであると考えられるから、訴提起期間の要件に合致する限りは、商法第二百四十七条による決議取消の訴として、そこで成立したと称されている決議の取消を求め得ると解することができるであろう。

決議取消の訴、無効確認の訴、不存在確認の訴の三者は、おのおのその類型を異にするものであり、しかも前二者の訴の外に決議不存在確認の訴を認めざるを得ないこと前述の如くであり、また不存在確認の訴が、訴として認められる以上（決議不存在確認というも過去の事実の確認ではなく、現在の法律状態の確認であること決議無効確認の訴におけると同じく、したがつて右の如き訴が許容されることは多くの言を要しない）右訴を認容する判決にいわゆる対世的効力を認めざるを得ないことは上述のとおりである。

申立人等は、決議取消の訴または無効確認の訴については、商法中特に明文を以て、専属管轄、訴の提起についての公告義務、数個の訴についての弁論および裁判の併合、特別の場合の担保提供義務、敗訴の場合の損害賠償義務、その判決の対世的効力、嘱託登記等に関する規定を設けているが、これら各般の規定は特別の性質を有する前記二種類の訴訟に固有のものであつて、みだりに他の訴訟に準用または類推することを許さないと主張するが、決議不存在確認の訴が、前記二個の訴と、その類型を異にはするが、その目的とするところよりすれば、その性質の許す限り、申立人等の主張するような規定は、不存在確認の訴にも類推適用さるべきであると考える。例えば、管轄、弁論および裁判の併合、訴の提起についての会社の公告、嘱託登記等に関する規定等これである」（東京地判昭三〇・七・八下級民集六・七・一三八二）。

【189】「株主総会決議不存在確認の訴と云つても、株主総会の決議が存在しなかつたと云う過去の事実の確認を求める訴ではなく（若し左様な事実関係の確認を求める訴であるならば、わが民訴法上は許容されないものであつて、却下を免れない）、結局は、株主総会決議の効力の発生しなかつたことの確認を求める訴に外ならない。唯「株主総会決議無効の確認の訴」と云う場合には、一応株主総会の決議が存在したことを前提としてその効力が発生しなかつたことを主張するのが普通であり、之に反して「株主総会決議不存在確認の訴」の場合に於ては、株主総会の決議と見るべきものが全然存在しなかつたことを理由として、総会決議の効力の発生していないことを主張するものであるから、訴の理由づけにおいて両者は多少趣を異にするが、然しこれも要するに前者に在つては株主総会決議の効力発生要件の一部欠缺を理由とするに反し、後者に在つてはかかる要件の全面的欠缺を理由とする点の相違だけであつて、その訴に於て確定せらるべきものは両者共に「問題の株主総会の決議が有効に存在したと仮定したならば発生したであろうところの法律効果が、実は発生して居ないこと」に外ならないのである。株主総会決議不存在確認の訴において原告勝訴の判決が確定した場合でも、その判決によつて既判力が生ずるのは「当該株主総会決議が存在しなかつた」と云う事実関係について生ずるのではない（かような事実関係は判決の理由に過ぎない）のであつて「問題の株主総会決議が有効に存在したと仮定したならば発生すべかりし法律関係が全然発生していないこと」につき既判力が生ずるに過ぎない。従つてこの種の訴も株主総会決議無効確認の訴の一種と云うべきである。（中略）右の如く商法第二百五十二条が「株主総会の決議の内容が法令又は定款に違反する為当然無効であること」を理由として、その無効の確認を求める訴を規定したものならば、同条はその他の理由に基き株主総会決議の無効確認を求める訴乃至いわゆる株主総会決議不存在確認の訴にも準用すべきである。何となれば、これ等の訴も同条所定の訴と理由こそ異なるが、判決によつて確定を求めんとするものは結局「問題の決議が有効に存在したと仮定すれば、発生すべかりしところの法律関係の不存在」に外ならないのであつて、この意味に於ては同条の訴と性質を異にするものでないのみならず、その判決の効力を広く第三者に及ぼして劃一的確定を計ることの実際上の必要の点に於ても右

第二百五十二条の訴の場合と差別すべき理由を見出し難いからである。従つて当裁判所は、商法第二百五十二条の規定は会社を一方の当事者とするところの株主総会決議無効確認の訴一般に、従つていわゆる株主総会決議不存在確認の訴にも、準用があるものと解する」（福岡高判昭三〇・一〇・一二民集八・七・五三五）。

この問題については、従来の学説は、一般に決議不存在確認の訴と商法二五二条の決議無効確認の訴とは全く別個の訴であると解する立場から、決議不存在確認の訴に商法二五二条の規定が適用ないし準用されることはないものと解していたと思われるが（石井・商法I二八八頁参照。現在でも、決議の無効は訴をもつてのみ主張しうべく、その意味において商法二五二条の決議無効確認の訴は形成の訴であると解する学説においては、商法二五二条の適用ないし準用を否定する見解がみられる。例えば、松田・概論一八五頁）、現在ではむしろその適用ないし準用をみとめるのが多数の見解であるといつてよい（小町谷・講義巻一・二八四頁、大隅・判例評論三号四頁、佐々木等・釈義一六〇頁、西原・会社法二四九頁、河本・神戸法学雑誌五巻四号六九八頁、鴻・判例評論六号八頁、岡村・一橋論叢三六巻三号二七八頁。判決の対世的効力に関する規定についてのみ適用をみとめるものとしては、田中（誠）・会社法二四〇頁以下。組織法上の事項に関する決議につき、同旨、中村・前掲早稲田法学三三巻一・二冊五五頁。なお、石井・株主総会の研究二四九頁、同・商事判例研究ジュリスト一六四号六九頁）。結論としては、この多数説及び上述の【188】【189】の判決の見解を正当とすべきである。けだし決議不存在というも、決議の無効というも、成立したと称せられる決議の効力を否認するための主張方法としては何ら異るところがないのであるから【184】、決議無効確認の訴についてみとめられる原則は理論上当然に決議不存在確認の訴にも適用されうべきはずであつて、訴の理由が決議自体の不存在にあるか又は一応存在する決議の内容上の瑕疵にあるかによつて、その取り扱いを異にすべき理由は存しないものといわなければならない。商法二五二条の規定が設けられた昭和一三年の改正前における多数の判例が、かような立場に立つて決議不存在確認の訴を決議無効確認の訴の一場合として取り扱つていたことが、ここで想起さるべきである（ドイツ株式法一九五条は決議不存在とみとめられる事由を決議無効の事由の一つに加えている）。ただ商法二五二条の決議無効確認の訴は、株主総会の決議としては一応成立しているが、その決議の内容に法令・定款違反の瑕疵がある場合に関するのに対し、決議不存在の場合には株主総会ないしその決議なるものははじめから存在しないのであるから、決議の不存在確認の訴は一般原則に委ねてさしつかえなく、その確認判決に強いて対世的効力をみとめる必要は存しないかのようである。昭和一三年の改正法が決議の内容が違法であることを理由とする決議無効確認の訴についてはとくに商法二五二条の規定を設けながら、決議不存在確認の訴につき何らの規定を設けなかつたのも、或いはかような理由によるのであるかもしれない。しかしこの場合にも、決議が不存在というのは法律上の意味においてであつて、外形上は一応株主総会の決議と称せられるものが存し、その決議が実行に移され、かつその登記もなされているという事態をも生じうるのであるから、その決議の存否は結局訴訟によつて確定されるほかない（坂井・前掲判タ七〇号二五頁によれば、東京地方裁判所が過去において受けつけた商法上の特殊訴訟のうちでは、株主総会決議不存在確認の訴がとりわけ多く、昭和三一年に提起された訴のうちでは、総会決議取消の訴が一一件、同無効確認の訴が六件であるのに対し、決議不存在確認の訴は一四件に及んでいるといわれる）。そして株主総会の決議は株式会社の意思決定として会社の機関及び株主の全部にかかわるものであるから、その存否はこれらの者のすべてに劃一的に定められなければならない（大隅・判例評論三号四頁）。既述のように、株主総会の決議不存在確認訴が適法とみとめられるのもまたかような理由にもとづくのであつて、すでにかかる訴がみとめられる以上、決議不存在確認判決に対世的効力をみとむべきことは当然の事理であるともいいうる（石井・前掲ジュリスト一六四号六九頁参照）。そしてかようにして決議不存在確認の判決に対世的効力がみとめられる以上は、性質の許すかぎり決議無効確認の訴に関する規定を類推適用するのを正当としなければならない（大隅・前掲四頁）。　商法二五二条にいわゆる「決議の内容が法令又は定款に違反する」場合の中に決議不存在の場合が含まれると解することは無理であるから、決議不存在確認の訴に対して同条の直接の適用をみとめることは困難であるが（反対、西本・前掲二一〇頁）、それにしても上述の点では、決議不存在確認の訴と決議無効確認の訴とを区別する理由は存しないのである。

（一八） 決議無効又は不存在確認の訴と合併無効・減資無効の訴との関係

決議無効確認の訴又は決議不存在確認の訴と合併無効・減資無効の訴との関係も、基本的には決議取消の訴について述べたところとかわりはない。すなわち、例えば合併承認決議が当然に無効であるか又は不存在のときは、合併も当然に効力を失うから、合併の日以後はそれを理由として直ちに合併無効の訴（商四一五・四一六）を提起することができるが、それとともに、合併承認決議の無効又は不存在確認の訴は当然に合併無効の訴に吸収され、合併の日以後は独立して提起しえなくなる【161】（田中（耕）・概論五六一頁、鈴木・西原・前掲ジュリスト選書二一九頁以下、石井・前掲講座(三)九七四頁）と解する必要もなく、合併承認決議に無効原因があるか又はその決議が不存在であるときは、合併の日の前後をとわず、その決議の無効又は不存在の確認の訴を提起することができ、かつこの判決が確定したときは、合併も将来に向ってその効力を失うものと解してさしつかえない。ただしこの場合においても、合併の日以後六箇月の期間（商四一六・一〇五Ⅰ）を経過したため合併無効の訴を提起しえなくなつたときは、合併承認決議の無効又は不存在も当然に主張しえなくなると解すべきであるし、訴の提起権者等についても、合併の日以後は合併無効の訴（商四一五）と同一の拘束に服するものと解しなければならない。その限りでは、合併承認決議の無効又は不存在の確認の訴も実質的には合併無効の訴とかわりないものとみてよいわけである。

なお、合併無効の原因がある場合でも、合併無効の訴提起期間(商四一六・一〇五I)を経過するときはもはや合併の効力を争うことはできなく、その結果として瑕疵ある合併も有効な合併として確定することになる。しかしこのような瑕疵の治癒がみとめられるのは、法律的な意味において会社の合併と称しうべき実体が存在する場合でなければならないのであつて、かような実体が存在せず、ただ合併登記のみがなされているにすぎないような場合には、商法四一五条・四一六条一項の規定にかかわらず、何人からいつでも、またいかなる方法によつても、合併の不存在を主張しうるものと解しなければならない(減資無効の訴につき、同旨、田中(誠)・会社法四七六頁。設立無効の訴につき、同旨、大判昭一〇・一一・一六法学五・六五〇)。このことは決議取消の訴と決議不存在確認の訴との関係におけると同様である。もつとも、具体的にいかなる場合に会社の合併を不存在と解すべきかは困難な問題であつて、結局は各場合につき合併ないし合併無効の訴の制度の全趣旨に照らしてこれを判断するほかないが、いずれにしても合併の不存在ということはなるべく狭く解するのが妥当であることはいうまでもなく、例えば合併承認決議の取消又は無効の場合はもとより(この場合が合併無効の訴の原因にすぎないことは通説のみとめるところである)、合併決議の不存在の場合にも、合併自体を当然に不存在と解すべきではない。この点は旧法上の増資無効の訴(旧三七一)の場合でも同様であつて、増資決議の取消又は無効の場合はもとより(通説)、その決議の不存在の場合にも、増資自体を当然に不存在と解すべきではない。前述【189】の福岡高等裁判所の判決【190】は、これに反して、「増資に関する株主総会の決議が全然為されなかつたような場合」には増資無効の訴の適用はなく、いつでも何人でも増資の当然無効ないし不存在を主張しうべく、いわんや増資決議自体の無効ないし不存在の主張をなすことはもとより妨げないものであると述べているが、正当とはいえない。増資の事実もなく単に増資の登記のみがなされているにすぎないような場合であれば別であるが、そうでないかぎりは、増資決議の不存在の場合でも、増資は当然に不存在ではなく、その無効ないし増資決議不存在の主張は増資無効の訴に関する規定に従つてのみなしうるものと解すべきである（なお判決は、増資決議の内容が違法な場合に増資無効の訴の適用があるか否かの点については議論を避けているが、本判決【189】もみとめているように、決議不存在の場合と決議無効の場合とを区別する理由はないから、判旨の見解によればこの場合も増資は当然に不存在であつて、増資無効の訴に関する規定は適用されないものと解せざるをえないであろう）。

【190】「改正前の商法第三百七十一条は、資本増加の無効は増資の登記後六ケ月内に訴を以てのみ主張し得る旨を規定して居つた。而して被控訴会社における本件問題の増資については昭和二十四年六月三十日に増資の登記が為されたが、その後右第三百七十一条に依る資本増加無効の訴が提起せらるることなく六ケ月を経過したことは、控訴人の主張自体に徴して明かであるから、最早今日に於ては訴を以てしても本件増資の無効を主張することは出来ないかのように見える。そうすると、被控訴会社に対する本件の訴についても、その適否乃至請求の当否が、右第三百七十一条との関連上疑問視されるかも知れない。

然し乍ら、右第三百七十一条は、登記後六ケ月内に提起せられた訴を以て主張する以外の方法では、増資の無効を主張することが出来ないとするのであるから、結局かかる訴に基く増資無効の判決が確定するまでは、増資は有効なものとして取扱われるものと為さざるを得ないのであつて、そうすると結局、同条に規定する訴はカシある増資につきその効力を失わしむることを目的とする一種の形成の訴に外ならないものであつて、増資の登記後六ケ月内にかかる訴が提起されないとき（提起せられても、請求が棄却せられたとき）は、たとえカシのある増資でもそのカシが治癒せられて完全な効力を有するに至るものと解せざるを得ない。

さすれば、本条の適用のあるのは、たとえカシがあつてもそのカシの治癒によつて完全な効力を有せしむるに適するだけの増資の実体を備うる場合に限るべきであつて左様な実体のない場合には、たとえ増資の登記は為されて居つても本条の適用なく、従つて何時如何なる方法によつても、又誰からでも、増資の無効の主張（不存在の主張を含む）が為され得べき筈である。

如何なる程度の増資の実体を具うれば右第三百七十一条の適用があると為すべきかは、解決に困難な問題であるけれども、増資に関する株主総会の決議が全然為されなかつた様な場合には、たとえ増資の登記が為されたとしても右第三百七十一条の適用はなく、従つて、何時誰からでも増資の当然無効乃至不存在の主張を為し得べく、いわんや株主総会の決議自体の無効乃至不存在の主張を為すことはもとより妨げないもの、と云わねばならない。故に本件株主総会決議不存在確認の請求は、右商法第三百七十一条の規定と何等相容れないものではない」（福岡高判昭三〇・一〇・一二民集八・七・五三五）。

四　不当な決議の取消又は変更

株主が決議につき特別の利害関係を有する結果議決権を行使することをえなかつた場合において、決議が著しく不当でその株主が議決権を行使すればこれを阻止することをうべかりしものなるときは、その株主は訴をもつて決議の取消又は変更を請求することができる（商二五三）。この規定は、多数者たる特別利害関係人が決議から除斥された結果少数の株主によつて著しく不当な決議が成立せしめられることを防止する趣旨のものであつて、訴の手続・判決の効力等についてはすべて決議取消の訴に関する規定が準用される。しかしこの訴に関する判例は全くみあたらない。立法としても、このように一般的に特別利害関係人の議決権を停止するとともに、その結果として生じうべき少数者の議決権の濫用の場合を救済しようとする方式が妥当かどうか、すこぶる疑問の多いところである（田中（耕）・概論三八一頁、鈴木・会社法一一四頁、大森・前掲講座（三）九〇八頁、前掲ジュリスト選書七三頁以下、九六頁以下、なお、竜田「株主の議決権の排除」論叢六四巻三号四三頁以下参照）。

区裁判所判例

行政裁判所判例

高等裁判所判例

地方裁判所判例

最高裁判所判例

控訴院判例

判例索引

著者紹介

大隅健一郎（おおすみ けんいちろう） 京都大学教授

今井 宏（いまい ひろし） 大阪府立大学助教授

総合判例研究叢書　商法(5)

昭和34年5月25日 初版第1刷印刷
昭和34年5月30日 初版第1刷発行

著作者 大隅健一郎
今井宏

発行者 江草四郎

印刷者 春山治部左衛門

東京都千代田区神田神保町2ノ17
発行者 株式会社 有斐閣
電話九段(33)0323・0344
振替口座東京370番

印刷・共立社印刷所　製本・稲村製本所

総合判例研究叢書 商法(5)
(オンデマンド版)

2013年1月15日　発行

著　者　　大隅　健一郎・今井　宏
発行者　　江草　貞治
発行所　　株式会社 有斐閣
〒101-0051　東京都千代田区神田神保町2-17
TEL　03(3264)1314(編集)　03(3265)6811(営業)
URL　http://www.yuhikaku.co.jp/

印刷・製本　　株式会社 デジタルパブリッシングサービス
URL　http://www.d-pub.co.jp/

AG486

ISBN4-641-91012-X　　Printed in Japan